FANETTE

De la même auteure

ROMANS

Fanette, tome 3, *Le Secret d'Amanda,* Libre Expression, 2010.

Fanette, tome 2, *La Vengeance du Lumber Lord,* Libre Expression, 2009.

Fanette, tome 1, *À la conquête de la haute ville,* Libre Expression, 2008.

Le Fort *intérieur,* Libre Expression, 2006.

THÉÂTRE

La Nuit des p'tits couteaux, Leméac, 1987.

SUZANNE AUBRY

FANETTE

Tome 4

L'encre et le sang

Roman

Une compagnie de Quebecor Media

Catalogage avant publication de Bibliothèque et Archives nationales du Québec et Bibliothèque et Archives Canada

Aubry, Suzanne

Fanette : roman

L'ouvrage complet comprendra 6 v.
Sommaire: t. 4. L'encre et le sang.

ISBN 978-2-7648-0368-4 (v. 4)

I. Titre. II. Titre: L'encre et le sang.

PS8551.U267F36 2007 C843'.54 C2007-942350-7
PS9551.U267F36 2007

Édition : Monique H. Messier
Révision linguistique : Annie Goulet
Correction d'épreuves : Julie Lalancette
Couverture et grille graphique intérieure : Chantal Boyer
Mise en pages : Chantal Boyer
Photo de l'auteure : Robert Etcheverry

Bien qu'inspiré par certains faits et personnages historiques, cet ouvrage est une œuvre de fiction et le fruit de l'imagination de l'auteure.

Remerciements
Nous reconnaissons l'aide financière du gouvernement du Canada par l'entremise du Fonds du livre du Canada pour nos activités d'édition. Nous remercions le Conseil des Arts du Canada et la Société de développement des entreprises culturelles du Québec (SODEC) du soutien accordé à notre programme de publication. Gouvernement du Québec - Programme de crédit d'impôt pour l'édition de livres - gestion SODEC.

Les Éditions Libre Expression
Groupe Librex inc.
Une compagnie de Quebecor Media
La Tourelle
1055, boul. René-Lévesque Est
Bureau 800
Montréal (Québec) H2L 4S5
Tél. : 514 849-5259
Téléc. : 514 849-1388
www.edlibreexpression.com

Dépôt légal – Bibliothèque et Archives nationales du Québec et Bibliothèque et Archives Canada, 2011

ISBN : 978-2-7648-0368-4

Distribution au Canada
Messageries ADP
2315, rue de la Province
Longueuil (Québec) J4G 1G4
Tél. : 450 640-1234
Sans frais : 1 800 771-3022
www.messageries-adp.com

Diffusion hors Canada
Interforum
Immeuble Paryseine
3, allée de la Seine
F-94854 Ivry-sur-Seine Cedex
Tél. : 33 (0)1 49 59 10 10
www.interforum.fr

À la mémoire de Marianna O'Gallagher,
la grande dame irlandaise de Québec,
qui a contribué à faire connaître
l'histoire de ses compatriotes.

À Francine Mhun,
que j'ai eu le privilège de connaître.

« Et qu'il est curieux que ce soient eux,
nos premiers songes, comme des éclaireurs
de choses à venir, qui viennent, à l'âge de notre ignorance
de nous-mêmes, nous en apprendre plus sur nous
que rien d'autre ne nous apprendra jamais. »

Gabrielle Roy, *La Détresse et l'Enchantement*

« – Nous avons congé, M. Julien s'en va pour un long voyage.
À ce mot, madame de Rênal se sentit saisie d'un froid mortel ;
elle était malheureuse par sa vertu,
et plus malheureuse encore par sa faiblesse. »

Stendhal, *Le Rouge et le Noir*

Prologue

Port de Boston
Mai 1861

Levant les yeux, le jeune homme constata que le soleil était haut dans le ciel. Il en avait encore pour quelques heures de travail, mais les muscles de ses bras étaient à ce point endoloris qu'il se demandait comment il allait pouvoir finir sa journée. Ses cheveux noirs étaient collés sur son front et ses yeux, d'un bleu profond presque noir, étaient irrités par la lumière implacable et les gouttes de sueur qui y pénétraient. S'essuyant le front de sa manche, il prit quelques secondes pour souffler. Les traits de son visage étaient harmonieux, mais une étrange crevasse déformait légèrement sa pommette droite.

Après une inspiration, il fit un signe de tête à un débardeur plus âgé dont le visage était buriné par le soleil. Tous les deux saisirent une caisse à bras-le-corps et la transportèrent vers un navire qui était à quai. C'était un bateau marchand qui avait été réquisitionné par l'armée américaine et qui servait maintenant au transport de munitions et de nourriture destinées aux troupes de l'Union. À la suite de l'attaque des États confédérés contre un poste militaire de l'Union à Fort Sumter, en Caroline du Sud, le président Abraham Lincoln avait décrété une mobilisation des volontaires, et les préparatifs pour la guerre civile qui s'annonçait entre les États esclavagistes et l'armée nordiste allaient bon train. Les deux hommes déposèrent la caisse sur un monte-charge, puis revinrent sur leurs pas pour chercher d'autres marchandises.

Un homme malingre, portant une redingote et un haut-de-forme qui avaient connu des jours meilleurs, se tenait à l'écart et observait depuis un bon moment le jeune homme aux cheveux noirs. Il l'aborda.

— *Hello. I'm Tom Connelly. What's your name, lad?*

Le jeune homme hésita. Il se méfiait de tout un chacun depuis sa fuite du lazaret de Tracadie. Mais c'était si loin... Il dit son nom. Une lueur d'intérêt alluma le regard de l'homme à la redingote.

— *You're Irish, then.*

Le jeune débardeur acquiesça en silence. La sueur ruisselait sur son visage et ses bras musclés luisaient dans la lumière du soleil. Connelly lui expliqua qu'il était lui-même d'origine irlandaise. Sa famille avait quitté l'Irlande pour échapper à la famine de la pomme de terre et il était devenu recruteur pour l'armée nordiste. Il cherchait des hommes courageux pour se battre contre les États esclavagistes. L'ayant observé au travail, il avait constaté que le jeune homme avait la force et l'endurance pour devenir un bon soldat.

Le garçon aux yeux bleus écoutait l'homme à la redingote avec attention. Le fait que celui-ci était de même nationalité et qu'il avait fui la famine, tout comme lui, le mettait en confiance. Le travail de débardeur était dur et la paie, dérisoire. Il savait à peine lire et écrire et n'avait que la force de ses bras pour gagner sa pitance. Le métier de soldat était hasardeux, mais peut-être valait-il mieux risquer sa vie sur un champ de bataille que de continuer à la gagner misérablement à soulever des poids trop lourds à longueur de journée, et à se faire traiter comme une bête de somme par les contremaîtres.

Le recruteur, sentant qu'il avait capté l'intérêt du jeune débardeur, vanta la vie de soldat. La solde était convenable, la nourriture abondante et de bonne qualité, ce qui n'était pas à dédaigner par les temps qui couraient. Le jeune homme, sans réfléchir davantage, demanda ce qu'il fallait faire pour s'engager. En souriant, Connelly lui conseilla de se présenter le lendemain matin au bureau de recrutement le plus proche, lequel se trouvait à proximité du port, sur Broad Avenue, au coin de State Street. Il n'avait qu'à dire qu'il venait de la part de Tom Connelly.

— *I can count on you, lad ?*

Le débardeur acquiesça. Tom Connelly lui tendit la main. Le jeune homme hésita : la sienne était sale. Connelly la saisit avec fermeté, en disant qu'il préférait serrer la main d'un honnête travailleur que celle d'un banquier véreux. Puis il s'éloigna. Le jeune Irlandais le suivit des yeux. La voix de son contremaître le rappela à l'ordre. Il se remit au travail, le cœur plus léger, dans l'espoir que sa vie de misère changerait bientôt.

Le lendemain, il se présenta au bureau de recrutement, constitué d'une grande tente au-dessus de laquelle flottait le drapeau de l'Union. Une table rectangulaire avait été installée à l'entrée de la tente. Une trentaine d'hommes faisaient déjà la queue. La plupart d'entre eux étaient jeunes, mais quelques-uns avaient passé la quarantaine. Tous avaient l'air pauvres. Après plus d'une heure d'attente, son tour arriva enfin. Un homme portant un képi et un veston bleu foncé l'accueillit. Un insigne bleu clair posé sur son uniforme indiquait qu'il venait de l'infanterie. Un registre était ouvert devant lui.

— *Name, age, occupation ?* demanda-t-il.

Le jeune homme donna les renseignements demandés.

Le militaire les inscrivit dans son registre. Se souvenant de la recommandation du recruteur, l'ancien débardeur ajouta qu'un certain Tom Connelly lui avait conseillé de se rendre au bureau de recrutement. Cette fois, l'homme au képi leva la tête et l'observa avec attention, puis inscrivit une note dans le registre tout en lui faisant signe d'entrer dans la tente, où il serait examiné par un médecin.

Une autre queue s'était formée dans la tente. Un médecin d'une cinquantaine d'années, portant un sarrau blanc sur son habit militaire, auscultait les recrues l'une après l'autre. La chaleur était suffocante. Lorsque ce fut le tour du jeune homme, le médecin examina l'intérieur de sa bouche avec un abaisse-langue, puis le palpa derrière les oreilles. C'est alors qu'il remarqua une légère déformation de la pommette droite. La peau était légèrement boursouflée et rosâtre, comme si elle avait été brûlée.

— *What happened?* demanda le médecin, intrigué.

Le jeune homme serra les dents. Il revit les chaînes autour de ses poignets, les regards à la fois apeurés et compatissants des villageois qu'il croisait sur le chemin bordant la mer, puis la palissade haute, la cour desséchée, les visages difformes, la chambre munie de barreaux dans laquelle les policiers l'avaient enfermé, son désespoir lorsqu'il avait aperçu son compagnon d'infortune portant des menottes, dont le visage était ravagé par la maladie.

— *Nothing.*

Il expliqua qu'il s'était brûlé avec un tison. La blessure, mal soignée, s'était infectée. Il s'en était fallu de peu pour que la fièvre l'emporte. Le médecin hocha la tête, lui faisant remarquer qu'il avait eu de la chance, puis lui donna une tape dans le dos en lui remettant une feuille de papier. Il lui expliqua que c'était un certificat attestant de sa bonne santé et qu'il devait refaire la queue à l'accueil afin de le présenter au préposé.

Serrant la feuille dans une main comme si sa vie en dépendait, le jeune homme se remit docilement dans la file d'attente qui s'était reformée. Ses oreilles bourdonnaient et il sentait une nausée monter dans sa gorge, mais seul le soulagement en était la cause. Depuis sa fuite de la léproserie, il avait vécu dans la crainte de tomber de nouveau malade, de voir les affreux stigmates du mal réapparaître sur son corps. Cela ne s'était pas produit. Chaque jour qui passait le confortait dans la certitude qu'il avait échappé à une mort lente et horrible, par une sorte de miracle qu'il ne comprenait pas. La seule séquelle qu'il avait gardée de la lèpre, à supposer qu'il en avait bel et bien été atteint, était cette marque étrange sur sa joue. Peut-être avait-il été victime d'une autre maladie, comme le typhus ou la petite vérole. Chose certaine, depuis son évasion, il n'avait pas eu d'autres symptômes et maintenant, muni de ce certificat de santé, il avait le sentiment d'être devenu invulnérable. Plus rien de mal ne pouvait l'atteindre désormais.

Première partie

Sean et Arthur

I

Québec
Huit mois plus tôt
Le 7 septembre 1860

D'immenses vagues déferlent sur le pont avec fracas. Les voiles claquent au vent tandis que des rafales de pluie griffent le ciel noir. Le navire roule et tangue comme si une main géante s'en était emparée et s'amusait à le secouer. Fanette, aveuglée par l'eau, s'agrippe à un mât pour ne pas tomber. À travers un rideau de pluie et d'écume, elle aperçoit soudain Amanda qui tient son fils Ian par la main. Ses cheveux roux volent au vent. Une vague plus forte que les autres s'abat sur eux et les entraîne vers la proue du bateau. Amanda s'accroche désespérément à des cordages, tâchant de garder la main d'Ian dans la sienne, mais une forte secousse les sépare. L'enfant glisse sur le pont et est emporté par l'eau tourbillonnante. Amanda pousse un cri de désespoir, qui se perd dans le bruit assourdissant de la tempête. Puis une vague l'emporte à son tour et la fait passer par-dessus bord. Fanette veut crier, mais elle est muette. Une ombre noire passe devant elle. Des yeux d'un bleu délavé la dévisagent. Des rigoles de pluie coulent sur le visage émacié. Elle reconnaît le notaire Grandmont. Un mince sourire étire les lèvres pâles de son beau-père.

Fanette s'éveilla en sursaut. Une ombre bougeait devant elle. Il lui fallut quelques secondes pour comprendre qu'il s'agissait d'une robe noire suspendue à une patère qu'une brise provenant de la fenêtre faisait onduler. La vue familière de sa chambre remplaça peu à peu les images de son cauchemar qui s'effilochaient dans la demi-pénombre.

La robe noire bruissa de nouveau sous la brise. Fanette se leva d'un bond et courut vers la croisée, dont elle ferma les volets.

Les funérailles du notaire Grandmont auraient lieu le lendemain, à onze heures, à la cathédrale Notre-Dame. Son tourmenteur ne pourrait plus jamais lui faire de mal. La page serait définitivement tournée. Mais alors, pourquoi cette angoisse ? L'image d'Amanda et de son fils emportés par les flots surgit dans sa tête. *Amanda, Ian…* Elle les revit, le jour de leur fuite, dans la petite maison de Cap-Rouge. Le cygne en bois sculpté par monsieur Dolbeau, qu'elle avait donné à Ian juste avant leur départ.

— Garde-le en souvenir de moi, lui avait-elle dit.

La silhouette d'Alistair Gilmour s'était découpée dans l'embrasure de la porte.

— Je vous en prie, le temps presse.

Le Lumber Lord avait expliqué qu'un fiacre mènerait Amanda et Ian à Richmond, dans les *Eastern Townships*, non loin de la frontière américaine. De là, ils prendraient un train qui se rendrait jusqu'à Portland, une ville portuaire dans le Maine. Avant de partir, Amanda avait regardé Fanette dans les yeux. Comme c'était étrange de voir sa sœur dans un uniforme de religieuse, ses beaux cheveux cuivrés dissimulés sous un voile noir ! Ses paroles s'étaient gravées à jamais dans sa mémoire.

— *Déan mar a ligfidh do chroi duit a dhéanamh, a Fhionnuala*. Fais ce que ton cœur te commande, Fionnualá. *Ficfimid a chéile aris lá éigin*. Cet homme te rendra heureuse.

Fanette contempla la robe noire qu'elle devrait porter pendant les six mois que durerait le deuil de son beau-père. Alistair Gilmour lui avait annoncé, quelques jours auparavant, qu'il devait repartir pour l'Écosse d'ici à une semaine et qu'il souhaitait avoir une réponse à sa proposition de mariage avant son départ. Mais tout avait changé depuis la mort du notaire Grandmont. Il était hors de question d'épouser le Lumber Lord durant le deuil. Ce n'était pas tant par respect pour les convenances que Fanette acceptait de s'y plier, mais parce que ce délai lui permettait de mieux réfléchir à cette grave décision, qui allait changer le cours de son existence. Car, malgré les paroles rassurantes d'Amanda, elle hésitait toujours à épouser le Lumber

Lord, bien qu'elle lui fût éternellement reconnaissante d'avoir organisé l'évasion de sa sœur. Grâce à lui, Amanda et son fils étaient sûrement parvenus à Portland, et hors de danger. Mais trop de zones d'ombres subsistaient. Elle voulait croire à la sincérité de ses sentiments à son égard, mais il avait été l'amant de Marguerite Grandmont, celui d'Amanda. Combien de promesses leur avait-il faites, combien de mots d'amour leur avait-il murmurés à l'oreille ? Et puis elle ne connaissait presque rien de lui. Son passé en Écosse, son premier mariage, sa double identité, son alliance douteuse avec le notaire, lorsque celui-ci s'était présenté comme maire aux élections municipales, sans compter sa sœur Cecilia, morte dans des circonstances tragiques... tout cela jetait un voile de mystère et d'ambiguïté sur cet homme qui l'attirait et la repoussait à la fois. *Six mois.* Elle avait six mois pour décider de son destin.

Après avoir revêtu sa robe noire, Fanette descendit à la cuisine. Emma s'y trouvait déjà en compagnie de Marie-Rosalie, à qui elle servait un bol de gruau fumant. La fillette portait un tablier par-dessus une robe de nuit blanche bordée de dentelle que Marie-de-la-Visitation, la sœur cadette d'Emma, lui avait confectionnée. Fanette les observa, émue de voir la patience avec laquelle sa mère apprenait à l'enfant à tenir sa cuillère, à la porter à sa bouche sans rien répandre. Marie-Rosalie était remuante et, inévitablement, de la soupane se retrouva sur son tablier, ce qui provoqua chez elle un éclat de rire, et un sourire indulgent d'Emma.

Cette dernière fut saisie en voyant Fanette vêtue d'une robe noire. Il y avait quelques mois à peine, sa fille avait enfin renoncé à porter le deuil de Philippe, et voilà qu'il lui fallait porter celui de son beau-père. Mais elle chassa vite son malaise. Les funérailles du notaire Grandmont auraient lieu le lendemain. Après, une nouvelle vie commencerait. Le fait que le notaire lui ait légué la part du domaine de Portelance, à laquelle elle avait dû renoncer pour la dot de sa fille, n'était pas étranger à son optimisme. Emma avait recouvré ses terres bien-aimées. Avec les revenus tirés des récoltes, elle pourrait remettre sur pied son cher refuge pour démunis, qu'elle avait dû fermer à cause de ses problèmes financiers. Sans compter qu'elle pourrait subvenir aux besoins de sa fille et de sa petite-fille. Plus jamais Fanette n'aurait à souffrir de la malveillance de son beau-père.

Emma remarqua que sa fille avait une mine triste et en devina aisément la cause.

— Madame Johnson apportera sans doute une lettre de ta sœur.

Par crainte que le courrier de Fanette ne soit intercepté par la police, Amanda avait convenu avec sa sœur que ses lettres seraient envoyées à Emily Johnson, une voisine, qui se chargerait de les apporter à Emma. Veuve d'origine irlandaise, dévouée et discrète, madame Johnson n'avait pas hésité une seconde à rendre ce service à Emma, à qui elle vouait une reconnaissance sans bornes, car celle-ci avait généreusement payé pour l'éducation de ses enfants. Chaque jour, madame Johnson se rendait donc au bureau de poste, mais jusqu'à présent elle n'avait reçu aucune lettre d'Amanda.

On frappa à la porte sur les entrefaites. Emma fit un mouvement pour se lever, mais Fanette la devança.

— J'y vais ! s'écria-t-elle.

Elle ouvrit la porte, le cœur gonflé d'espoir. Florent Bilodeau, le porteur d'eau, un homme de bonne taille, aux larges épaules et aux bras puissants, était sur le seuil, un tonneau sur l'épaule. Sa charrette, où s'entassaient des barriques, était garée devant la maison.

— Bien le bonjour, madame Grandmont, dit-il en déposant le tonneau contre le mur.

Il retourna vers sa charrette en sifflotant. Fanette jeta un coup d'œil à la ronde, dans l'espoir d'apercevoir la silhouette frêle de madame Johnson dans la rue, mais celle-ci était déserte. Elle revint dans la cuisine, faisant son possible pour masquer sa déception, mais Emma, qui avait mis de l'eau à chauffer pour laver la vaisselle, lut en elle comme dans un livre ouvert.

— Amanda et son fils sont partis il y a quelques jours seulement. C'est normal que tu n'aies pas encore de nouvelles. Le temps d'arriver à destination, de trouver un toit…

Fanette acquiesça, mais la crainte l'emportait sur la raison. L'évasion d'Amanda s'était déroulée sans anicroche, et le fait qu'elle voyageait sous le déguisement d'une religieuse la protégeait, mais le pire pouvait toujours survenir. Il suffisait qu'un policier la reconnaisse, ou qu'un simple citoyen qui aurait lu la description détaillée de la fugitive dans un journal la dénonce, et son sort était scellé. *Fugitive*… C'est cette réalité, au fond, qui tourmentait Fanette. Certes, Amanda avait réussi à s'échapper de la prison de Québec, évitant ainsi la pendaison à laquelle le juge l'avait injustement condamnée, mais pour le reste de ses jours, elle serait une criminelle en fuite, et la possibilité d'être retrouvée serait toujours une épée de Damoclès au-dessus de sa tête et de celle de son fils. La voix de sa mère fit sortir Fanette de ses pensées sombres.

— C'est l'anniversaire de ma sœur Madeleine, dans quelques jours. J'ai pensé lui offrir un service à thé, que je vais lui envoyer par la poste aujourd'hui. Aimerais-tu m'accompagner ? Cela te changera peut-être les idées.

— Je préfère rester ici, avec Marie-Rosalie.

Emma n'insista pas, comprenant que Fanette espérait une visite de madame Johnson.

~

Sur la banquette inconfortable d'une diligence qui se rendait des Trois-Rivières à Québec, Rosalie avait les yeux fermés, mais elle était incapable de dormir, bien qu'elle fût rompue de fatigue. Elle était partie la veille après avoir appris la mort du notaire Grandmont par un télégramme laconique que sa mère lui avait fait parvenir.

> Chère Rosalie,
> J'ai une triste nouvelle à t'apprendre. Ton père s'est noyé dans le lac Saint-Charles. Ses funérailles auront lieu après-demain,

à la cathédrale Notre-Dame. Bien que je connaisse tes sentiments à son égard, je crois important que tu sois présente à la cérémonie, ne serait-ce que par respect des conventions.
Ta mère, Marguerite

Sur le moment, Rosalie n'avait rien ressenti : ni joie ni soulagement, seulement une profonde indifférence, comme si elle avait appris la mort d'un étranger. D'ailleurs, son père adoptif n'avait-il pas toujours été un étranger pour elle ? Une secousse de la voiture lui fit ouvrir les yeux. Il y avait quelques voyageurs dans la diligence, dont une femme qui se rendait à Québec pour assister au mariage de sa fille et qui parlait à bâtons rompus, vantant les mérites de son futur gendre. Pour échapper à son bavardage, Rosalie jeta un coup d'œil par la fenêtre. La beauté du paysage de cette fin d'été accentuait l'irréalité de la disparition du notaire. Elle avait du mal à imaginer que cet homme autoritaire, qui lui avait rendu la vie si misérable, n'était plus de ce monde. Elle ne reverrait plus ce visage austère, ces yeux d'un bleu transparent qui semblaient sonder son âme ; elle n'entendrait plus le son de cette voix qui lui glaçait le sang.

Les contreforts de la ville de Québec se dessinèrent au loin, saupoudrés d'or fin. Une joie sauvage s'empara soudain de Rosalie. Libre. Elle était libre. Libérée du joug de son père. Enfin.

Le fiacre noir du coroner Duchesne s'arrêta devant la prison de Québec. Il avait commencé à pleuvoir. L'eau ruisselait sur les murs gris, les striant de rigoles plus sombres qui formaient une mare boueuse devant la guérite. Le coroner descendit de voiture et marcha dans la flaque noirâtre. Il réprima un juron et s'avança vers l'entrée de la prison, indifférent aux gouttes d'eau qui éclaboussaient son haut-de-forme. Lorsqu'il pénétra dans le hall sombre, l'odeur de moisissure lui sembla plus insupportable que d'habitude.

Sans un regard pour l'employé qui cognait des clous derrière son guichet, le coroner s'engagea dans un couloir chichement éclairé par des lampes torchères qui dégageaient une fumée âcre et s'arrêta devant la porte entrebâillée d'un bureau. Un homme d'allure chétive, dont le veston trop large pendait aux épaules, était derrière son pupitre, le visage pâle et anxieux.

Après avoir frappé quelques coups brefs, le coroner entra dans la pièce et referma brusquement la porte. Le bruit fit sursauter l'homme, qui se leva d'un bond et balbutia :

— Monsieur le coroner, je vous attendais.

Le coroner, sans prendre la peine d'enlever son chapeau, toisa l'homme, dont le front étroit était perlé de sueur. Il n'y alla pas par quatre chemins.

— Je veux savoir comment Amanda O'Brennan a pu s'échapper. Votre poste de directeur de cette prison est en jeu, monsieur Cummings.

Le directeur blêmit.

— Je n'y comprends rien, monsieur le coroner. Cette prison est très bien surveillée.

Sans s'en rendre compte, il se tordait les mains en parlant.

— C'est la première fois qu'une évasion survient depuis que je dirige l'établissement. Mes hommes sont fiables, et…

Le coroner le coupa sèchement :

— Tellement fiables qu'ils ont laissé Amanda O'Brennan prendre la fuite.

Les épaules d'Edgar Cummings s'affaissèrent un peu plus. Le coroner enleva son chapeau et l'accrocha à une patère.

— Je veux interroger tout votre personnel.

— Bien entendu, monsieur le coroner. Je vous ai préparé une liste complète des employés, ainsi que leur horaire de travail détaillé, la veille et le jour de l'évasion.

Le directeur prit quelques feuilles et les tendit à l'homme de loi, les mains tremblantes. Il ajouta, comme s'il tentait de montrer l'étendue de sa bonne volonté :

— Je mets mon bureau à votre disposition, bien entendu.

— C'est la moindre des choses, répliqua froidement le coroner en saisissant les feuilles.

Le directeur essuya son front avec un mouchoir tandis que le coroner Duchesne prenait place sur une chaise, le front plissé par la contrariété. L'évasion d'Amanda l'avait mis hors de lui, comme si, par sa fuite, la jeune femme continuait à le défier, à clamer son innocence. Et c'était justement cela qui le torturait. Car il avait toujours été convaincu de sa culpabilité, ou du moins de sa complicité dans le meurtre de Jean Bruneau. Sa fuite éperdue lorsqu'il avait tenté de l'intercepter devant l'église St. Patrick avait été en soi un aveu, mais plus encore, sa liaison avec Jacques Cloutier, et le fait qu'elle ait eu un enfant de lui, tout cela la condamnait aussi sûrement que le verdict implacable du juge Sicotte. Mais un doute s'était insinué dans le mur de ses certitudes, telle une faille qui s'agrandit, jour après jour, pour devenir un trou béant. Cela s'était produit à la fin du procès d'Amanda O'Brennan, au moment où il sortait de la salle d'audience, après que l'accusée eut été condamnée à la pendaison. Fanette Grandmont l'avait accosté dans le couloir et fixé de ses yeux bleus, que la révolte et les larmes faisaient briller. C'était ce regard, ces yeux d'un bleu insondable, qui l'avaient bouleversé malgré lui, mais aussi ses paroles, lorsqu'elle lui avait crié :

— Vous avez traqué ma sœur comme un animal, vous l'avez poursuivie pendant toutes ces années, dites-moi pourquoi.

Il avait répondu platement :

— Je n'ai fait que mon devoir.

— Votre devoir ? Vous savez que ma sœur est innocente. Vous ne pouvez l'ignorer.

Il se souvenait de chacune de ses paroles. Il avait eu beau tenter de les chasser, elles revenaient le hanter à tout moment du jour ou de la nuit. *Vous savez que ma sœur est innocente.* La certitude de Fanette Grandmont était si profonde qu'elle avait soudain ébranlé la sienne. Depuis, il n'avait cessé de passer le procès au crible dans sa tête, de soupeser chaque témoignage, chaque indice, chaque preuve. L'accusée s'était grossièrement parjurée en cour, prétendant que le père de son fils était un marin et qu'il avait disparu en mer. C'était ce mensonge, plus que n'importe quel autre élément du procès, qui l'avait convaincu hors de tout doute qu'elle était coupable. Qu'elle ait tenu ou non le couteau qui avait tué Bruneau n'avait aucune espèce d'importance. Amanda O'Brennan et son amant avaient fomenté le complot pour assassiner le marchand et s'emparer de son argent. C'était là la seule, l'unique vérité.

Le coroner entendit un raclement de gorge et leva les yeux. Monsieur Cummings le regardait avec une mine de chien battu.

— Si vous avez des questions…

Jetant un coup d'œil à la première feuille, le coroner remarqua un nom.

— Jean Labrie était l'un des gardiens en fonction, le jour de l'évasion ?

— Oui, monsieur le coroner.

— Je voudrais l'interroger maintenant.

— J'ai bien peur que ce soit impossible. C'est son jour de congé.

— Donnez-moi son adresse. J'irai le voir chez lui. En attendant, emmenez-moi Aimé Gadbois, votre guichetier. Demandez-lui d'apporter son registre.

— Tout de suite, votre excellence. Je veux dire… Si vous voulez bien m'excuser.

S'épongeant de nouveau le front, il sortit hâtivement de son bureau. Quelques instants plus tard, un homme maigre, aux traits chafouins, entra dans la pièce, un gros registre sous le bras.

— Vous êtes Aimé Gadbois ? dit le coroner.

Le guichetier redressa instinctivement le dos lorsque le regard froid du coroner Duchesne se posa sur lui.

— Pour vous servir, répondit-il d'un ton obséquieux en déposant son registre sur la table.

Tout le personnel de la prison était sur les dents depuis l'évasion de la prisonnière. La visite du coroner Duchesne ne faisait qu'ajouter à leur nervosité, car ce dernier avait la réputation d'être d'une rigueur et d'une sévérité sans failles.

— Vous étiez en fonction le jour où la prisonnière, Amanda O'Brennan, s'est évadée ?

— Oui, monsieur.

— A-t-elle reçu des visites ce jour-là ?

Le guichetier acquiesça.

— Une visite.

— Qui ? demanda le coroner, tendu comme une corde de violon.

— Deux bonnes sœurs qui visitent des prisonnières plusieurs fois par semaine, répondit Aimé Gadbois.

— Leur nom ?

— Sœur Odette dirige un abri pour filles de mauvaise vie.

En entendant ce nom, Duchesne devint très attentif. Il avait rendu visite une fois à sœur Odette, à l'abri Sainte-Madeleine, et soupçonnait Amanda O'Brennan d'y avoir trouvé refuge, ce que la religieuse avait nié.

— Et la deuxième ?

— Béatrice Legendre. Une effrontée, celle-là, qui joue les saintes nitouches, mais on sait bien que c'est une habituée des plaines d'Abraham.

Il eut un petit ricanement en finissant sa phrase. Le coroner le toisa.

— Je n'ai pas besoin de vos opinions. À quelle heure sont-elles arrivées à la prison ?

Le guichetier pinça les lèvres et feuilleta son registre.

— Attendez... Leur visite était le 31 août dernier.

Il trouva la bonne page.

— Voilà, nous y sommes. Elles sont arrivées à la prison à neuf heures du matin.

— À quelle heure sont-elles reparties ?

— À onze heures. Ça m'a frappé, parce qu'elles sont restées un peu plus longtemps que d'habitude.

L'intérêt fit briller les yeux du coroner.

— Avez-vous remarqué quelque chose de particulier lorsque vous les avez vues, ce jour-là ?

— Pas vraiment. Elles apportaient des provisions, comme elles le font chaque fois.

— Quelles sortes de provisions ?

— De la nourriture, des vêtements.

— Rien d'autre ?

— Des exemplaires de la bible, pour celles qui savent lire.

Un sourire goguenard étira son visage. Le coroner resta de glace.

— Comment faisaient-elles pour transporter tout cela ?

Piqué que sa remarque, qu'il trouvait spirituelle, n'ait pas suscité de réaction chez son interlocuteur, le guichetier haussa les épaules.

— Dans une brouette.

L'homme de loi resta songeur.

— Une brouette. Je vous remercie, monsieur Gadbois. Vos renseignements m'ont été fort utiles.

Le guichetier reprit son registre et sortit. Le coroner réfléchit à ce qu'il venait d'entendre. Il lui faudrait consacrer sa journée à interroger les autres membres du personnel de la prison, mais le lendemain sa première visite serait réservée à sœur Odette. Il avait la conviction qu'elle était un rouage important dans le complot qui avait permis la fuite d'Amanda O'Brennan.

II

Saint John
Nouveau-Brunswick
Le 8 septembre 1860

Amanda jeta un coup d'œil par la fenêtre de sa chambre, qui donnait sur le port. Une fumée grise s'échappait de la cheminée des bateaux à vapeur et ondulait dans le ciel moucheté de petits nuages. Le tintamarre des moteurs, le roulement des voitures et les cris des marins lui parvenaient à distance. L'air sentait la fumée et le charbon, mais Amanda prit une grande inspiration, envahie par un sentiment d'allégresse. *Libre !* Elle était libre. Le trajet de Richmond à Portland en train s'était déroulé sans encombre. Il faut dire que son costume de religieuse lui avait tout de suite attiré la sympathie des voyageurs. Maureen, la jeune mère de famille irlandaise à côté de laquelle Ian et elle étaient assis, avait gentiment partagé ses provisions avec eux. C'était grâce à ses conseils qu'Amanda avait pris la décision de s'établir au Nouveau-Brunswick avec son fils. Qui sait si elle ne réussirait pas à retrouver ses frères, qui y avaient été emmenés après leur séjour à la Grosse Isle ?

Une fois à Portland, Amanda avait su par Maureen que le bateau à vapeur qui devait se rendre à Saint John était déjà en rade dans le port et partirait le jour même. Il avait fallu faire vite pour se procurer des places à bord du navire. Heureusement, il restait encore quelques passages. Elle s'était enregistrée sous le nom de sœur Kate Furlong. Quant à Ian, elle l'avait fait passer pour son neveu et l'avait prénommé Kevin. Elle avait choisi ce prénom en pensant à son petit frère, qui était mort à l'âge de huit mois, alors que sa famille vivait encore en Irlande.

À part le mal de mer dont Ian avait souffert pendant une partie de la traversée, aucun incident n'avait marqué le voyage. Profitant des longues heures d'attente à bord du bateau, Amanda avait fait répéter à son fils l'histoire qu'elle avait fabriquée concernant leur identité et leur passé.

— Comment t'appelles-tu ?

— Kevin Furlong.

— Quel est notre lien de parenté ?

— Tu es ma tante.

— Où es-tu né ?

— Dans la ville de Montréal, en juin 1849.

— Où sont tes parents ?

— Ils sont morts il y a quelques mois d'une pneumonie. J'ai été placé dans un orphelinat à Montréal. Ma tante Kate, qui est religieuse, est venue m'y chercher et nous avons fait le voyage jusqu'au Nouveau-Brunswick.

— Qu'allons-nous faire au Nouveau-Brunswick ?

— Nous devons nous rendre jusqu'à Edmundston, à la ferme de mes grands-parents, qui ont accepté de m'accueillir chez eux.

— Bien. Il faut t'en tenir à ces renseignements. Ne m'appelle jamais maman, même en privé. Si des personnes veulent en savoir davantage, évite de répondre, ou dis simplement que tu ne le sais pas. Ne révèle jamais ton vrai nom à qui que ce soit. Jamais, tu m'entends ?

Ian l'avait regardée, le visage empreint d'une gravité inhabituelle pour un garçon de son âge.

— Pourquoi étais-tu en prison ?

Amanda avait hésité longuement avant de répondre, puis avait décidé de révéler une partie de la vérité à son fils.

— On m'a accusée d'avoir tué quelqu'un, un commerçant des Trois-Rivières du nom de Jean Bruneau. Il était de passage à la ferme où je vivais avec ta tante, Fanette. J'étais très malheureuse dans cette ferme, j'ai supplié monsieur Bruneau de m'emmener. C'était un homme bon, il a accepté. En route, nous avons été attaqués par un cavalier. J'ai réussi à m'enfuir. Le pauvre monsieur Bruneau a été tué.

Son fils avait continué de la regarder avec ses grands yeux insondables.

— Je suis innocente. Jamais je n'ai fait de mal à personne.

Ian n'avait rien dit, mais il avait saisi la main de sa mère et l'avait gardée longtemps dans la sienne.

À leur arrivée à Saint John, quelques jours plus tard, Amanda et son fils trouvèrent une chambre dans une maison de pension modeste, mais convenable, située à proximité du port. La logeuse, Mrs. Garrett, une femme douce et menue, dont les cheveux poivre et sel étaient montés en chignon, les accueillit en souriant. De toute évidence, l'habit religieux l'avait mise dans de bonnes dispositions.

Amanda se présenta.

— *I'm Sister Kate Furlong, and this is Kevin, my nephew.*

— *Furlong... 'tis an Irish name!* s'exclama la logeuse, ravie, déclarant qu'elle-même était d'origine irlandaise. *Where are you from?*

Amanda expliqua qu'ils venaient de Montréal. Le pauvre Kevin était orphelin, et elle devait l'emmener chez ses grands-parents, à Edmundston. Déplorant que le pauvre garçon ait perdu ses parents à un si jeune âge, la logeuse lui demanda de quoi ceux-ci étaient morts. Ian jeta un coup d'œil à sa mère, puis répondit, en tâchant d'avoir l'air triste, qu'ils avaient tous les deux succombé à une pneumonie. Amanda acquiesça discrètement, soulagée que son fils ait donné la bonne réponse.

— *Poor child!* s'écria Mrs. Garrett, caressant les beaux cheveux bouclés du garçon.

Elle les conduisit à une chambre située à l'étage. La pièce était assez grande, équipée d'un petit poêle. Un rideau de cretonne séparait deux lits. Une commode et une chaise droite complétaient l'ameublement. Mrs. Garrett annonça que le coût de la pension, comprenant la chambre et le couvert, était de trois dollars par semaine. Amanda trouva le prix très raisonnable et voulut payer d'avance, ce que Mrs. Garrett refusa. Si on ne pouvait plus se faire confiance, entre compatriotes... Elle tint même à leur apporter un *shepherd's pie* accompagné de thé bouillant.

Lorsque la logeuse fut repartie, Amanda vérifia si la bourse qu'Alistair Gilmour lui avait remise était toujours accrochée à sa ceinture et la dissimula sous son oreiller. Mrs. Garrett semblait être l'honnêteté incarnée, mais depuis le vol dont Amanda avait été victime après sa fuite de la maison de madame Bergevin, deux ans auparavant, elle ne voulait prendre aucun risque.

∽

Après avoir refermé les volets de la fenêtre pour qu'Ian ne soit pas réveillé par le tintamarre matinal, Amanda regarda en direction de son fils. Il dormait paisiblement. Ses boucles noires encadraient son visage, que le sommeil avait rendu plus enfantin. C'était donc cela, le bonheur. Loger dans une chambre sans grand confort, mais en sécurité, avec son fils dont elle entendait la respiration régulière, et cette liberté enivrante dont il lui semblait qu'elle ne se lasserait jamais.

Elle remarqua qu'Ian tenait un objet dans une main. En s'approchant du lit, elle se rendit compte qu'il s'agissait du cygne de bois que Fanette lui avait remis avant leur départ pour Richmond. Une vague d'émotion la secoua. *Fionnualá, ma petite sœur*. Il fallait à tout prix lui donner de leurs nouvelles. Revêtant l'uniforme de religieuse qu'elle avait déposé sur le dossier de la chaise la veille, elle se brossa ensuite les cheveux, puis les couvrit de son voile. S'observant dans un petit miroir placé au-dessus de la commode, elle songea qu'il lui faudrait se résigner à teindre ses cheveux roux en noir lorsqu'elle abandonnerait son habit religieux. Son signalement avait sûrement été envoyé un peu partout par le coroner Duchesne. La dernière chose qu'elle souhaitait, c'était que quelqu'un la reconnaisse et la dénonce à la police.

Laissant Ian dormir, Amanda sortit et se mit à la recherche d'un bureau de télégraphe. En chemin, elle croisa un policier en uniforme. Son sang se glaça dans ses veines. Elle eut l'impression que le gendarme la fixait d'un drôle d'air. Il s'inclina poliment.

— *Good morning, Sister.*

Elle baissa modestement les yeux et inclina légèrement la tête.

— *Good morning, my son.*

Elle poursuivit son chemin, s'efforçant de marcher normalement. Sa tête bourdonnait, et ses jambes la supportaient à peine. Elle comprit qu'elle vivrait encore longtemps dans la crainte d'être découverte, peut-être pour le reste de ses jours.

Un bureau de télégraphe se trouvait sur King Street, à quelques rues de la pension. Amanda s'adressa à un jeune opérateur.

— Je voudrais envoyer un télégramme, s'il vous plaît.

— *Sorry, I only speak English,* fit-il avec une moue de dédain.

Contenant son agacement, Amanda lui dicta patiemment son message. L'employé le prit d'abord en note sur une feuille, lui demandant d'épeler chaque mot. Il finit par lui tendre le texte, qu'elle approuva d'un signe de tête.

L'opérateur lui demanda le nom du destinataire.

— *Mrs. Emily Johnson, in Quebec City.*

Il se mit à transcrire le message en tapant des points et des traits du code Morse à l'aide d'une clé de cuivre attachée à un émetteur. Un son métallique remplit le bureau. Amanda fut émerveillée en regardant l'employé appuyer sur la clé. C'était presque miraculeux d'imaginer que ces quelques mots codés franchiraient des centaines de milles et parviendraient à Québec à la vitesse de l'éclair.

Le soleil était plus haut dans le ciel et répandait une bienfaisante chaleur. Une légère brise chargée d'une odeur d'embruns et de charbon faisait tourbillonner la poussière. La rue Duke, où était située la maison de chambres, bourdonnait maintenant d'activités. Des voitures et des charrettes s'y croisaient, et des passants de plus en plus nombreux déambulaient sur le trottoir de bois. En entrant dans le hall sombre de l'immeuble, Amanda s'appuya sur le chambranle de la porte afin de laisser ses yeux s'habituer à la noirceur. Elle aperçut la silhouette gracile de Mrs. Garrett derrière la porte entrouverte de la loge.

Mrs. Garrett insista pour donner à Amanda un sac de brioches qu'elle venait tout juste de sortir du poêle, en disant que les garçons comme Kevin avaient besoin de bien se nourrir pour continuer à grandir. Amanda accepta avec reconnaissance, puis se dirigea vers l'escalier, mais la propriétaire la retint. De toute évidence, elle avait envie de poursuivre la conversation. Elle lui demanda dans quelle partie de l'Irlande elle était née. Amanda hésita, puis se dit qu'il n'y avait pas de risque à révéler à ce renseignement.

— Skibbereen.

Mrs. Garrett sourit. De fines rides se formèrent au coin de ses yeux bleus, donnant une sorte de beauté à son visage émacié. Elle raconta qu'elle-même était née non loin de Skibbereen, dans le comté de Limerick, au nord de Cork. En évoquant le nom de Cork, son regard s'embrouilla. Elle expliqua que la famine de la pomme de terre avait été effroyable dans leur village, comme partout en Irlande. Trois de ses neuf enfants étaient morts de faim. Son mari et elle avaient alors décidé de s'exiler avec ceux qui restaient et s'étaient rendus de peine et de misère au port de Cork, où ils s'étaient embarqués sur un navire qui devait les mener au Nouveau-Brunswick. La traversée avait duré près de deux mois. Pendant le voyage, le typhus lui avait tué deux autres enfants, ainsi que son mari. Leurs corps avaient été jetés par-dessus bord, sans plus de cérémonie.

Amanda écoutait le récit de la logeuse en silence, revoyant des images de sa propre traversée avec sa famille, la mort de son père, celle de sa mère, Maureen, les longues mains fines du père McGauran lui donnant l'absolution, le bouquet de myosotis que la petite Fionnualá tenait dans sa main et qu'elle avait donné à leur mère, quelques instants avant que celle-ci expire. *Forget me not*. Non, elle n'oublierait jamais. Elle connaissait dans sa chair la souffrance qu'avait endurée Mrs. Garrett et ressentit soudain une vive sympathie pour cette femme qu'elle venait pourtant à peine de rencontrer. La logeuse poursuivit son récit, comme si le simple fait de parler à une compatriote la délivrait d'un poids, racontant qu'elle et ce qui lui restait de sa famille étaient finalement arrivés au port de Saint John, mais qu'ils avaient été mis en quarantaine à Partridge Island.

Partridge Island... C'était donc là que des milliers d'Irlandais qui arrivaient au Nouveau-Brunswick avaient été mis en quarantaine. La pensée de ses deux frères revint hanter Amanda. Après être restés quelques semaines à la Grosse Isle, Sean et Arthur avaient été envoyés au Nouveau-Brunswick afin d'être placés dans une famille. Elle ne les avait plus revus. C'est tout ce qu'elle savait de leur sort. Une idée lui vint à l'esprit.

— *Where is it?* demanda-t-elle.

Mrs. Garrett lui fit signe de la suivre. Intriguée, Amanda obéit. La logeuse se dirigea vers la porte, l'ouvrit et resta sur le seuil en montrant l'horizon du doigt. Amanda suivit le mouvement des yeux et aperçut à distance une forme allongée semblable à une taupe géante, qui paraissait mauve dans la clarté matinale.

— *That's Partridge Island.*

Une sorte de fébrilité s'empara d'Amanda. L'île était donc tout près du port ! Elle remercia la logeuse et s'engagea dans l'escalier sombre. Lorsqu'elle entra dans la chambre, elle vit Ian qui s'étirait, debout devant la fenêtre dont les volets étaient grands ouverts. Le soleil pénétrait à flots dans la pièce. Il sembla à Amanda, qui observait la silhouette de son fils nimbée de lumière, qu'il avait encore grandi. Pourtant, il n'était toujours qu'un enfant à ses yeux, bien qu'il allât sur ses douze ans. Elle songea que Sean aurait vingt-trois ans et Arthur, vingt et un. *S'ils sont encore de ce monde*. Elle chassa aussitôt cette pensée. Ils étaient encore vivants, elle en avait la conviction profonde. Elle les imaginait beaux et grands, comme son fils. Puisque le sort avait voulu qu'elle soit de nouveau séparée de Fanette, le besoin de retrouver ses frères se fit plus pressant que jamais.

— Mrs. Garrett nous a donné des brioches. Elles sont encore chaudes.

Ian se précipita joyeusement vers le sac et se mit à dévorer une pâtisserie à pleines dents. Tandis qu'il mangeait, Amanda lui dit :

— Aujourd'hui, nous irons à l'île de Partridge.

III

Québec, le même jour
Abri Sainte-Madeleine

Installée à son petit secrétaire, sœur Odette, le front soucieux, était en train de faire les comptes de la communauté. Leurs ressources s'amenuisaient, malgré l'aide de la société Saint-Vincent de Paul. La nourriture coûtait cher, et l'abri comptait maintenant onze pénitentes, sans oublier leurs enfants et quelques femmes âgées qui n'avaient aucun autre endroit où rester. Elle entendit le roulement d'une voiture qui s'arrêta devant la maison mais n'y prêta pas attention. Quelques secondes plus tard, Béatrice apparut sur le seuil, livide.

— Que se passe-t-il, ma fille ?

— Le coroner Duchesne veut vous parler.

Le visage de sœur Odette resta impassible, bien qu'elle sentît la peur comprimer sa poitrine.

— Il fallait bien s'attendre à sa visite un jour ou l'autre. Conduis-le ici.

Béatrice serra les lèvres, en proie à une vive anxiété.

— Qu'est-ce qu'on va lui dire ?

— La vérité.

La jeune femme lui jeta un regard stupéfait.

— Nous avons fait notre visite coutumière aux prisonnières, poursuivit sœur Odette d'une voix calme. Amanda O'Brennan en faisait partie. Nous lui avons remis des provisions, et nous sommes reparties. Le reste est entre les mains de Dieu.

Laissant échapper un soupir, Béatrice tourna les talons et sortit, laissant la porte entrouverte. Elle revint peu de temps après, suivie du coroner. Celui-ci fit quelques pas dans la pièce, son sempiternel haut-de-forme à la main, puis s'immobilisa devant la fenêtre. Lorsque Béatrice fit un pas pour s'esquiver, il se tourna vers elle :

— Restez, mademoiselle.

Le ton de l'homme de loi était sans réplique. Béatrice referma la porte et se tint debout juste à côté, telle une sentinelle. Le coroner s'adressa à sœur Odette :

— D'après certains témoignages, vous vous êtes rendue le 31 août dernier à la prison de Québec avec l'une de vos pénitentes, afin de faire la tournée des prisonnières. Est-ce exact ?

— En effet, répondit la religieuse, affichant un calme qu'elle n'éprouvait pas. J'y suis allée avec Béatrice, ajouta-t-elle en tournant la tête vers la jeune femme qui croisait et décroisait nerveusement les mains.

Le coroner jeta un regard à la pénitente, qui portait une robe bleu ciel. Il remarqua ses mains, puis poursuivit.

— Le guichetier, monsieur Gadbois, m'a dit que, ce jour-là, vous transportiez dans une brouette des provisions que vous destiniez aux prisonnières.

Au mot « brouette », Béatrice se sentit défaillir. Il lui fallut toute sa volonté pour rester bien droite.

— C'est exact, répliqua sœur Odette. Nous l'utilisons à chacune de nos visites aux prisonnières. Ainsi, nous pouvons nous rendre plus commodément d'une cellule à une autre.

— Je voudrais voir la brouette en question, sœur Odette.

La religieuse se tourna vers Béatrice, s'efforçant de garder une mine neutre.

— Ma fille, va chercher la brouette, je te prie.

Celle-ci obéit, sentant son cœur battre plus vite. *Où veut-il en venir, cet escogriffe, avec la satanée brouette ?*

Restés seuls, sœur Odette et le coroner se regardèrent en silence.

— Je me souviens de ma visite chez vous, lorsque j'étais à la recherche d'Amanda O'Brennan. Vous aviez prétendu ne pas la connaître, dit-il soudain.

La religieuse acquiesça sans répondre.

— Pourtant, elle s'était bel et bien réfugiée chez vous.

Sœur Odette soutint le regard du coroner sans broncher.

— Sous le nom de Mary Kilkenny. Je ne savais pas à l'époque qu'elle portait un autre nom.

Le coroner l'observa comme un entomologiste l'eût fait d'un insecte. Il comprit qu'elle disait la vérité. C'était sans doute la plus grande force de cette femme : elle ne mentait pas. Béatrice revint sur les entrefaites, poussant une brouette. Le grincement de la roue sembla soudain assourdissant à sœur Odette. L'homme de loi s'en approcha et l'examina en silence pendant un long moment. Puis il fit une chose parfaitement étonnante. Il enjamba la brouette et tenta de s'y asseoir en remontant ses genoux contre sa poitrine. Ses jambes dépassaient d'un bon pied. Les deux femmes le regardaient faire, abasourdies. Le coroner se remit debout, puis épousseta son pantalon et sa redingote comme si de rien n'était.

— Une femme mince et de taille moyenne aurait pu s'y cacher, se contenta-t-il de dire. Une femme de la taille d'Amanda O'Brennan, par exemple.

Il sortit, laissant sœur Odette et Béatrice sans voix. La porte d'entrée claqua. La voix d'un cocher et le claquement d'un fouet sortirent Béatrice de sa torpeur.

— Il sait tout, balbutia-t-elle, essuyant sans s'en rendre compte ses mains moites sur sa robe bleue de pénitente.

Sœur Odette secoua lentement la tête.

— Le coroner joue à la devinette. Il n'a aucune preuve de ce qu'il avance.

— Si le gardien de prison parle, on n'est pas mieux que mortes.

— Je suis convaincue que monsieur Gilmour lui a donné amplement de quoi payer sa discrétion.

Surprise par cette pensée bien peu chrétienne qui lui était venue spontanément à l'esprit, sœur Odette se dit qu'il lui faudrait faire au moins une neuvaine pour demander pardon à Dieu.

Le cabriolet du coroner s'arrêta devant une masure située dans la rue Grant, près de la rue Saint-François. L'homme de loi descendit de voiture, demandant au policier qui l'accompagnait de l'attendre. Il interpella un vieil homme qui balayait devant la porte.

— Jean Labrie habite bien ici ?

— M'sieur Labrie ? Ça fait un bout de temps que je l'ai pas vu.

— Combien de temps ?

L'homme haussa les épaules.

— Une couple de jours. Peut-êt'ben une semaine.

— Je voudrais visiter son logement.

Appuyé sur son balai, l'homme hésita.

— J'suis pas censé laisser entrer du monde sans la permission de mes locataires.

Le coroner fit un pas vers lui.

— Je suis le coroner Georges Duchesne. Je fais enquête sur l'évasion d'une meurtrière.

Le visage de l'homme tomba. Il fit signe au coroner de le suivre.

Le gardien de prison habitait une petite chambre au deuxième étage, meublée d'un lit et d'un coffre, avec un âtre de briques noircies. Le lit était fait, comme si personne n'y avait dormi récemment. Le coroner fouilla dans le coffre sous l'œil anxieux du logeur. Il n'y avait que des vêtements sales entassés sans soin. Puis il souleva le grabat. Des planches mal équarries le soutenaient, laissant des interstices. Il crut déceler une protubérance dans le matelas. Sans hésiter, il déchira la toile de lin qui le recouvrait. Des billets de banque s'en échappèrent et glissèrent sur le plancher. Le coroner se pencha et compta sommairement l'argent tandis que le vieux logeur le regardait faire, bouche bée. Il y en avait pour environ trois mille dollars. Un gardien de prison ne gagnait pas plus de quatre dollars par semaine. Où

Jean Labrie avait-il bien pu se procurer une somme pareille ? Mais surtout, comment se faisait-il qu'il ait disparu en laissant cette fortune cachée dans son matelas ?

Le coroner se dirigea vers la fenêtre, l'ouvrit et interpella le policier qui était resté debout à côté du cabriolet, lui demandant de le rejoindre. Lorsque le gendarme entra dans la petite chambre, le coroner lui indiqua la somme qu'il avait découverte.

— Vous êtes témoin que j'ai trouvé environ trois mille dollars cachés dans le matelas de Jean Labrie. Montez la garde. Si Jean Labrie revient, procédez à son arrestation et ramenez-le au palais de justice. Je vous enverrai un homme pour vous relayer dans quelques heures.

Regagnant sa voiture, le coroner Duchesne ordonna au cocher de se rendre à la prison de Québec.

⁂

Monsieur Cummings avait à peine entendu frapper à la porte que celle-ci s'ouvrit. Le coroner Duchesne l'apostropha sans prendre la peine d'enlever son chapeau.

— Je veux une description détaillée de Jean Labrie. Son physique, ses signes distinctifs, ses habitudes, ses liens familiaux ou autres, enfin, tout ce que vous savez sur lui.

— Puis-je vous demander pour quelle raison, monsieur Duchesne ?

Sentant le regard sévère du coroner se poser sur lui, le directeur se troubla.

— Vous ne soupçonnez tout de même pas mon employé de... C'est un gardien parfaitement intègre. Je m'en porte garant.

— J'ai retrouvé la somme de trois mille dollars cachée chez lui. Ce n'est sûrement pas avec le salaire que vous lui versez qu'il a pu se procurer une pareille somme.

Le directeur pâlit et fit une description minutieuse de son employé, puis indiqua que celui-ci était célibataire et sans enfants. Il hésita avant d'ajouter qu'il avait parfois tendance à lever un peu trop le coude, mais que c'était en dehors de ses heures de travail.

— Je n'ai jamais rien eu à lui reprocher.

Après avoir soigneusement pris en note ces renseignements dans son carnet, le coroner se rendit à son bureau et convoqua trois de ses hommes qu'il considérait comme les plus fiables de son service. Il donna aux deux premiers instruction de passer la ville au peigne fin afin de retrouver Jean Labrie.

— C'est un homme de quarante-trois ans, de taille moyenne, baraqué, cheveux bruns, yeux marron, traces de vérole sur le visage. Aucun signe distinctif, à part une phalange du petit doigt qui a été sectionnée à la suite d'une altercation avec un prisonnier. Il a l'habitude de boire un coup. Visitez tous les tripots et les auberges de la ville.

Puis il ordonna au troisième policier de se rendre au domicile de Labrie et de relayer le gendarme qui en faisait la surveillance.

— Si Labrie se présente, arrêtez-le et emmenez-le ici pour un interrogatoire.

Ses hommes partis, le coroner marcha de long en large dans son bureau, ce qu'il faisait souvent lorsqu'il réfléchissait à une enquête. Il aurait mis sa main au feu que le gardien de prison avait été soudoyé pour aider Amanda O'Brennan à s'évader, mais le mystère de sa disparition demeurait entier. Où pouvait-il bien être ? Et, encore une fois, pourquoi avait-il laissé une petite fortune derrière lui ? Une autre question le tarabustait : s'il était vrai que le gardien avait été complice de l'évasion de l'Irlandaise, qui avait acheté sa complaisance ? Il pensa brièvement à sœur Odette mais chassa aussitôt l'idée de son esprit. La religieuse avait certainement participé au plan d'évasion, mais il était convaincu qu'elle n'avait pas les moyens de payer un complice. Quelqu'un d'autre avait tiré les ficelles, élaboré le plan, trouvé l'argent pour corrompre le gardien. Il connaissait une personne qui aurait eu assez de courage, de sang-froid et de détermination pour accomplir une telle folie. *Fanette Grandmont.*

❧

IV

Île de Partridge
Nouveau-Brunswick

Le clapotis de l'eau soulevée par les rames était accompagné par les cris de mouettes et de goélands qui sillonnaient le ciel. Amanda et son fils étaient installés à bord d'une barque. Un pêcheur acadien avait accepté de les conduire à l'île de Partridge et de les ramener ensuite au port de Saint John pour une somme raisonnable. Amanda avait expliqué à Ian que ses deux oncles avaient peut-être séjourné dans l'île, il y avait longtemps. Elle espérait que quelqu'un pourrait la renseigner sur ce qu'ils étaient devenus. Afin d'écarter les soupçons, elle avait décidé de se présenter aux autorités de Partridge sous l'identité de sœur Furlong, une religieuse à la recherche de deux cousins maternels portant le nom de Sean et Arthur O'Brennan.

La barque s'approchait de l'île, dont la couleur émeraude se reflétait dans l'eau sombre. Tout en manœuvrant habilement son bateau pour éviter les rochers qui affleuraient ici et là, le pêcheur raconta que les Indiens mi'kmaq avaient surnommé l'île *Quak'm'kagan'ik*, ce qui signifiait « morceau découpé ». Selon une légende autochtone, le dieu Glooscap avait assené un coup de bâton sur un barrage situé au point de rencontre des marées. Un morceau de la construction avait dérivé jusqu'à la baie de Fundy, formant ainsi l'île que l'on connaissait aujourd'hui.

Un brouillard épais se leva soudain, couvrant le littoral comme un suaire. Amanda s'étonna que la brume soit apparue si subitement, alors que le ciel était clair quelques minutes auparavant. Le pêcheur sourit.

— Ici, c'est comme ça, ma sœur. La brume arrive tout d'un coup, puis repart aussi vite, sans crier gare.

Sa voix semblait venir de loin, comme amortie par le brouillard. Puis un mugissement profond et plaintif se fit entendre.

— Qu'est-ce que c'est ? s'exclama Ian, à la fois excité et craintif.

Le pêcheur expliqua qu'il s'agissait d'un sifflet actionné à la vapeur qui avait été installé sur l'île de Partridge au milieu des années 1850 pour alerter les bateaux en cas de brume.

— On a été les premiers à s'en servir, dit-il avec fierté, comme s'il en avait lui-même été l'inventeur.

La barque accosta sur l'île dans un bruit mat. Le pêcheur sauta dans l'eau, qui lui allait à mi-jambes, et tira le bateau sur la rive. Ian l'imita et insista pour lui donner un coup de main. Quand l'embarcation fut au sec, le pêcheur tendit sa main calleuse à Amanda.

— Attention, ma sœur, les roches sont glissantes.

Amanda saisit la main de l'homme et s'avança avec précaution sur le rivage. La brume était si dense qu'on ne voyait pas à deux pieds devant soi. Comme le pêcheur l'avait prédit, le brouillard se dissipa d'un coup, dévoilant un ciel bleu outremer lézardé de filaments de nuages. Un immense baraquement de bois gris se dessina tout d'un coup devant ses yeux. Un escalier extérieur menait au premier étage, qui était ceinturé par une galerie étroite. Une porte à battants donnait accès au rez-de-chaussée. D'autres baraques du même gris terne se profilaient derrière l'édifice principal, entourées de rochers et d'herbages battus par le vent. Une fumée blanche s'échappait de cheminées étroites.

Pendant un moment, Amanda eut l'impression d'être retournée treize ans en arrière, sur la Grosse Isle. Les mêmes baraques grises, l'odeur du varech mêlée à celles de la maladie et de la mort. Seul le rouge vif d'un phare situé à l'extrémité de l'île faisait une tache de couleur dans ce morne paysage. Le pêcheur resta en retrait, son visage jovial maintenant empreint de gravité.

— C'est la station de la quarantaine, dit-il en désignant le bâtiment principal. Je reviens vous chercher à la fin de la matinée, comme convenu.

Il marcha rapidement en direction de sa barque, comme s'il voulait s'éloigner au plus vite de ces lieux sinistres. Amanda chercha Ian des yeux. Il avait roulé son pantalon au-dessus de ses chevilles et, les deux pieds dans l'eau, il s'amusait à faire des ricochets dans la mer avec des galets plats. Les éclaboussures d'eau luisaient au soleil comme des perles. L'île n'évoquait rien d'autre pour lui que le ciel et la mer, et le vol gracieux des oiseaux marins. Amanda lui fit signe de revenir.

— Attends-moi ici, lui dit-elle lorsqu'il fut à sa hauteur. Je ne serai pas bien longue.

— Je veux t'accompagner, protesta Ian.

— Il y a des gens malades à l'intérieur, je préfère que tu restes ici.

Ian alla s'asseoir sur un rocher en boudant tandis qu'Amanda se dirigeait vers le baraquement, ses pas alourdis par les souvenirs. Elle s'arrêta devant la porte, saisie par l'angoisse. *Fais-le pour l'amour de tes frères.* Elle gravit les marches et entra dans le bâtiment.

Une trentaine de personnes faisaient la queue dans une grande salle dont le toit en pente était soutenu par des poutres apparentes. Un médecin et une religieuse portant un uniforme blanc les examinaient sommairement les unes après les autres, leur demandant d'ouvrir la bouche, de sortir la langue. Le médecin leur tâtait la gorge, l'arrière des oreilles ; puis il les divisait en deux groupes. Amanda comprit qu'il procédait au triage des passagers qui venaient d'arriver sur l'île : d'un côté, les passagers en santé ; de l'autre, ceux qui étaient malades ou présentaient des symptômes de fièvre.

Une femme se mit à crier lorsqu'on la sépara de l'enfant qu'elle tenait par la main. L'enfant commença à pleurer, gigotant pour échapper à la religieuse qui l'avait pris dans ses bras. Incapable de supporter cette scène, Amanda sortit. Des larmes lui brouillaient la vue.

Ian était toujours assis sur son rocher, les yeux tournés vers la mer. Amanda regretta de l'avoir amené sur l'île. Dieu sait ce qu'elle y découvrirait. Cherchant des yeux quelqu'un qui pourrait lui venir en aide, elle avisa une maison de bois peinte en blanc, entourée d'une véranda, d'allure plus gaie que les lazarets et les baraquements qui longeaient l'île. Elle s'engagea dans un sentier qui y menait. S'approchant de la véranda, Amanda aperçut une religieuse, également vêtue de blanc, qui était installée sur une chaise berçante, la tête appuyée sur le dossier. Les yeux fermés, elle semblait dormir. Le craquement des marches la réveilla en sursaut. Amanda s'excusa de l'avoir dérangée, expliquant qu'elle était à la recherche de ses deux cousins, qui avaient peut-être séjourné sur l'île en 1847. La religieuse, étouffant un bâillement, lui répondit qu'il y avait des registres sur tous les immigrants qui avaient été mis en quarantaine à Partridge. Elle lui conseilla de se rendre à l'hôpital, où se trouvaient normalement les archives. Tout en parlant, la religieuse avait levé un bras et désigné un long bâtiment gris entouré de gros rochers. Amanda reconnut l'un de ceux qu'elle avait aperçus en arrivant sur l'île.

Reprenant le sentier qui menait à l'hôpital, Amanda croisa en chemin un prêtre dont les lunettes et le visage empreint de bonté lui rappelèrent le père McGauran. Son cœur se serra. Dieu sait ce qui était advenu de cet homme qui les avait tant aidées, elle et sa famille ! C'était aussi grâce à lui qu'elle avait pu échapper à sa vie misérable dans la maison close de madame Bergevin. Lorsque Amanda l'eut mis au courant de sa démarche, le prêtre, qui était acadien, s'offrit de l'accompagner à l'hôpital.

— En quelle année vos cousins auraient-ils séjourné sur l'île ? s'enquit-il.

— En 1847.

Le prêtre s'assombrit. Il expliqua qu'il n'était pas là au moment où la famine avait forcé tant d'Irlandais à s'exiler, mais que le cimetière de Partridge témoignait à lui seul du nombre effroyable d'immigrants qui avaient péri au terme de leur voyage.

En chemin, le prêtre se présenta :

— Je suis le père Comeau.

Sentant le regard du prêtre sur elle, Amanda comprit qu'il s'attendait à ce qu'elle se présente à son tour.

— Sœur Kate Furlong, dit-elle à mi-voix, honteuse d'être obligée de mentir à cet homme qui lui avait offert son aide.

— Et le garçon qui est assis sur une roche, là-bas ?

— C'est mon neveu.

Il lui demanda à quelle communauté elle appartenait.

— Les sœurs du Bon-Pasteur.

Amanda pressa le pas pour ne pas être obligée de mentir davantage. Lorsqu'ils entrèrent dans l'hôpital, Amanda fut saisie par l'odeur d'éther et de corps mal lavés, et par une autre, plus doucereuse, qu'elle n'avait jamais pu oublier, celle de la mort. Une centaine de lits étaient alignés sur deux rangées, de chaque côté de la grande salle. Les fenêtres étroites, munies de volets, laissaient filtrer une faible lumière. Une religieuse aidait un patient à boire de l'eau tandis qu'une autre s'affairait à balayer l'allée.

Le père Comeau fit signe à Amanda de le suivre vers le fond de la salle. Un rideau de jute faisait office de cloison entre la salle et un petit espace aménagé en bureau. Un homme aux cheveux grisonnants, assis derrière une table aux contours cannelés, écrivait dans un gros livre. Malgré la chaleur, il portait une redingote et un gilet. Ses cheveux étaient soigneusement lissés ; de larges favoris couvraient une partie de ses joues. Sa plume d'oie grinçait sur le papier. Le prêtre s'adressa à lui d'un ton déférent :

— Docteur Harding, je suis désolé de vous déranger.

L'homme leva la tête et ajusta ses lunettes. Il avait le regard doux et distrait de ceux qui ont été témoins de beaucoup de souffrance. Il répondit en français, avec un fort accent anglais.

— Oui, mon père ?

Le prêtre expliqua au médecin que la religieuse qui l'accompagnait, sœur Kate, était à la recherche de ses deux cousins, qui avaient probablement séjourné sur l'île à la fin de juillet ou au début d'août 1847.

Le docteur Harding hocha lentement la tête. Jamais il n'oublierait cet été tragique. Son collègue, le docteur Collins, avait succombé au typhus durant l'été de 1847, et il avait accepté de le remplacer à la direction de la station de quarantaine. Puis son propre frère, qui était médecin en chef de la station, était tombé malade à son tour et avait failli mourir. Des navires bondés d'immigrants malades ou mourants accostaient par dizaines. Les fossoyeurs ne venaient pas à bout d'enterrer tous les morts.

Le médecin se leva en s'appuyant sur la table. De toute évidence, il souffrait de rhumatismes. Il jeta un regard plein de compassion à la religieuse, dont les yeux gris brillaient d'espoir, puis se dirigea vers un classeur de bois. Il songea que, à défaut d'avoir pu sauver les vies des milliers d'immigrants qui avaient péri sur l'île, l'administration avait au moins tenu des registres précis de leur passage. Il souleva un gros livre relié en cuir, qu'il déposa ensuite sur la table.

— Le nom de vos cousins, je vous prie ?

— Sean et Arthur O'Brennan.

Le médecin ajusta de nouveau ses lunettes et commença à feuilleter le registre en humectant son pouce au fur et à mesure qu'il tournait les pages. La couleur de l'encre et la main d'écriture changeaient d'une page à l'autre. *Quelques lignes pour résumer toute une vie,* pensa Amanda en voyant la liste de noms qui se succédaient sans fin. Soudain, le docteur Harding posa son index à côté d'un nom.

— Il y a un Arthur O'Brennan ici.

Il lut à voix haute.

— « *Arthur O'Brennan. Age : 8. Arrived on the Island the third of August, 1847.* »

— C'est lui, murmura Amanda, des larmes de joie aux yeux. C'est bien Arthur.

Le vieux médecin se racla la gorge et enleva ses lunettes.

— *I'm sorry*. Il est mort le 23 août, quelques semaines après son arrivée.

La joie d'Amanda s'éteignit.

— Comment est-il mort ?

— Typhus.

Typhus... Son petit frère était mort de la même sale maladie qui lui avait enlevé ses parents et sa petite sœur Ada. Elle tâcha de se remémorer le visage d'Arthur. Il avait des taches de rousseur sur les joues, les cheveux roux et les yeux gris, comme elle et leur père. C'était un garçon plein de vie et d'entrain. Le père Comeau prit sa main dans la sienne.

— Votre cousin repose en paix. Que Dieu ait son âme.

Amanda l'entendit à peine. Maintenant que le sort d'Arthur était fixé, il ne lui restait plus qu'un seul espoir.

— Sean ? Qu'est-il arrivé à Sean ?

Remettant ses lunettes, le docteur Harding se replongea dans le registre. Amanda guettait la moindre expression sur ses traits, craignant d'y lire une autre mauvaise nouvelle. Après un moment, il leva la tête.

— Je crois l'avoir trouvé. « *Sean O'Brennan. Age : 10.* »

Il consulta Amanda du regard. Elle acquiesça en silence, la gorge nouée par l'angoisse.

Le médecin déchiffra l'inscription qui figurait dans le registre.

— « *Arrived on the Island the third of August, 1847. Left the Island the fifth of September, 1847.* »

— Il est vivant ! s'écria Amanda.

Pour la première fois, un sourire éclaira le visage du docteur Harding.

— *Thank God*.

Des larmes de tristesse et de joie roulaient sur les joues d'Amanda. Elle pleurait la mort d'Arthur et se réjouissait que

Sean ait survécu. D'après le registre, son frère avait quitté l'île le 5 septembre 1847. Mais où l'avait-on conduit ? Comme s'il avait deviné sa question, le médecin reprit la parole :

— Il a été envoyé à Saint John Almshouse, dit-il en lui montrant le registre.

Amanda le regarda sans comprendre. Le père Comeau intervint :

— L'asile de Saint John. C'est un refuge pour les indigents, expliqua-t-il.

L'inquiétude s'empara d'Amanda. Lorsque le père McGauran lui avait appris que ses deux frères avaient quitté la Grosse Isle pour se rendre au Nouveau-Brunswick, il avait précisé qu'ils seraient tous les deux accueillis par une famille de fermiers. Comment Sean avait-il pu se retrouver dans un asile pour indigents ? Ce qui l'encourageait, toutefois, c'était qu'elle avait enfin une piste sérieuse au sujet de son frère, et un bon espoir qu'il soit encore vivant. Elle remercia chaleureusement les deux hommes de leur aide, puis retourna vers le rocher où Ian devait l'attendre. Constatant avec inquiétude qu'il ne s'y trouvait plus, elle se mit à le chercher des yeux. Il avait disparu. Affolée, elle arpenta le sentier qui faisait le tour de l'île, tâchant de retrouver son fils. Finalement, elle le vit debout près d'un débarcadère, au bout de l'île. Une frégate était en train de jeter l'ancre, roulant et tanguant dans les flots agités. Les trois mâts s'élevaient gracieusement dans le ciel. Les voix des marins lui parvenaient à distance, mêlées aux cris perçants des goélands.

Apercevant sa mère qui s'avançait vers lui, Ian lui fit de grands signes de la main. Lorsqu'elle fut à portée de voix, il lui dit, les yeux brillants, un grand sourire aux lèvres :

— Un jour, je serai capitaine de navire.

Elle n'eut pas le cœur de lui apprendre la mort de son oncle Arthur.

Le pêcheur, comme promis, les attendait près de sa barque. Tandis qu'Amanda y prenait place, un souvenir d'enfance lui revint en mémoire. Elle venait d'avoir dix ans. En guise de cadeau d'anniversaire, son père lui avait apporté une pomme qu'il avait ramassée par terre, dans le verger de monsieur Crombie, leur *landlord*. Amanda savait que c'était formellement interdit et que son père, s'il avait été pris en flagrant délit de vol, aurait pu aller en prison. La pomme était légèrement piquée par les vers, mais Amanda l'avait croquée avec délice. Quelques gouttes de jus sucré avaient coulé sur son menton. Son père les avait essuyées doucement du revers de la main, ses yeux gris remplis de tristesse. Il lui avait alors expliqué l'origine de leur nom de famille, *Braonáin*, qui signifiait « petite goutte » ou « douleur » en gaélique.

— Il faut garder espoir, ma sœur, dit le pêcheur.

Amanda se rendit compte que ses joues étaient couvertes de larmes.

V

Québec

Marguerite et Rosalie, portant toutes deux le grand deuil, étaient installées au premier banc de la cathédrale Notre-Dame-de-Québec, à gauche de l'allée centrale, à quelques pieds du catafalque sur lequel reposait le cercueil de Louis Grandmont. Emma et Fanette avaient pris place derrière la veuve et sa fille. La petite Marie-Rosalie avait été confiée aux soins de madame Johnson.

Le cocher du notaire, monsieur Joseph, se tenait discrètement à l'arrière, sa casquette dans les mains, les yeux rouges. Madame Régine, le visage ravagé par le chagrin, était assise en retrait et priait tout bas, un chapelet enroulé autour de ses doigts noueux. Depuis la mort de son mari, Marguerite avait pris les deux serviteurs à son service. Le seul notable présent, mis à part monseigneur Charles-François Baillargeon, qui célébrait la messe, était maître Levasseur, l'avoué du notaire Grandmont. L'avocat avait hésité avant de se rendre aux funérailles, craignant que le scandale qui avait entaché la réputation de son client nuise à la sienne, mais il pouvait difficilement échapper à cette obligation, car celui-ci l'avait chargé de régler sa succession et lui avait laissé une somme respectable afin qu'il accomplisse ses dernières volontés. Maître Levasseur avait choisi un banc à l'ombre d'une colonne pour éviter de se faire remarquer, mais à son grand soulagement la cathédrale était presque vide.

La voix de monseigneur Baillargeon s'éleva :

— *Requiem æternam dona eis Domine : et lux perpetua luceat eis.* Seigneur, donnez-leur le repos éternel, et faites luire pour eux la lumière sans déclin.

Emma Portelance regardait songeusement le cercueil de chêne contenant les restes de son vieil ennemi. *Le repos éternel… La lumière sans déclin…* Le notaire Grandmont n'avait vécu que pour les honneurs et la reconnaissance sociale, et il les avait perdus à cause de sa soif inextinguible de les obtenir. *Qu'il repose en paix.* Elle n'éprouvait plus de ressentiment à son égard. Le fait qu'il lui ait redonné son domaine de Portelance avait bien sûr effacé une bonne partie du contentieux, mais il n'y avait pas que cela. La mort d'un être humain, aussi détestable avait-il été de son vivant, lui conférait une sorte de respectabilité.

La porte de la cathédrale s'ouvrit, traçant un rai de lumière dans l'allée centrale. Une grande silhouette sombre s'avança dans l'église. Ses pas résonnaient sur les dalles. Tous les regards se tournèrent vers le nouveau venu. Même l'archevêque interrompit momentanément son service, les sourcils froncés devant ce retardataire. Alistair Gilmour, vêtu de noir, indifférent à l'attention dont il était l'objet, prit place sur un banc à droite de l'allée, en face de celui où Fanette et Emma étaient assises. Le service reprit. Marguerite rougit en apercevant son ancien amant. Elle bénit la voilette qui couvrait son visage et dissimulait son embarras. Gilmour saisit un missel et l'ouvrit, mais toute son attention était dirigée vers Fanette, qu'il couvait des yeux.

Fanette fit un effort pour écouter les paroles de l'archevêque, mais l'arrivée inopinée d'Alistair l'avait troublée. Elle ne l'avait pas revu depuis la fuite d'Amanda et ne s'attendait pas à le retrouver ici, dans cette cathédrale, aux funérailles du notaire Grandmont. Sentant le regard d'Alistair sur elle, elle ne put s'empêcher de tourner la tête dans sa direction. Un imperceptible sourire se dessina sur les lèvres de Gilmour. Elle détourna aussitôt les yeux et replongea dans son missel. Emma remarqua le malaise de sa fille et n'eut aucun mal à en identifier la cause. *Alistair Gilmour.* Lorsque Fanette lui avait fait part de la proposition de mariage du Lumber Lord, elle avait semblé incertaine de ses sentiments à son égard, mais son émotion en la seule présence de cet homme lui parut plus éloquente que n'importe quelle parole. Sa fille, sa Fanette bien-aimée, était bel et bien amoureuse.

La voix de monseigneur Baillargeon résonna de nouveau dans l'église.

— *Absolve, Domine, animas omnium fidelium defunctorum ab omni vinculo delictorum et gratia tua illis succurente mereantur evadere judicium ultionis, et lucis æterne beatitudine perfrui.* Absous, Seigneur, les âmes de tous les fidèles défunts de tout lien de péché, et que, secourues par ta grâce, elles méritent, Seigneur, d'échapper au jugement vengeur et de goûter aux joies de la lumière éternelle.

— Amen, murmura Alistair Gilmour, le regard toujours posé sur Fanette.

~

Les cloches sonnèrent le glas tandis que le cortège funèbre franchissait les portes de la cathédrale Notre-Dame. Quelques curieux s'étaient rassemblés sur le parvis. Parmi eux se trouvait Oscar Lemoyne. Lorsque le cercueil, porté par six hommes vêtus de noir, passa non loin de lui, il ôta sa casquette et esquissa un signe de croix, bien qu'il ne fût pas croyant. Le jeune journaliste avait les yeux cernés et ses joues s'étaient légèrement creusées. Depuis qu'il avait appris la mort du notaire Grandmont, Oscar avait perdu le sommeil et l'appétit. La culpabilité le rongeait. *Si je n'avais pas écrit mon article, le notaire serait encore en vie aujourd'hui.* Pourtant, il n'avait révélé qu'une partie de la vérité, à savoir que le notaire Grandmont avait été victime d'un complot ourdi par un homme qui cherchait à venger la noyade tragique de sa sœur, dont il tenait le notaire responsable. Oscar s'était bien gardé de nommer le vengeur, n'ayant que le témoignage du notaire pour preuve du méfait. Il n'avait même pas révélé que la jeune femme était enceinte de Grandmont au moment de sa mort. Mais il avait décrit le complot avec force détails, dévoilant le fait que John

Barry, le fameux prête-nom qui avait servi à duper le notaire, était en réalité mort et enterré en 1857, soit deux ans avant que son cadavre ne soit repêché dans le fleuve Saint-Laurent, et que sa lettre de suicide, accusant le notaire Grandmont d'avoir accepté un pot-de-vin de quarante mille dollars pour servir d'intermédiaire dans l'achat d'un terrain municipal, était un faux. Sans exonérer le notaire de ses fautes, Oscar lui avait trouvé tout de même des circonstances atténuantes. *C'est peut-être le remords qui l'a tué,* songea-t-il. Dans un sens, cette pensée le rassura.

Le cercueil fut déposé dans un corbillard tiré par deux chevaux caparaçonnés de noir. Marguerite Grandmont sortit de l'église, accompagnée d'une jeune femme qu'Oscar ne connaissait pas, mais dont il présuma qu'elle était la fille du défunt. Les deux femmes se placèrent derrière le corbillard. C'est alors qu'il la vit. Fanette Grandmont, la « jolie dame », tenant le bras d'une femme bien portante, sans doute sa mère. Son visage était couvert d'une voilette, mais il l'aurait reconnue entre toutes, avec sa silhouette fine et sa démarche élégante. Un homme de grande taille, dont les cheveux roux sortaient en mèches rebelles de son haut-de-forme, les suivait. Oscar reconnut Alistair Gilmour, le mystérieux Lumber Lord dont la vengeance avait mené le notaire Grandmont à la ruine. Il vit Gilmour aborder la « jolie dame », la prendre familièrement par le bras, se pencher vers elle et lui glisser quelques mots à l'oreille. Piqué par la jalousie, Oscar fit quelques pas dans leur direction. Le couple s'éloigna sans qu'il ait pu entendre quoi que ce soit. Le journaliste éprouva un vif dépit, suivi d'une curiosité teintée d'inquiétude. Il aurait tout donné pour savoir ce que le Lumber Lord avait dit à Fanette Grandmont. Que voulait Alistair Gilmour à la « jolie dame » ?

Une femme de couleur, dont la silhouette menue se perdait dans les plis d'un mantelet noir, sortit de l'église, secouée de sanglots. Monsieur Joseph fermait la marche. À la vue de l'ancien cocher du notaire Grandmont, Oscar éprouva de la compassion.

Lorsque la nouvelle de la noyade du notaire lui était parvenue, le reporter s'était rendu à sa demeure sur la Grande Allée et avait parlé à monsieur Joseph. Ce dernier, encore sous le choc de la mort de son maître, avait les yeux rouges et l'haleine chargée d'une odeur d'alcool. Éprouvant le besoin de s'épancher, il avait raconté à Oscar que, lors de cette journée fatidique, le notaire lui avait d'abord demandé de le conduire chez son avoué, maître Levasseur, afin de lui remettre une enveloppe. Ensuite, il lui avait ordonné de se rendre au lac Saint-Charles, sans lui en expliquer la raison. À leur arrivée au lac Brillant, comme le surnommaient les Hurons, Grandmont lui avait demandé de l'attendre et s'était engagé seul sur le sentier menant au bord de l'eau. Après une demi-heure, sans signe de vie du notaire, monsieur Joseph s'était précipité sur le sentier et avait trouvé la canne de son maître sur le sable. À la fin du récit, des larmes étaient montées aux yeux du pauvre cocher.

— Si j'avais point laissé m'sieur le notaire partir tout seul, il serait encore en vie aujourd'hui.

Il serait encore en vie. Ces derniers mots avaient marqué Oscar au fer rouge. Le serviteur, accablé par le remords et le chagrin, s'attribuait la responsabilité de la mort de son maître, mais c'était lui, Oscar, avec son satané article, qui avait poussé le notable à mettre fin à ses jours. Car le reporter était convaincu que la noyade du notaire Grandmont n'était pas accidentelle.

Après sa rencontre avec le cocher, le journaliste s'était rendu à la morgue de l'Hôtel-Dieu, où le corps du notaire avait été transporté. Il avait parlé au docteur Faucher, le médecin qui avait constaté le décès et signé le permis d'inhumation, un homme d'une trentaine d'années qu'une calvitie naissante et des lunettes aux verres épais vieillissaient prématurément. Oscar le connaissait pour lui avoir parlé à quelques reprises dans des cas de mort suspecte.

— Il n'y a aucun doute que la cause de la mort est la noyade, lui avait indiqué le médecin. La seule chose étrange, c'est que j'ai découvert des pierres dans les poches de la redingote du défunt.

— Comment ont-elles pu se retrouver dans ses poches ? avait demandé Oscar, saisi par la révélation.

Le médecin s'était contenté de hausser les épaules.

— Le corps a raclé le fond de l'eau, il est possible que des pierres se soient glissées dans son habit.

Puis il avait levé ses yeux myopes vers Oscar.

— Nous ne le saurons jamais, n'est-ce pas ?

Le journaliste avait compris que le docteur Faucher s'était refusé à conclure à un suicide, probablement par compassion pour le défunt et pour sa famille, car l'Église réprouvait sévèrement ce geste, qu'elle considérait comme un crime, et refusait toute sépulture chrétienne à ceux qui l'avaient commis. De toute façon, quelques cailloux ne pouvaient prouver hors de tout doute que le notaire avait voulu mettre fin à ses jours.

Le cortège funèbre s'éloigna. Oscar remit sa casquette et prit le chemin de la rédaction de *L'Aurore de Québec*.

Après les funérailles, Fanette et Emma remontèrent dans le boghei garé non loin de la cathédrale. Le retour à la maison se fit en silence. Fanette songeait à ce qu'Alistair Gilmour lui avait dit. Emma tentait de deviner de quoi ils avaient parlé.

— Monsieur Gilmour doit quitter Québec pour l'Écosse dans quelques jours, fit soudain Fanette. Il s'attend à ce que je lui donne une réponse à sa demande en mariage avant son départ.

Emma resta muette, saisie par la gravité de ce qui semblait être un ultimatum.

— Que vas-tu lui répondre ? finit-elle par demander, la voix étranglée par l'émotion.

Fanette secoua la tête. « *Déan mar a ligfidh do chroi duit a dhéanamh, a Fhionnuala*. Fais ce que ton cœur te commande, Fionnualá », lui avait dit Amanda. Mais elle ne savait pas elle-même ce que son propre cœur lui dictait.

Le boghei s'engagea dans la rue Sous-le-Cap. Emma vit à distance un cabriolet noir immobilisé devant sa maison, obstruant le passage qui menait à la cour, où se trouvait l'écurie. Descendant de son véhicule, elle s'approcha de la voiture noire, mécontente.

— Vous ne voyez pas que vous bloquez le passage ? C'est une entrée privée !

La portière s'ouvrit. Emma entrevit un haut-de-forme, puis un visage qui ne lui était que trop familier.

— Mes hommages, madame Portelance.

Le coroner Duchesne descendit du fiacre et souleva poliment son chapeau. Emma fut à ce point saisie qu'elle resta bouche bée. Fanette, en reconnaissant la voix coupante, s'était arrêtée, le cœur étreint par l'angoisse. Elle s'était attendue à cette visite, bien qu'elle eût espéré de toute son âme que celle-ci ne se produise jamais. Cette fois, le coroner s'adressa à elle :

— Permettez-moi d'abord de vous transmettre mes condoléances pour le décès de votre beau-père, madame Grandmont.

Fanette se contenta d'incliner la tête, la gorge serrée dans un étau.

— J'aurais quelques questions à vous poser concernant votre sœur, Amanda O'Brennan.

VI

— Où étiez-vous le 31 août 1860, madame Grandmont ?

Fanette leva les yeux vers le coroner.

— Chez moi, en compagnie de ma mère et de ma fille.

Emma entra dans le salon au même moment, apportant un plateau où elle avait disposé une théière et des tasses.

— Je puis vous le confirmer, monsieur Duchesne, dit-elle en déposant le plateau. Nous avons passé toute cette journée-là ensemble.

Emma mentait. L'après-midi du 31 août, Fanette s'était rendue à Cap-Rouge pour faire ses adieux à sa sœur, qu'une voiture devait emmener à Richmond. Le coroner l'observa en silence, mais elle resta imperturbable. Il poursuivit son interrogatoire :

— Est-il exact que vous avez rendu visite à votre sœur en prison, la veille de son évasion ?

— Je lui rendais visite tous les jours.

Le coroner laissa planer un silence. On n'entendait plus que le tintement des tasses qu'Emma remplissait de thé. Puis il fixa Fanette de ses yeux sombres.

— Vous savez où votre sœur se trouve en ce moment, n'est-ce pas ?

— Je l'ignore. Mais quand bien même je le saurais, vous seriez la dernière personne à qui je le dirais.

Emma jeta un regard anxieux à sa fille. Le coroner se leva d'un bond, comme piqué par une guêpe. Dans son mouvement, il fit tomber une tasse, qui se brisa sur le sol. Le thé éclaboussa le fauteuil et le tapis. Emma ramassa les morceaux de porcelaine, qui s'entrechoquèrent dans le silence. Puis la voix du coroner s'éleva de nouveau, cinglante :

— Ce n'est pas moi que vous narguez, madame Grandmont, mais la justice. Je mettrais ma main au feu que vous avez participé à l'évasion de votre sœur. Avec la complicité de sœur Odette et de cette traînée, Béatrice Legendre. Elles ont caché votre sœur dans une brouette et ont réussi à la faire sortir de la prison, ni vu ni connu. Vous avez acheté la complaisance de Jean Labrie, le gardien de prison qui était en faction ce jour-là.

Fanette réussit tant bien que mal à soutenir le regard courroucé de l'homme de loi, même si la peur lui nouait les entrailles.

— Vous n'avez aucune preuve de ce que vous avancez, monsieur Duchesne.

— J'ai trouvé trois mille dollars dans le matelas de Labrie. Vous croyez que cette somme faramineuse s'est retrouvée là toute seule ?

— Ce n'est pas moi qui l'y ai mise.

— Cessez d'employer ce ton sarcastique avec moi, madame Grandmont, et dites-moi la vérité, une bonne fois.

Fanette comprit qu'elle était allée trop loin. Elle regarda l'homme de loi en face.

— Je n'ai jamais donné d'argent à cet homme. Et, même si je l'avais voulu, je n'en aurais pas eu les moyens, et ma mère non plus. Nous vivons de peu.

Le coroner observa la jeune femme et eut la certitude qu'elle ne mentait pas.

— Alors quelqu'un d'autre lui a remis cet argent, quelqu'un qui connaissait votre sœur et qui a sans doute organisé son évasion, avec votre complicité.

Le coroner s'approchait dangereusement de la vérité. Fanette mit toute sa volonté à garder son sang-froid.

— Encore une fois, vous n'avez pas de preuves.

— J'en trouverai, parbleu !

Le coroner était rouge de colère. C'était la première fois que Fanette le voyait sortir de ses gonds à ce point. Le courroux de cet homme, qui était de nature flegmatique et dont le sens de la justice avait contribué à lui bâtir une réputation sans taches, révélait une faille dans son armure. Elle comprit qu'il avait des doutes sur la culpabilité d'Amanda, mais qu'il se refusait à l'admettre. Car l'admettre serait reconnaître qu'il s'était trompé tout ce temps et avait ainsi contribué à faire condamner injustement une innocente. *Il ira jusqu'au bout pour avoir raison.* Et cette certitude fit encore plus peur à Fanette que les soupçons qu'il entretenait sur sa complicité dans l'évasion de sa sœur.

— Si vous n'avez plus de questions, je souhaiterais aller chercher ma fille. Je l'ai laissée chez une voisine, réussit-elle à dire, étonnée elle-même du calme apparent de sa voix.

On frappa à la porte sur les entrefaites. Emma alla répondre. Madame Johnson était sur le seuil, tenant la petite Marie-Rosalie par la main.

— J'ai vu votre boghei, alors j'ai pensé vous ramener votre petit trésor ! s'écria-t-elle joyeusement.

Marie-Rosalie lui lâcha la main et courut à l'intérieur de la maison à la recherche de sa mère. Madame Johnson commença à fouiller dans la poche de son tablier.

— Sans compter que j'ai reçu un télégramme pour madame Fanette, ajouta-t-elle, le visage rayonnant.

Emma, pâle comme un drap, lui saisit un bras et lui fit signe de se taire. Madame Johnson la regarda, interdite, ne comprenant pas la raison de son geste. Le coroner Duchesne, son haut-de-forme à la main, s'avança vers la voisine.

— Depuis quand recevez-vous le courrier de madame Grandmont ?

La voisine fut pétrifiée par le regard glacial de ce grand homme au visage sévère. Elle jeta un coup d'œil effaré à Emma, qui s'apprêtait à répondre, mais le coroner intervint :

— Laissez-la parler, je vous prie.

La pauvre madame Johnson ne comprenait rien à la situation, mais elle en pressentait la gravité. Elle répondit du mieux qu'elle le put :

— Madame Portelance m'a chargée de prendre son courrier et celui de madame Fanette en cas d'absence.

Emma prit la parole :

— Nous sommes allées aux funérailles du notaire Grandmont, ce matin. Entre voisines, on peut bien se rendre service.

Contre toute attente, le coroner eut un sourire aimable.

— C'est bien naturel.

Il se tourna vers la visiteuse.

— Ainsi, vous avez reçu un télégramme pour madame Grandmont ?

Emily Johnson était au supplice. Tenant Marie-Rosalie dans ses bras, Fanette s'avança dans le hall d'entrée, un sourire cordial aux lèvres.

— Vous seriez aimable de me remettre ce télégramme, madame Johnson, dit-elle en déposant Marie-Rosalie par terre.

La petite s'accrocha aux jupes de sa mère, effrayée par le monsieur vêtu de noir, dont le haut-de-forme projetait une ombre sur le mur.

La voisine fouilla de nouveau dans son tablier et en sortit une feuille de papier, qu'elle tendit à Fanette. Celle-ci prit le télégramme et le parcourut. Puis elle le replia.

— Vous avez fait erreur, madame Johnson. Ce télégramme est destiné à ma mère, dit Fanette.

Emma regarda sa fille, paralysée par la surprise. Puis elle se secoua, prit la feuille que Fanette lui tendait et en déchiffra le contenu.

> La marchandise est arrivée à bon port. Tout est en bon état.
>
> Merci pour tout.

Sentant le regard du coroner braqué sur elle, Emma se racla la gorge.

— J'avais fait envoyer un service à thé comme cadeau d'anniversaire à ma sœur, qui habite à Montréal. Je suis heureuse d'apprendre que la vaisselle ne s'est pas brisée durant le voyage.

— Quel est le nom de votre sœur, madame Portelance ?

— Madeleine. On ne s'est pas revues depuis une bonne quinzaine d'années, mais on se donne des nouvelles de temps en temps.

Le coroner observa tour à tour le visage d'Emma et celui de Fanette, tâchant d'y déceler de la nervosité, mais les deux femmes arboraient un air des plus naturels.

— Puis-je jeter un coup d'œil à ce télégramme ?

Emma le lui tendit.

— Si vous y tenez…

Georges Duchesne saisit la feuille et la lut. Il serra les lèvres de dépit, puis remit le télégramme à Emma. Il se tourna ensuite vers Fanette.

— Je retrouverai votre sœur. Tôt ou tard, je la retrouverai.

Il s'inclina et partit. Les trois femmes restèrent figées, telles des statues. Comme si elle avait senti la tension dans l'air, la petite Marie-Rosalie se mit à pleurnicher. Fanette la reprit dans ses bras, tâchant de la consoler. La voisine était dans tous ses états.

— Pardon, madame Fanette. Si j'avais su que vous et votre mère n'étiez pas seules…

— Vous n'avez rien à vous reprocher, madame Johnson. Vous avez fait votre possible.

Une fois la voisine partie, Fanette fit manger sa fille, puis la ramena dans sa chambre pour sa sieste. Elle attendit que Marie-Rosalie s'endorme avant d'aller rejoindre Emma dans la cuisine. Les deux femmes échangèrent un regard où se lisaient la crainte et le soulagement.

— Lire ce télégramme devant le coroner, sans même savoir ce qu'il contenait… Quel sang-froid tu as eu ! s'exclama Emma, encore secouée par l'émotion.

— Je connais assez Amanda pour savoir qu'elle trouverait une façon de me donner de ses nouvelles sans nous compromettre. Quand j'ai compris qu'elle faisait allusion à de la marchandise, je me suis rappelé que vous aviez l'intention d'envoyer cet ensemble à thé à votre sœur. Je comptais sur votre présence d'esprit. Et j'ai eu raison, ajouta-t-elle avec un sourire. Vous avez joué votre rôle à merveille.

Emma s'épongea le front avec un mouchoir.

— J'ai passé l'âge de vivre ce genre d'émotions.

— L'essentiel, c'est qu'Amanda et Ian soient sains et saufs.

Bien que Fanette fût soulagée de savoir sa sœur et son neveu en sécurité, l'inquiétude continuait à la ronger. Elles avaient réussi à déjouer le coroner, mais pour combien de temps ?

VII

Saint John
Nouveau-Brunswick

Il était passé midi lorsque Amanda et Ian furent de retour à Saint John. Après être allée reconduire son fils à la pension, Amanda partit à la recherche de l'asile, situé à proximité du port.

Le refuge était composé d'une grande bâtisse de pierre jouxtée de trois autres, légèrement plus petites. La taille de l'ensemble était impressionnante. Une dizaine de barils avaient été placés contre un muret qui donnait sur une grande cour séparée par une clôture. Amanda s'en approcha. D'un côté de la cour, des garçons se lançaient un ballon en poussant des cris d'orfraie. De l'autre, des filles jouaient à la marelle, soulevant leur robe pour ne pas trébucher. Cette vue la rassura. Elle eut le sentiment que cet endroit ne pouvait être mauvais, puisque les enfants pouvaient y jouer en toute liberté. Une bouffée d'optimisme l'envahit. Sûrement son frère Sean, s'il avait bel et bien été accueilli dans ce refuge, n'y avait pas été trop malheureux.

En entrant dans l'immeuble principal, Amanda fut frappée par la cohue qui y régnait. Des enfants en bas âge couraient entre des lits disposés un peu partout. Des mères de famille, habillées pauvrement, criaient pour les ramener à l'ordre. Un vieillard, portant une robe de nuit qui flottait sur ses mollets maigres, marchait sans but, l'air hagard. Une matrone empoigna l'un des enfants par la peau du cou, comme elle l'eût fait avec un chaton, et le gronda. L'enfant se mit à pleurnicher.

S'avançant dans une allée, Amanda fut assaillie par l'odeur aigre des corps mal lavés et réprima un haut-le-cœur. Quelques rais de lumière se glissaient à travers les carreaux sales des fenêtres, faisant ressortir des taches de moisissure et de saleté sur les murs anciennement blanchis à la chaux. Amanda s'approcha de la matrone, une femme au regard à la fois dur et fatigué, et lui demanda à qui elle devait s'adresser pour retrouver un ancien pensionnaire. La femme désigna un couloir, à gauche de la grande salle.

— Adressez-vous à Mrs. Cunningham. C'est la femme du directeur du refuge.

Amanda fut étonnée par la douceur de sa voix, qui jurait avec son physique imposant. Elle aurait souri, n'eût été son anxiété au sujet de son frère. Sans plus attendre, elle s'engagea dans le couloir, soulagée d'échapper au bruit et à la saleté de la salle d'accueil.

Le brouhaha s'estompa. Quel contraste avec le bruit qui régnait quelques secondes auparavant ! Le plancher de bois luisait de propreté et sentait l'encaustique. Une femme, un fichu noué autour de la tête, était à genoux et frottait le plancher déjà propre avec une brosse. Amanda s'adressa à elle, lui demandant où elle pourrait trouver Mrs. Cunningham. La femme se redressa. Amanda réprima un mouvement de recul. Son visage était entièrement couvert de crevasses laissées par la petite vérole. Ses yeux d'un bleu clair ressemblaient à de petits saphirs. Elle lui parla en français, avec un accent chantant qui rappelait la mer.

— Le bureau de Mrs. Cunningham est au bout du couloir, à droite.

Amanda la remercia et suivit ses indications. Elle s'arrêta devant une porte de bois percée d'une fenêtre givrée et y frappa. Personne ne répondit. Elle se décida à entrer. Une femme d'une quarantaine d'années était assise derrière un pupitre, ses cheveux fournis noués en chignon. Les mèches récalcitrantes étaient soigneusement retenues par des peignes. Sa robe marron était égayée par un jabot de dentelle. Elle était plongée dans un livre et ne sembla pas remarquer la présence d'Amanda, si bien que celle-ci dut se racler la gorge.

— Mrs. Cunningham ?

La femme sursauta et referma brusquement son livre, rouge de confusion.

— *I'm sorry, I was... busy.*

Elle glissa subrepticement le livre sous une pile de paperasses.

— *What can I do to assist you, Sister...*

— Kate Furlong. Je suis à la recherche de mon cousin, Sean O'Brennan. Le docteur Harding, qui est médecin à Partridge, m'a informée que Sean avait séjourné à votre asile.

Mrs. Cunningham s'empressa de lui venir en aide, comme si elle souhaitait se faire pardonner son penchant pour la lecture. Elle demanda à Amanda, dans un français correct mais laborieux, à quel moment son cousin avait été admis au refuge.

— En septembre 1847.

Elle se leva et se mit à fouiller dans un classeur de chêne massif. Tandis qu'elle lui tournait le dos, Amanda ne put s'empêcher de jeter un coup d'œil au livre caché sous les documents. Il s'agissait de *Jane Eyre,* écrit par un certain Currer Bell. L'édition datait de 1847. La voix de Mrs. Cunningham lui fit lever les yeux.

— Quelle coïncidence, ne trouvez-vous pas ?

Les yeux de l'intendante brillaient, le rose sur ses joues s'était accentué. C'était un hasard étonnant, renchérit-elle en anglais, que l'un des grands chefs-d'œuvre de notre époque ait été publié l'année même de la grande famine, sous la plume de Charlotte Brontë. Car Charlotte Brontë était bel et bien l'auteur de *Jane Eyre,* qu'elle avait écrit sous un pseudonyme masculin, comme le faisaient toutes les femmes à cette époque. Quelle œuvre ! Quel lyrisme sous la plume d'une femme qui avait grandi dans l'atmosphère austère et confinée d'une maison de pasteur ! L'intendante parlait un peu trop vite, comme si elle avait retenu ces mots très longtemps et profitait d'une oreille attentive pour déverser ses sentiments. Amanda l'écoutait, à la fois surprise et touchée par sa vivacité soudaine. Elle comprit que la lecture était pour cette femme une façon de s'évader de sa vie quotidienne envahie par la misère d'autrui. Comme si elle s'éveillait soudain d'un songe, l'intendante mit une main sur sa bouche et se confondit en excuses :

— *I'm so sorry.* Je lis trop. Enfin, c'est l'opinion de mon mari. Il croit que c'est une perte de temps.

Se penchant de nouveau vers le classeur, Mrs. Cunningham en retira un gros registre, qu'elle déposa sur le pupitre. Une mèche de cheveux s'était détachée de son chignon, qu'elle remit machinalement en place. Puis elle ouvrit le répertoire et le montra à Amanda, en lui expliquant que, depuis son arrivée à l'asile, plus de quinze ans auparavant, elle y consignait le nom des personnes démunies, leur date d'arrivée, leur âge, leur pays d'origine, les circonstances de leur déplacement, leur condition physique et mentale. La date de leur départ du refuge et, dans certains cas, l'endroit où ils se rendaient étaient indiqués dans la dernière colonne. Une simple croix signifiait leur décès. Amanda fut médusée par le soin avec lequel tous les détails sur ces vies d'exilés avaient été notés par l'intendante. Celle-ci feuilleta le registre et s'arrêta à l'année 1847. Des centaines d'inscriptions y figuraient. Elle soupira.

— *There were so many of them, so many poor souls.*

Elle raconta qu'en 1847 la plupart des immigrants qui étaient accueillis dans le refuge étaient malades. Ils avaient eu beau passer par la station de la quarantaine, beaucoup d'entre eux contractaient la fièvre au contact des autres immigrants et échappaient à la vigilance des médecins. Heureusement, bon nombre de ces indigents avaient recouvré la santé, mais les plus faibles, en particulier les enfants et les vieillards, n'avaient pas survécu. Amanda se pencha pour déchiffrer l'écriture fine et penchée de l'intendante. Les mots « *typhus* » et « *fever* » revenaient constamment. Les noms, irlandais pour la plupart, défilaient comme dans un chant funèbre. Puisqu'ils étaient inscrits par ordre d'arrivée au refuge, Amanda s'attarda au mois de septembre. Après avoir examiné plusieurs pages, sans résultat, elle finit par trouver ce qu'elle cherchait.

— Sean O'Brennan. Mon Dieu, c'est lui, c'est bien lui !

Le cœur serré, elle regarda tout de suite dans la dernière colonne, celle qui indiquait le sort du réfugié : aucune croix. Des larmes de soulagement lui vinrent aux yeux. Elle s'attarda ensuite aux autres détails concernant son frère qui figuraient sur le registre. Une mention indiquait : « *destitute but healthy* », ce qui signifiait qu'il avait été abandonné mais était en bonne santé. Mrs. Cunningham attira son attention sur une phrase ajoutée dans la marge.

— Votre cousin a été adopté, au printemps de 1848, par une famille de cultivateurs, les Aucoin, dit-elle dans son français laborieux.

— Les Aucoin, murmura Amanda, comme si elle voulait imprimer ce nom dans sa tête.

— D'après ce qui est écrit, ils habitent à Shediac, ajouta l'intendante.

Amanda remercia Mrs. Cunningham à profusion et partit, le cœur rempli d'espoir. *Sean est vivant. Mon petit frère est vivant !* se répéta-t-elle tout au long du chemin qui la ramenait à la pension.

VIII

Lorsque Amanda revint à la maison de chambres, Mrs. Garrett l'accueillit avec un sourire affable, lui offrant de partager le *stew* qu'elle avait préparé. Amanda accepta avec reconnaissance. Son périple lui avait ouvert l'appétit. Ian était déjà attablé dans la petite salle à manger de la logeuse, une serviette nouée autour du cou, et avait terminé sa première assiettée. Mrs. Garrett insista pour remplir de nouveau son assiette à ras bord, lui disant qu'il lui fallait bien manger s'il voulait continuer à grandir. Amanda s'installa à table, touchée par la bonté de cette femme que le malheur avait frappée si souvent, mais qui avait gardé malgré tout une sorte de confiance dans la vie et l'exprimait en servant une nourriture abondante.

Après le repas, Amanda aida Mrs. Garrett à ranger la vaisselle, puis elle et Ian remontèrent à leur chambre. Profitant de ce qu'ils étaient seuls, Amanda mit son fils au courant de ce qu'elle avait découvert.

— D'après mes renseignements, ton oncle Sean aurait été accueilli par une famille de cultivateurs, près du village de Shediac.

— Et mon oncle Arthur ?

Amanda sentit sa gorge se nouer. Elle se décida à lui dire la vérité.

— Il est mort du typhus, dans l'île de Partridge.

Ian devint pensif. Sa mère lui avait si souvent parlé de ses oncles qu'il avait le sentiment de les connaître.

— Je devrai m'absenter pendant quelques jours, poursuivit Amanda. Mrs. Garrett prendra soin de toi.

Ian refusa net de rester seul à la pension. Mrs. Garrett était gentille, mais il ne comprenait pas la moitié de ce qu'elle disait, à cause de son gros accent irlandais, et il s'ennuyait ferme en sa compagnie. Il insista pour accompagner sa mère, mais celle-ci ne céda pas. Bien qu'il lui en coûtât de se séparer de son fils, elle éprouvait le besoin de faire ce voyage seule. Après toutes ces années, Sean était peut-être mort, ou bien il avait quitté la région, qui sait ? S'il était vivant, ce qu'elle espérait de toute son âme, alors il serait bien temps de lui présenter Ian. Ce dernier tourna le dos à sa mère et alla bouder dans un coin. *Ça lui passera,* se dit Amanda, qui commença à mettre quelques vêtements dans un sac de voyage.

Le lendemain matin, elle demanda à Mrs. Garrett si elle pouvait lui rendre le service de s'occuper de Kevin durant quelques jours. La logeuse ne se sentait pas de joie. Elle jura qu'elle en prendrait soin comme de la prunelle de ses yeux. Amanda se renseigna ensuite sur la façon la plus rapide de se rendre à Shediac. Mrs. Garrett lui expliqua qu'il lui faudrait prendre la diligence jusqu'à Moncton par la Queens Road. De là, un train de la compagnie European and North American Railway se rendait deux fois par jour à Shediac.

— *But why would you want to go to Shediac, Sister Kate ? I thought you wanted to go to Edmundston.*

Cachant son embarras, Amanda répondit qu'elle voulait y visiter de la parenté avant d'emmener Kevin pour de bon chez ses grands-parents. Mrs. Garrett insista pour lui préparer un panier de provisions, car le voyage était long, et il lui faudrait se sustenter en route.

Quand Amanda retourna à la chambre pour dire au revoir à son fils, celui-ci refusa de l'embrasser. Elle en fut chagrinée, bien qu'elle comprît sa déception.

— Sois gentil avec Mrs. Garrett.

~

Le voyage en diligence avait duré une journée entière. La voiture s'était arrêtée en route à cause d'une roue qui s'était brisée dans une ornière, et les voyageurs avaient dû attendre l'arrivée d'une seconde voiture. Heureusement, Amanda était parvenue à temps à Moncton et avait pu attraper le dernier train pour Shediac. Elle bénissait Mrs. Garrett pour le panier de provisions.

Le soir tombait lorsque le train s'arrêta à la gare de Shediac, un bâtiment de pierre au toit pentu. Amanda en descendit, son habit de religieuse couvert de poussière. Le chef de gare, un petit homme affable, arborant une moustache et des favoris si bien taillés qu'ils semblaient faits de cire, lui recommanda l'auberge Aucoin, située sur Main Street, à une dizaine de minutes à pied de la gare.

— L'auberge Aucoin, murmura Amanda, saisie en entendant ce nom.

Croyant que la religieuse avait des craintes quant à la réputation de l'endroit, il se fit un devoir de la rassurer.

— Ephrem Aucoin en est le propriétaire. Sa femme, Rosanna, est une cousine du côté maternel. La meilleure cuisinière à la ronde. Vous y serez traitée aux petits oignons, ma sœur.

Mrs. Cunningham lui avait parlé d'une famille d'agriculteurs du nom d'Aucoin. Ces aubergistes avaient sûrement des liens de parenté avec eux et sauraient sans doute où ceux-ci habitaient. Peut-être même connaissaient-ils l'existence de Sean... On aurait dit que le hasard, ou la providence, était de son côté. Le chef de gare poussa la gentillesse jusqu'à dessiner un plan rudimentaire de Shediac sur un bout de papier, indiquant précisément où se trouvait l'auberge. Encore une fois, Amanda constata à quel point son habit de religieuse mettait les gens en confiance, en plus de la protéger.

Suivant le plan, Amanda parvint à la rue Main, faiblement éclairée par quelques lampadaires. La lune s'était levée, peignant le trottoir désert de reflets argentés. Bientôt, elle aperçut une lanterne suspendue devant une enseigne : *Auberge Aucoin*. Une cloche avait été installée près de la porte en guise de sonnette. Amanda l'actionna. Le tintement lui sembla résonner très fort dans le silence du soir. Elle espéra que quelqu'un lui répondrait, sinon elle devrait se résigner à retourner à la gare et à dormir sur un banc. Une lueur apparut à une fenêtre, à l'étage. Puis les gonds grincèrent. Un homme au ventre rebondi lui ouvrit, les yeux bouffis de sommeil. Amanda lui expliqua que le chef de gare lui avait recommandé l'auberge. Un sourire jovial apparut alors sur le visage du commerçant.

— Ah, le cousin Tit-Paul Jolicœur ! Soyez la bienvenue, ma sœur.

Une lanterne à la main, l'aubergiste la conduisit à une chambre à l'étage, meublée avec simplicité, mais d'une propreté irréprochable. Il tourna la mèche d'une lampe qui était posée sur une table de chevet.

— Je vous apporte une bassine d'eau chaude. Si vous avez faim, ma femme peut vous fricoter quelque chose.

— Non, merci, j'ai déjà mangé.

Avant qu'il ne reparte, Amanda lui demanda s'il connaissait une famille Aucoin, qui habitait près du village.

— J'voudrions bien vous aider, ma sœur, mais nous sommes au moins une bonne vingtaine d'Aucoin à vivre dans la région.

Amanda précisa que les Aucoin qu'elle cherchait étaient cultivateurs et qu'en 1848 ils auraient recueilli un enfant du nom de Sean O'Brennan. Le visage jovial de l'aubergiste se rembrunit.

— Ça doit être Rosaire, puis sa femme Tina. Ils ont une ferme, à une douzaine de milles d'ici.

Le changement soudain dans l'attitude d'Ephrem Aucoin intrigua Amanda.

— Pourriez-vous m'indiquer le meilleur chemin pour m'y rendre ?

L'aubergiste répondit avec réticence.

— Leur ferme est pas loin du chemin Ohio, au sud-est de Shediac. Vous aurez pas de misère à les trouver, tout le monde se connaît par ici.

Amanda referma la porte et s'assit sur le lit, habitée par un malaise indéfinissable. Pourquoi cet homme aimable avait-il une attitude hostile tout à coup ? Puis elle se raisonna : elle avait fait un long voyage, la fatigue la rendait sans doute trop suspicieuse.

Le commerçant revint comme promis avec un broc et un bassin, qu'il déposa sur la commode sans dire un mot. Amanda fut sur le point de lui demander s'il connaissait Sean, mais il s'était déjà détourné en lui souhaitant un « bon dormitoire » sec et avait refermé la porte. Le malaise d'Amanda s'accentua. Elle se dévêtit, fit sa toilette et se coucha. Sa pensée ne quittait pas son frère. Elle finit par s'endormir, vaincue par l'épuisement.

~

Le lendemain matin, Rosanna Aucoin, aussi ronde que son mari, servit à Amanda un déjeuner copieux. Bien que souriante, l'épouse de l'aubergiste garda ses distances avec la jeune femme, se contentant de lui parler du beau temps qu'il faisait, de la pêche aux homards, qui s'annonçait bonne. Quant à Ephrem Aucoin, il ne se montra pas. En payant sa chambre, Amanda demanda à Rosanna Aucoin où elle pourrait louer une voiture. L'aubergiste l'envoya chez Eugène Leblanc, le maréchal-ferrant, qui tenait magasin dans la rue Main, à deux pâtés de maisons de là.

~

Une lumière blanche éclaboussait le chemin de terre. Amanda, conduisant une vieille calèche que le maréchal-ferrant lui avait prêtée sans lui demander un sou, cligna des yeux, éblouie par le soleil. Son voile noir était agité par une légère brise, qui apportait des effluves salins. Plus loin, la mer, d'un bleu émeraude, scintillait d'éclats transparents. Amanda respira l'air du large à pleins poumons. Son anxiété de la veille s'était dissipée et avait fait place à une impatience presque douloureuse. Elle calcula qu'elle devait avoir parcouru deux milles. Le maréchal-ferrant lui avait expliqué que le chemin Ohio se situait au mitan du cap du Chêne et du cap Brûlé. Une fois sur le chemin Ohio, elle devait parcourir environ six milles. Elle tomberait alors sur le rang Broussard, qu'elle devait suivre jusqu'à la ferme des Aucoin.

En route, Amanda croisa des pêcheurs qui rapportaient des cageots de homards empilés dans une charrette. Elle leur demanda si le chemin Ohio était près.

— Encore un brin, puis vous y êtes, ma sœur.

Quelques minutes plus tard, Amanda parvint à un chemin plus large, bordé de terres. C'était le chemin Ohio. Elle s'y engagea, frappée par l'immensité des champs, qui s'étendaient à perte de vue. En observant les tiges vertes courbées sous la brise marine, elle se rendit compte qu'il s'agissait de plants de pommes de terre. Son enfance ressurgit d'un coup, les champs de pommes de terre ravagés par le mildiou, les paysans qui quêtaient sur le bord des routes poussiéreuses, son père qui se levait chaque matin et allait voir ses terres noircies. *Dieu veuille qu'un tel malheur ne se produise plus jamais.*

Une paysanne, accroupie près d'une brouette, cueillait des plants. Elle salua Amanda au passage, un grand sourire aux lèvres, les yeux plissés par le soleil. Amanda lui rendit son sourire.

Après avoir parcouru une demi-douzaine de milles, la calèche d'Amanda croisa le rang Broussard. Son cœur se mit à battre plus fort. Bientôt, elle saurait ce qui était advenu de son frère Sean.

~

Mrs. Garrett déposa un bol rempli de porridge fumant sur un plateau, qu'elle monta elle-même à la chambre de sœur Kate et de son neveu. Elle frappa à la porte et entra dans la pièce, encore plongée dans une demi-pénombre. Le garçon dormait toujours. La logeuse le contempla un moment, attendrie. Il était si beau, avec ses cheveux noirs bouclés et son menton carré. Elle pensa à ses quatre fils encore en vie, qui avaient quitté la maison il y avait belle lurette et qui donnaient rarement de leurs nouvelles. Après avoir déposé le plateau sur une table, elle entrouvrit les rideaux. Le soleil balaya la chambre. Le garçon battit des paupières, puis tourna la tête vers Mrs. Garrett, les yeux embrumés par le sommeil. Elle lui sourit.

— *Good morning.*

Elle lui désigna le bol de porridge, l'enjoignant de ne pas le laisser refroidir. Se frottant les yeux, Ian s'assit sur le lit, prit le bol et se mit à manger avec appétit. Mrs. Garrett s'attarda, désireuse d'engager la conversation. Elle lui dit que c'était bien triste d'être orphelin, mais qu'il avait de la chance d'avoir une tante aussi dévouée. Encore à moitié endormi, Ian répondit sans réfléchir :

— *She's my mom.*

En voyant le visage figé de la logeuse, Ian comprit sa gaffe. Il tenta de se reprendre.

— *I mean… she's like a mother to me.*

Le trouble de l'adolescent n'échappa pas à Mrs. Garrett. Un doute s'insinua dans son esprit. Se pouvait-il que sœur Kate soit en réalité la mère du garçon ? Cette simple idée la remplit d'embarras et de honte. Il faudrait qu'elle demande des explications à la jeune femme à son retour de Shediac. Elle avait beau avoir de l'affection pour le garçon, il était hors de question d'héberger une pécheresse sous son toit.

IX

À environ un mille passé le rang Broussard, Amanda aperçut une maison de ferme qui se détachait dans le ciel bleu. Plusieurs hommes, portant un chapeau de paille, les manches roulées jusqu'aux coudes, fauchaient un champ de blé avec le rythme d'un balancier. Plus loin, deux femmes arrachaient des plants de pommes de terre qu'elles empilaient ensuite dans une charrette munie de ridelles. La calèche s'arrêta au bord du chemin, à l'orée des champs. Amanda en descendit et marcha en direction des cueilleuses. En s'en approchant, elle se rendit compte que l'une était plus jeune que l'autre, mais leur ressemblance lui fit penser qu'il s'agissait sûrement d'une mère et de sa fille. Il faisait chaud pour septembre. Le soleil peignait les champs de taches mordorées.

— Savez-vous où se trouve la ferme des Aucoin ? leur demanda Amanda.

La femme plus âgée se redressa, épongeant son front avec une manche. Son visage était strié de rides profondes, comme le tronc d'un arbre. Elle sourit en voyant la religieuse.

— Vous y êtes. Je suis Tina Aucoin, dit-elle avec un accent chantant.

Tina. C'était le prénom que l'aubergiste avait mentionné.

Amanda lui tendit la main.

— Sœur Kate.

La paysanne jeta un coup d'œil à ses mains noircies par la terre, puis les essuya sur son tablier et serra la main d'Amanda. Elle se tourna ensuite vers la jeune fille qui l'accompagnait.

— Ma fille, Alphonsine.

Cette dernière se contenta de hocher la tête en souriant timidement. Les deux femmes firent bonne impression à Amanda.

— C'est Ephrem Aucoin, qui tient l'auberge à Shediac, qui m'a dit où vous trouver.

— Le cousin Ephrem. Ça fait une secousse qu'on l'a pas vu. Un bon diable.

Amanda sentit que le moment était bien choisi pour aborder le sujet qui lui tenait tant à cœur.

— Au refuge de Saint John, on m'a dit qu'un nommé Sean O'Brennan avait été accueilli en 1848 par des cultivateurs du nom d'Aucoin, près de Shediac.

Toute trace de cordialité disparut du visage de Tina Aucoin. Elle se remit au travail sans rien dire, la mine fermée. C'était la même hostilité que celle dont avait fait preuve l'aubergiste lorsque Amanda avait prononcé le nom de son frère. L'angoisse lui serra la gorge. Qu'avait-il bien pu se produire pour que ces gens, de prime abord aimables, changent à ce point d'attitude en entendant parler de Sean ?

— L'avez-vous accueilli chez vous ?

La paysanne continua de travailler, la bouche cousue. Amanda insista :

— Sean est mon cousin. Je suis venue de loin pour avoir de ses nouvelles.

Tina Aucoin se releva et fit un petit mouvement de tête à sa fille, qui comprit et s'éloigna. Un homme d'une soixantaine d'années apparut derrière elle. Il avait dû être assez beau dans sa jeunesse, mais l'âge et le dur travail l'avaient usé prématurément.

— De quoi qui se trame, ma vieille ?

Sa femme lui répondit sans le regarder :

— Sœur Kate veut avoir des nouvelles de Sean. Elle dit que c'est son cousin.

Le visage buriné du vieux cultivateur s'assombrit. Amanda lui prit le bras.

— Vous le connaissez. Qu'est-il devenu ?

Rosaire Aucoin jeta un coup d'œil embarrassé à sa femme, puis soupira.

— Pour ça, c'était un bon garçon, vaillant, dur à l'ouvrage. On a jamais eu à se plaindre de lui.

Amanda crut comprendre où le paysan voulait en venir. Une sorte de vertige lui fit fermer les yeux.

— Il est mort.

Le vieil homme secoua la tête sans rien dire. Cette fois, il y avait de la compassion dans son regard. Sa femme prit la parole :

— Sean est tombé malade à la fin de l'été de 1853. On est allés quérir le docteur, comme de raison. Il a dit qu'il fallait vite l'envoyer à Tracadie pour le faire soigner.

— À Tracadie ?

Amanda comprenait de moins en moins. Pourquoi son frère avait-il été envoyé dans un autre village ?

Le vieux couple garda un silence malaisé. Encore une fois, ce fut Tina Aucoin qui parla :

— D'après le docteur, Sean avait la lèpre. Il a été emmené à la léproserie de Tracadie.

La lèpre. Ces deux mots remplirent Amanda d'horreur. Elle se souvenait que Mrs. Gibbs, la maîtresse d'école à Skibbereen, leur avait parlé de cette terrible maladie, qui avait sévi au Moyen Âge et inspirait la terreur partout où elle apparaissait. L'institutrice leur avait même montré des gravures de lépreux dans un vieux livre d'images. Leur visage, couvert de pustules, était effrayant à regarder. Elle leur avait expliqué que les lépreux portaient une clochette sur eux qui alertait les gens de leur passage, mais qu'heureusement la lèpre avait presque disparu depuis plusieurs siècles.

— Qu'est-il devenu ?

— On l'a pas revu, avoua Rosaire, la gorge enrouée.

— Vous ne lui avez jamais rendu visite ? s'exclama Amanda, indignée.

— Tracadie, c'est pas à la porte, se défendit Tina Aucoin. On ne peut pas abandonner la ferme, même pour une couple de jours.

Amanda les regarda en silence. Elle était convaincue que ce n'étaient pas les travaux de la ferme qui les avaient empêchés de faire le voyage, mais la peur que leur inspirait la maladie. Elle fit demi-tour, prête à partir. La fermière la retint.

— Vous pouvez parler au docteur Calvé. Il est à la retraite, mais il vit toujours à Shediac, dans la rue Main. Sa maison est juste à côté du bureau de poste. Elle est blanche, avec des volets verts. Vous pouvez pas la manquer.

Le chemin du retour parut une éternité à Amanda, qui était encore secouée par la révélation des Aucoin. Plus elle y pensait, moins elle pouvait croire que son frère pût être atteint de la lèpre. Ces gens avaient sûrement fait erreur, confondant les symptômes d'une autre maladie avec ceux de la lèpre. Elle passa le bureau de poste. Juste à côté se trouvait la maison blanche aux volets verts dont la paysanne lui avait parlé.

Garant la calèche devant la maison, Amanda en descendit et s'avança dans une petite allée bordée de cyprès qui menait à la porte. Elle sonna. Personne ne répondit. Elle sonna de nouveau, attendit. Rien. Au moment où elle s'apprêtait à retourner à la voiture, elle aperçut dans le jardin un vieillard penché au-dessus d'un rosier, un sécateur à la main. Elle s'approcha de lui.

— Docteur Calvé ?

Le vieil homme tourna la tête dans sa direction. Il portait des bésicles. Ses yeux, d'un bleu délavé, étaient plissés par le soleil. Des ombres violettes creusaient ses joues. Un papillon se posa brièvement sur son épaule et s'envola. Amanda se présenta, puis lui raconta sa visite chez les Aucoin.

— Tina Aucoin prétend que mon cousin a contracté la lèpre et que vous l'avez envoyé à Tracadie pour le faire soigner.

— En quelle année ?

— À la fin de l'été de 1853. Il avait seize ans.

— Quel est le nom de votre cousin ?

— Sean O'Brennan.

Le vieil homme secoua la tête.

— Ce nom ne me dit rien, mais c'est bien possible. À cette époque, les gens qui présentaient des symptômes de cette maladie devaient être traités dans une léproserie. De gré ou de force, ajouta-t-il, avec l'ombre d'un malaise.

Les paroles du médecin plongèrent Amanda dans le désarroi.

— Comment Sean aurait-il pu contracter la lèpre ? Cette maladie n'existe plus depuis longtemps.

Le vieil homme soupira.

— Ça semble peu vraisemblable, mais elle a bel et bien sévi dans notre région.

Le médecin raconta que l'hypothèse la plus plausible était que la lèpre avait été apportée au Nouveau-Brunswick par deux voyageurs scandinaves, vers 1817. Ils se seraient échappés d'un lazaret en Norvège, auraient fait tout le voyage jusqu'à Québec, puis seraient montés à bord d'une goélette qui faisait le trajet entre Québec et Caraquet.

— On les a revus par la suite à Tracadie, où ils ont été hébergés par une famille acadienne, les Landry. La famille a été décimée par la lèpre, qui s'est ensuite répandue dans d'autres foyers. Cette maladie met beaucoup de temps avant de se développer, alors les autorités de l'époque ont compris trop tard qu'il s'agissait de la lèpre. Il y a même eu des cas ici, à Shediac.

— Est-ce que la léproserie existe toujours ?

— Malheureusement, oui. Je n'y suis pas retourné depuis ma retraite, mais lors de ma dernière visite, il y a quelques années de cela, une trentaine de patients y étaient encore soignés. Enfin, façon de parler.

Amanda le regarda sans comprendre. Il haussa les épaules.

— Il n'existe aucun traitement pour soigner cette maladie. Tout ce que l'on peut faire, c'est isoler les lépreux et les laisser mourir à petit feu.

Elle hésita avant de poursuivre, craignant d'avance la réponse.

— En admettant que mon Sean ait contracté la lèpre, quelles étaient ses chances de survivre ?

Il leva ses yeux bleus vers elle. La cataracte brouillait son regard.

— Pas très bonnes, j'en ai bien peur. Et pour être franc avec vous, ma sœur, il vaudrait peut-être mieux pour votre cousin qu'il n'ait pas survécu.

Le médecin se détourna et continua à tailler son rosier. Amanda revint vers la voiture, le cœur en charpie. *Il vaudrait peut-être mieux pour votre cousin qu'il n'ait pas survécu*. Elle tâcha de se rappeler le visage de Sean. Les derniers souvenirs qu'elle avait gardés de son petit frère étaient si lointains… Il avait les yeux bleus, du même bleu améthyste que Fanette. Et les cheveux noirs. Quelques taches de rousseur sur les ailes de son nez retroussé. Un beau garçon, vif et plein de vie, qui ne tenait jamais en place et qu'il fallait toujours surveiller de peur qu'il se sauve ou se casse le cou en grimpant dans un arbre. Amanda ne pouvait imaginer qu'il était mort, encore moins qu'il avait été atteint par cette horrible maladie.

Quoique sa rencontre avec le vieux médecin lui eût laissé peu d'espoir, la jeune femme prit la décision de se rendre à Tracadie. S'il y avait une chance, aussi mince soit-elle, que Sean soit encore en vie, elle voulait en avoir le cœur net. Il n'était pas question d'abandonner sa quête, même si elle en redoutait l'issue.

X

Québec

Maître Levasseur, installé dans l'élégant bureau qui avait été celui du juge Dugas, le défunt père de Marguerite Grandmont, jeta un regard admiratif en direction de la veuve du notaire. Celle-ci, ravissante dans sa robe de deuil, se tenait bien droite dans son fauteuil Louis XV. L'avocat devait admettre qu'il était impressionné par la dignité et le sang-froid dont madame Grandmont avait fait preuve depuis la mort de son mari. Son premier geste avait été de vendre la maison de la Grande Allée, car elle lui rappelait de si mauvais souvenirs, lui avait-elle expliqué. De toute façon, elle n'aurait su qu'en faire, étant donné qu'elle habitait chez sa mère depuis sa séparation officieuse du notaire Grandmont et qu'elle n'avait jamais réintégré le foyer conjugal. Elle en avait obtenu un excellent prix, refusant les offres dérisoires que des acheteurs sans scrupule, espérant tirer profit du fait qu'ils avaient affaire à une femme, veuve de surcroît, lui avaient faites.

Fouillant dans sa serviette de cuir, maître Levasseur en sortit une feuille, qu'il déposa sur le pupitre.

— De quoi s'agit-il ? demanda Marguerite.

— D'une procuration, chère madame. Je pourrai m'occuper personnellement de régler la succession de feu votre mari et vous épargner ainsi l'ennui que ne peut manquer de causer cette paperasse fastidieuse à une jolie femme.

Marguerite le regarda froidement.

— Au contraire, maître Levasseur, cette paperasse, comme vous dites, ne m'ennuie pas du tout. J'exige de voir tous les papiers de la succession, la liste exhaustive de tous les biens ainsi que tous les comptes, jusqu'au moindre reçu.

L'avocat se racla la gorge. Convaincu que les femmes n'avaient aucun sens des affaires, il avait présumé que sa cliente signerait cette procuration les yeux fermés et qu'il aurait dès lors toute latitude pour régler la succession et demander des honoraires en conséquence. *Voilà qui est bien fâcheux*. Il fouilla de nouveau dans sa serviette et en extirpa un volumineux dossier.

— Tout y est, chère madame. Je reste bien entendu à votre disposition pour toute question concernant ces documents.

Marguerite Grandmont ouvrit le dossier et, tenant un lorgnon dans une main, examina un à un les papiers qui s'y trouvaient. Son attention fut attirée par un document au bas duquel elle reconnut sa propre signature. Elle le parcourut. Maître Levasseur, qui l'observait du coin de l'œil, remarqua avec inquiétude que le visage de sa cliente avait pâli. Lorsqu'elle eut terminé sa lecture, Marguerite remit le document à l'avoué.

— Qu'est-ce que cela signifie, maître Levasseur ?

L'avocat prit le papier et y jeta un coup d'œil anxieux. Il s'agissait d'une procuration par laquelle Marguerite donnait au notaire Grandmont le pouvoir de dépenser une somme de quinze mille dollars dont son père l'avait dotée à son mariage. Non seulement Marguerite ignorait tout de cette dot, mais elle n'en avait jamais touché un sou.

— Connaissiez-vous l'existence de ce document, maître ?

— Je l'ai découvert après la mort de votre mari, comme tous les autres papiers de la succession.

— Qui a osé imiter ma signature ?

— Je l'ignore, chère madame. Mais il y a fort à parier qu'il s'agit de monsieur Grandmont.

— Combien reste-t-il de ce montant ?

L'avocat refit le nœud de sa lavallière pour se donner une contenance.

— J'ai bien peur qu'il ne reste rien.

Maître Levasseur s'était attendu à des pleurs, à de hauts cris, mais il fut encore une fois surpris par le calme et la dignité avec lesquels madame Grandmont accueillit cette mauvaise nouvelle. En réalité, Marguerite bouillait de rage, mais elle se serait fait torturer plutôt que de montrer ses sentiments à cet avocat misogyne et arrogant. Puis une étrange exaltation succéda à la colère, comme si la perfidie de son mari l'exonérait de tout blâme quant à ses propres sentiments pour le beau Lucien Latourelle. Car elle avait fini par céder à ses avances.

Cela s'était produit quelque temps avant la mort du notaire Grandmont. Lucien était venu porter à Marguerite son dernier poème, une ode plutôt quelconque, mais l'enthousiasme du jeune poète était tel qu'elle n'avait pas eu le cœur de lui dire le fond de sa pensée. Elle l'avait complimenté sur ses vers, « empreints d'une sensibilité à fleur de peau », alors qu'elle les trouvait en réalité d'une sentimentalité désolante. Lucien, ému aux larmes, lui avait alors saisi une main, l'avait couverte de baisers puis, dans un élan irrépressible, avait posé ses lèvres humides sur les siennes. Marguerite avait faiblement tenté de se dégager de l'étreinte, mais Lucien avait continué à l'embrasser avec la fougue que donne la jeunesse. Cette fois, Marguerite avait rendu les armes. Les joues mouillées par les larmes de Lucien, elle avait répondu au baiser avec passion. Heureusement, elle avait eu la sagesse de tamiser l'éclairage des lampes avant l'arrivée de l'écrivain. La lumière orangée la protégerait mieux que n'importe quel autre artifice du regard avide, et qui sait, cruel, d'un jeune homme de vingt ans.

Après quelques caresses, Marguerite avait trouvé le courage de mettre fin à leur étreinte et demandé à Lucien de partir, acceptant toutefois de le recevoir le lendemain. Ainsi avait commencé sa liaison avec Lucien Latourelle. Habitant chez sa mère invalide, qui sortait rarement de sa chambre, Marguerite n'avait aucune crainte que sa liaison fût découverte. La différence d'âge entre Lucien et elle l'accablait parfois, mais, étonnée et ravie qu'un tel bonheur puisse lui arriver si tard dans sa vie, elle avait décidé de l'oublier, profitant de chaque moment passé avec son jeune amant comme s'il allait être le dernier.

Un toussotement de l'avocat sortit Marguerite de sa rêverie. Elle déposa ses lorgnettes sur le pupitre.

— J'espère que vous ne me réservez pas d'autres mauvaises surprises, maître Levasseur.

On frappa à la porte du bureau. Madame Régine apparut sur le seuil.

— Monsieur Lucien Latourelle est ici pour vous voir.

Les beaux yeux de Marguerite s'animèrent.

— Dites-lui de m'attendre au salon.

Puis elle se tourna vers l'avocat, lui faisant un gracieux sourire.

— Serez-vous à mon Jeudi ?

Marguerite faisait référence au salon qu'elle tenait tous les jeudis et qui était devenu fort populaire. On y croisait à l'occasion un politicien bien en vue, un écrivain ou un artiste de renom. Le fait que Marguerite fût devenue veuve dans des circonstances pour le moins nébuleuses, au lieu de jeter un discrédit sur ses soirées, en avait au contraire rehaussé le cachet. Soulagé de s'en tirer à si bon compte, maître Levasseur s'inclina.

— Avec joie, chère madame.

L'avocat prit congé. Marguerite replaça une épingle dans ses cheveux, se pinça légèrement les joues pour y mettre un peu de couleur et sortit à son tour, toute à la joie de revoir son amant.

⁂

Rosalie, assise à sa coiffeuse, regardait son reflet dans le miroir, scrutant ses traits avec une sévérité impitoyable, notant la faiblesse de son menton, un creux sous ses joues qui donnait à son visage une austérité qu'elle n'éprouvait pas dans son cœur. Elle songea à l'injustice de la nature qui l'avait ainsi faite. Sans être laide, elle n'était pas jolie ; du moins, c'était le jugement qu'elle portait sur elle-même. Elle songea à Fanette, qui était si belle.

Elle n'en éprouvait pas la moindre jalousie mais aurait voulu tout de même lui emprunter ne serait-ce qu'une once de sa beauté, un peu de l'éclat de ses yeux, ses pommettes hautes, son menton bien dessiné. Elle détourna les yeux du miroir. Ce soir, sa mère donnait son fameux salon. Sa robe de deuil lui épargnerait au moins l'effort d'avoir à trouver une toilette convenable.

Sa seule joie, qu'elle gardait enfouie en elle comme des lettres d'amour cachées dans un tiroir fermé à clé, était la perspective de revoir Lucien Latourelle. Elle n'avait pas le moindre espoir de se faire remarquer parmi les nombreuses admiratrices qui se presseraient autour de lui. Elle se contenterait de le regarder, d'admirer ce visage qui lui rappelait cette peinture de Raphaël vue dans un livre d'art que son père avait fait venir de Paris, mais qu'il n'avait jamais ouvert. Le tableau représentait un ange tenant un phylactère, possédant les mêmes traits fins, les mêmes cheveux aux boucles gracieuses que Lucien. Elle n'avait parlé à personne de ses sentiments pour le jeune poète, pas même à Fanette. Non qu'elle craignît le jugement de sa meilleure amie. Au contraire, sa confiance en Fanette était telle qu'elle lui aurait confié sans hésitation ses pensées les plus sombres, ses rêves les plus extravagants. Ce n'était pas une question de confiance. Mais son amour pour Lucien était la seule chose qui lui ait jamais appartenu en propre. Elle en était la dépositaire, la gardienne, la seule détentrice de la clé d'un trésor enfoui dans les profondeurs d'une grotte.

Dans quelques jours, elle repartirait pour les Trois-Rivières, emportant avec elle ce précieux trésor que rien ni personne ne pourrait jamais lui enlever.

XI

Tracadie

La goélette *La cocagne* fendait allégrement l'eau émeraude pailletée d'écume. Amanda, debout sur le pont, aperçut à distance d'innombrables mâts de bateaux oscillant doucement au gré des vagues. Les coques bigarrées faisaient des taches de couleur sur le sable clair. C'était le port de Tracadie. Toute cette lumière, ces couleurs joyeuses, ce ciel d'un bleu si pur l'auraient émerveillée en d'autres circonstances, mais la crainte d'apprendre de mauvaises nouvelles sur son frère Sean jetait un voile noir sur la beauté des lieux.

Le capitaine donna des ordres à ses hommes, qui s'activèrent pour l'accostage du bateau. Lorsqu'il avait accueilli Amanda sur sa goélette, il s'était adressé aimablement à elle :

— Qu'est-ce qui vous amène à Tracadie, ma sœur ?

— Je me rends à la léproserie.

Le visage jovial du capitaine s'était rembruni aussitôt qu'Amanda avait prononcé le mot « léproserie ». Il ne lui avait plus adressé la parole de toute la traversée, comme si, en annonçant sa visite dans ce lieu maudit, elle était devenue elle-même porteuse de la maladie et du malheur qui l'accompagnait. C'est avec réticence qu'il lui avait tendu la main pour l'aider à mettre pied à terre. Amanda n'osa pas lui demander où se trouvait le lazaret. Elle s'adressa plutôt à une vieille femme qui avait fait le trajet avec elle, avec un gros panier en osier sous le bras. La femme esquissa un signe de croix, désigna une route d'une main tremblante, puis s'éloigna sans se retourner. Amanda entreprit de marcher dans la direction indiquée, l'angoisse chevillée au cœur. Dieu sait ce qui l'attendait…

Le chemin longeait la côte. Un vent vif, chargé de l'odeur iodée des embruns, balayait les herbes hautes. Amanda prit une grande inspiration pour se donner du courage. Après une vingtaine de minutes de marche, elle distingua un bâtiment de forme rectangulaire entouré d'une clôture faite de planches grisâtres. À peine quelques brins d'herbe poussaient sur une terre sèche brûlée par le soleil et le vent. Aucune maison n'était visible à des lieues à la ronde ; les habitants avaient refusé de s'installer à proximité du lazaret, craignant sans doute la contagion.

En s'approchant de la clôture, Amanda constata qu'une porte y avait été aménagée. Elle tenta de l'ouvrir, mais elle était fermée. Elle aperçut une corde à laquelle était accrochée une cloche et tira dessus. Un tintement aigu retentit. Il fallut une bonne minute avant qu'un bruit de verrou se fasse entendre. La porte s'ouvrit en grinçant sur ses gonds. Un homme à l'allure taciturne toisa Amanda.

— Qu'est-ce que vous voulez ? demanda-t-il d'un ton rogue, visiblement indifférent à la vue d'un habit religieux.

— Je souhaite visiter un patient.

L'homme la regarda comme si elle n'avait pas eu toute sa tête.

— Ici, personne ne reçoit de visite.

— Eh bien, ce sera une première.

Elle franchit le portail sans attendre la réponse de celui qui semblait remplir la fonction de surveillant. Le lazaret, constitué de murs blanchis à la chaux, se dressait sur la terre battue. En levant les yeux, Amanda remarqua que les fenêtres du rez-de-chaussée étaient munies de barreaux. Elle crut apercevoir une forme bouger derrière l'une d'elles. Une main se glissa entre les barres de fer, tel un oiseau qui tenterait de s'évader de sa cage. *Cet endroit est une prison.* Au premier étage, d'étroites fenêtres grillagées laissaient à peine passer la lumière. Amanda détourna les yeux et se dirigea vers l'entrée de la léproserie, tâchant de maîtriser les pensées sombres qui l'envahissaient. *Sean, mon pauvre petit frère, qu'es-tu devenu ?*

Rien n'aurait pu la préparer au triste spectacle qui l'attendait. Une quinzaine d'hommes et de femmes étaient assis sur des chaises bancales ou affalés sur des bancs. Les femmes portaient une robe marron et les hommes, un veston et un pantalon du même brun terne ressemblant à des uniformes de prisonniers. Chez certains d'entre eux, la bouche n'était plus qu'une sorte de plaie difforme. Chez d'autres, le nez avait fondu, ne laissant plus que deux orifices. Il fallut tout son courage à Amanda pour ne pas s'enfuir le plus vite possible. Soudain, une femme tendit une main vers elle. Seuls ses yeux, d'un vert tendre, paraissaient avoir été épargnés par les ravages de la lèpre. Il sembla à Amanda qu'une lueur y brillait, comme si cette femme tentait de sourire malgré le fait qu'elle n'avait plus de bouche. La peur d'Amanda fondit et fit place à une profonde compassion. Des êtres humains se cachaient derrière ces masques hideux, des êtres qui avaient aimé, travaillé, enfanté peut-être, avant que la maladie ne les frappe. La pensée que son frère se trouvait peut-être parmi eux la foudroya. Elle se mit à scruter plus attentivement ces visages devenus méconnaissables, tâchant de discerner dans ce qui restait de leurs traits une ressemblance avec Sean.

La femme qui lui tendait la main émit un petit son. Amanda comprit qu'elle tentait de lui parler et fit quelques pas vers elle, s'arrêtant à sa hauteur. La malade balança doucement la tête, comme si elle voulait exprimer quelque chose. Puis elle réussit à prononcer quelques mots, si faiblement qu'Amanda eut du mal à les saisir.

— C'est le ciel qui vous envoie, ma sœur.

L'émotion serra la gorge d'Amanda. D'un mouvement impulsif, elle saisit la main de la lépreuse et la serra dans la sienne. La crainte de la contagion ne l'effleura même pas. Elle entendit soudain une porte claquer. En se retournant, elle aperçut une femme robuste, un fichu noué autour de la tête, qui transportait une soupière et des écuelles qu'elle déposa sur deux planches posées sur un tréteau faisant office de table.

— À la soupe ! s'écria-t-elle, trop occupée pour avoir seulement remarqué la présence d'Amanda.

Des murmures et des exclamations presque joyeuses accueillirent sa phrase. La femme au fichu se mit à verser dans des écuelles des rations d'un liquide insipide où flottaient des morceaux de pain. Quelques malades réussirent à se lever pour aller chercher leur bol. Les autres attendirent que la femme le leur apportât. Amanda s'approcha d'elle.

— Bonjour, madame.

L'employée fut si surprise qu'elle faillit laisser tomber l'écuelle pleine qu'elle tenait à la main.

— Mon doux ! Il était pas trop tôt ! Depuis le temps que monsieur le curé demandait l'aide des religieuses !

Elle se tourna vers les lépreux.

— Le Bon Dieu a exaucé nos prières !

L'un des malades battit des mains tandis que d'autres poussèrent de petits cris de joie. La lépreuse qui avait tendu la main à Amanda hocha la tête, comme si elle exprimait ainsi son contentement. Amanda eut le sentiment que ces gens l'attendaient comme on attend le Messie. Elle se tourna vers la femme au fichu.

— Qui dirige le lazaret ? Y a-t-il un médecin à qui je pourrais parler ?

La femme hocha la tête.

— Y a belle lurette que j'ai pas vu un médecin ici dedans.

— Personne ne soigne les malades ? s'exclama Amanda, indignée.

— Le docteur Gordon leur rend visite, une ou deux fois par année. Moi, je leur donne à manger. C'est déjà beaucoup, avec le peu d'argent que le curé m'envoie…

Amanda comprit que les lépreux avaient pour ainsi dire été abandonnés à leur sort et que, sans cette personne dévouée, ils mourraient littéralement de faim. Une révolte sourde l'envahit.

— Avez-vous un registre des malades ?

Les yeux de la femme au fichu s'arrondirent comme des billes.

— Un registre ? J'sais même pas écrire mon nom !

Amanda revint patiemment à la charge.

— Savez-vous si un certain Sean O'Brennan est ici ? Il est âgé de vingt-trois ans, il a les yeux bleus, les cheveux noirs.

La femme réfléchit, puis secoua la tête.

— Ça me dit rien. Pourtant je suis arrivée ici il y a trois ans.

Amanda ravala sa déception. De toute évidence, cette personne, bien qu'elle semblât pleine de bonne volonté, ne pouvait l'aider. Elle lui posa une dernière question :

— Y a-t-il d'autres malades dans le lazaret ?

— Une douzaine, au premier étage. La plupart sont plus capables de se lever. C'est à peine s'ils ont la force de manger.

La mort dans l'âme, Amanda se résolut à monter l'escalier étroit qui se rendait à l'étage. La vision qui l'attendait était encore pire, si c'était possible, que celle qui l'avait accueillie à son entrée dans le lazaret. Des gens étaient étendus sur des lits dans une grande pièce dont les fenêtres étaient couvertes d'un grillage, comme des cages à poules. Amanda fit le tour des malades, les examinant un à un. Elle fut soulagée de ne pas reconnaître son frère parmi ces grabataires qui semblaient tous très âgés et à bout de forces. Elle avisa soudain un homme debout près d'une fenêtre. Il avait des cheveux sombres, une silhouette mince. Ses pieds étaient entravés par une chaîne, pour l'empêcher de s'enfuir. Comme s'il avait perçu sa présence, l'homme se tourna vers elle. Amanda poussa un cri d'horreur. L'une de ses orbites était creuse. Sa joue droite s'était affaissée, et sa bouche, rongée par la lèpre, laissait voir une partie des dents. Malgré ses difformités, le lépreux semblait jeune. Elle le regarda en silence pendant un moment, incapable de dire un mot. Puis elle finit par se ressaisir.

— Sean ?

L'homme la regarda sans rien dire. Elle répéta, la voix tremblante :

— Sean, c'est toi ?

Il émit un son. Puis il se mit à parler. Chaque mot sortait difficilement de sa bouche, comme s'il y avait eu des cailloux à l'intérieur.

— Je m'appelle Joseph.

Un soulagement indescriptible s'empara d'Amanda. C'était seulement maintenant qu'elle comprenait ce que le vieux médecin avait voulu dire. *Il vaudrait peut-être mieux pour votre cousin qu'il n'ait pas survécu.* Elle se détourna et courut vers l'escalier. Elle ne pouvait rester un instant de plus dans cet endroit. Une fois parvenue au rez-de-chaussée, elle se sentit trop lâche pour jeter même un regard à la pauvre femme qui lui avait tendu la main. Elle n'entendit pas le « ma sœur » que lui lançait la femme au fichu et s'élança dans la cour en direction du portail.

L'homme qui lui avait ouvert était assis sur un banc et cognait des clous. Amanda s'empara de la barre de fer qui entravait la porte et la fit glisser. Elle sortit, laissant la porte entrouverte. Elle s'arrêta après quelques pas, sentant de la bile lui brûler la gorge. Le vent du large lui fit reprendre ses esprits. À travers ses larmes, elle vit la mer qui brillait sous le soleil, indifférente à la misère de ces pauvres gens et à son propre désarroi.

Le croassement d'une corneille la fit tressaillir. Tournant la tête, elle aperçut l'oiseau noir perché sur une croix. Après avoir fait quelques pas dans cette direction, elle se rendit compte qu'il s'agissait d'un cimetière. Des herbes folles et des fleurs sauvages poussaient entre les croix de fer dressées devant de petites pierres tombales, toutes semblables. C'était sans doute ici que l'on enterrait les morts du lazaret. *Au moins, il y a des fleurs,* se dit-elle. L'idée que son frère pût reposer ici lui effleura l'esprit.

Faisant un effort pour surmonter la grande lassitude qui pesait soudain sur ses épaules, Amanda se dirigea vers la grille qui entourait le petit cimetière. La porte n'était pas fermée et grinçait au vent. Elle entra dans le cimetière et s'avança dans une allée, tentant de déchiffrer les inscriptions gravées sur les stèles laissées à l'abandon. La plupart des noms étaient canadiens-français ou anglais. Quelques-uns étaient irlandais. Elle ne vit le nom de son frère sur aucune d'entre elles, mais le temps avait effacé plusieurs épitaphes.

Au moment où elle s'apprêtait à quitter les lieux, un homme portant un chapeau de paille, un bouquet de marguerites jaunes à la main, entra dans le cimetière. Il s'avança vers une tombe, enleva son chapeau et déposa le bouquet au pied de la croix de fer. Il ferma les yeux et pria à mi-voix. Amanda reconnut la langue gaélique. Elle s'approcha de l'homme. Entendant un bruissement, il releva la tête. Ses cheveux étaient entièrement blancs, bien qu'il ne semblât pas avoir plus de quarante ans. Son regard était doux. Il ne parut pas surpris de la voir.

— Ma femme est enterrée ici, dit-il en français avec un léger accent anglais.

Comme s'il avait été mis en confiance par l'habit religieux que portait Amanda, il raconta qu'il avait quitté l'Irlande avec sa famille en 1847. Après avoir été placé en quarantaine sur l'île de Partridge, il avait rencontré celle qui allait devenir sa femme, Marie, une Acadienne d'Alma.

— La plus belle fille du village, murmura-t-il en souriant.

Après s'être mariés, ils avaient acheté une petite terre près de Bouctouche. Ils étaient heureux. Puis la lèpre était arrivée. Sa femme était tombée malade. Des policiers étaient venus pour l'emmener à Tracadie en charrette. Refusant d'abandonner Marie, il avait fait le voyage avec elle. Une fois à Tracadie, sa femme avait été enfermée dans la léproserie. Bien qu'il n'eût aucun symptôme de la lèpre, il avait exigé d'être enfermé avec elle. Comme par miracle, il n'avait jamais attrapé la maladie, mais sa femme y avait succombé.

— Elle est morte l'an passé.

Bouleversée par le récit, Amanda lui demanda à quelle époque lui et sa femme avaient séjourné au lazaret.

— À partir de 1851.

Amanda reprit espoir. Elle en oublia la prudence, mais elle sentait qu'elle pouvait faire confiance à cet homme.

— Mon frère a été enfermé au lazaret en 1853, à l'âge de seize ans. Son nom est Sean O'Brennan.

L'homme devint songeur.

— O'Brennan. Ce nom me dit quelque chose.

Puis une lueur alluma son regard.

— Votre frère avait-il des cheveux noirs, des yeux bleus ?

La poitrine d'Amanda se gonfla d'espoir.

— Oui.

— Il est né à Skibbereen ?

Elle acquiesça, les yeux embrouillés par les larmes.

L'homme hocha la tête. Il se souvenait très bien du jeune homme. Celui-ci s'était débattu comme un diable dans l'eau bénite lorsque des hommes l'avaient emmené au lazaret, pieds et poings liés, pour qu'il ne puisse pas se sauver.

— Qu'est-il devenu ? demanda Amanda, la gorge serrée.

— Un beau matin, on a retrouvé son grabat vide.

— Il s'est échappé, s'exclama Amanda. Ça veut dire qu'il était vivant !

L'homme lui jeta un regard rempli de compassion.

— Un lépreux ne va jamais bien loin.

En voyant le désespoir envahir les traits de la religieuse, il ajouta que Sean lui avait semblé plus vigoureux que les autres.

— Dieu l'a peut-être épargné.

Il remit son chapeau et s'éloigna. Amanda le suivit des yeux. Son rêve de retrouver ses deux frères s'était évanoui. *Braonáin, Brennan,* douleur… Le jour viendrait-il où la famille O'Brennan connaîtrait enfin un sort heureux ?

XII

Saint John

Mrs. Garrett était en train de balayer l'entrée de la maison de chambres lorsqu'elle aperçut sœur Kate qui marchait sur le trottoir, dans sa direction. Son cœur se serra d'appréhension. Il lui était difficile de croire que cette religieuse aux manières si aimables puisse lui avoir menti, mais il lui fallait en avoir le cœur net.

Plongée dans ses pensées, Amanda approchait de la pension. Le sort tragique de ses frères l'habitait tout entière. La perspective de dire la vérité à Ian lui pesait. Il lui faudrait aussi écrire à Fanette pour la mettre au courant de la mort d'Arthur, de la maladie atroce de Sean. Pour la première fois, elle regretta d'avoir entrepris ces démarches. Elle n'aurait pas appris la triste vérité et aurait pu alors entretenir l'espoir que ses frères étaient heureux et en bonne santé, tandis que, maintenant, ils étaient devenus des fantômes, errant sans fin dans un monde sans lumière.

Debout devant la fenêtre de sa chambre, Ian scrutait anxieusement la rue lorsqu'il aperçut sa mère qui approchait. Il ne savait que faire. Devait-il courir la rejoindre et l'avertir de la bévue qu'il avait commise ? Il se pencha au-dessus de la fenêtre et était sur le point de l'interpeller quand il entendit la voix de la logeuse en contrebas. Il comprit qu'il était trop tard.

— *Sister Kate ?*

Amanda leva les yeux et vit Mrs. Garrett, debout devant la maison, un balai à la main. Elle se rendit compte, à son expression à la fois réservée et anxieuse, que quelque chose de grave s'était produit. Elle pensa tout de suite à son fils, craignant qu'il lui soit arrivé malheur.

— *It's Kevin ? Is he alright ?*

Mrs. Garrett s'employa à la rassurer.

— *Don't worry, Kevin is perfectly alright.*

Elle lui demanda alors si elle pouvait lui parler seule à seule, dans la loge. Amanda accepta avec appréhension. Quelqu'un l'avait peut-être reconnue et dénoncée. Ou bien Ian avait trop parlé. D'une façon ou d'une autre, il lui fallait se préparer au pire.

Mrs. Garrett déposa un canard sur un petit réchaud au charbon pour faire du thé. Ses gestes étaient un peu saccadés, comme si elle redoutait la scène qui allait suivre. Elle sortit deux tasses d'une armoire et les déposa sur la petite table, qui prenait presque toute la place dans la loge étroite. Puis elle se mit à parler. Elle raconta, d'une voix un peu hésitante, qu'en apportant son déjeuner à Kevin elle lui avait dit que c'était bien triste d'être orphelin, mais qu'il avait de la chance d'avoir une tante aussi dévouée. Le garçon, encore ensommeillé, lui avait répondu que sœur Kate était sa mère. Il s'était repris ensuite et avait ajouté que sœur Kate était comme une mère pour lui, mais il était rouge comme une pivoine, visiblement mal à l'aise. Amanda écoutait les paroles de la logeuse en silence. Pas un instant elle n'en voulut au pauvre Ian. Il avait jusque-là réussi à respecter les consignes qu'elle lui avait données, mais ce n'était qu'un enfant. Un jour ou l'autre, il fallait bien que cette situation se produise.

Le son flûté de l'eau qui bouillait s'éleva. Mrs. Garrett remplit une théière d'eau bouillante après y avoir jeté des feuilles de thé. Amanda suivait ses gestes des yeux, comme pour gagner du temps, tâchant de réfléchir à ce qu'elle devait répondre.

— *Kevin is my son.*

Les mots étaient sortis de sa bouche presque à son insu. Un long silence s'ensuivit. Mrs. Garrett versa le thé dans les tasses.

Ses mains tremblaient légèrement. Amanda brisa le silence et poursuivit d'une voix atone. Elle raconta son exode d'Irlande avec sa famille, la mort de ses parents, sa vie pénible à la ferme des Cloutier, son viol, son séjour dans une maison close, sa rédemption chez les sœurs de l'abri Sainte-Madeleine, son arrestation, les accusations mensongères qui pesaient contre elle, son évasion de la prison de Québec. Les mots lui venaient de plus en plus aisément. Elle s'arrêtait de temps à autre pour prendre une gorgée de thé. Mrs. Garrett, la tête penchée vers sa tasse, ne disait rien. Lorsque Amanda eut terminé son récit, la logeuse resta immobile quelques secondes. Elle finit par relever la tête. Ses yeux étaient humides, d'un bleu plus clair, à cause des larmes.

— *Poor girl. Poor dear girl.*

Amanda lui demanda ce qu'elle avait l'intention de faire. La logeuse prit une autre gorgée de thé et lui dit qu'elle ne ferait rien. Le jour n'était pas venu où elle dénoncerait une compatriote à la police. Mais elle ne pouvait la garder chez elle. Il y avait eu trop de mensonges, de faux-semblants. Le fait qu'elle ait pris l'habit sacré d'une religieuse pour faciliter sa fuite la heurtait dans sa foi. Il leur faudrait quitter la chambre le lendemain. Amanda la remercia de tout ce qu'elle avait fait pour elle et pour son fils, puis quitta la loge.

Lorsque Ian entendit la porte de la chambre s'ouvrir, il se précipita vers sa mère, s'excusa de l'avoir trahie sans le vouloir, puis éclata en sanglots. Amanda serra son fils contre elle.

— Ce n'est pas ta faute, Ian. Ne pleure plus. Tout ira bien. Je te le promets.

Deuxième partie

La décision de Fanette

XIII

Québec
Le 13 septembre 1860

Le brouhaha des conversations montait jusqu'à sa chambre. Rosalie se jeta un dernier coup d'œil dans le miroir. Malgré ses efforts pour rehausser son teint et donner un peu de style à sa coiffure, elle se trouva une mine désespérément pâlotte, et ses cheveux semblaient ternes, sans éclat. Seuls ses yeux, auxquels de larges pupilles donnaient une sorte de profondeur, étaient remarquables. C'était les yeux de sa vraie mère, Eugénie. *Tout ce qui me reste d'elle,* songea-t-elle avec tristesse.

Le son mélancolique d'un violoncelle accompagné du piano lui parvint. Les invités étaient sûrement arrivés, il était plus que temps de descendre. La pensée que Lucien Latourelle se trouvait parmi eux la rendit à la fois heureuse et fébrile. Ses mains étaient moites et son cœur battait si fort qu'elle eut l'impression qu'il s'échapperait de sa poitrine. Elle s'exerça à faire quelques pas dans sa chambre en tentant de masquer sa claudication, mais ce fut peine perdue. Jamais elle n'arriverait à marcher normalement, il fallait bien se résigner.

Lorsque Rosalie parvint au salon, l'éclat des lustres, des chandelles, des bijoux qui scintillaient au cou des dames l'éblouirent. Plusieurs rangées de fauteuils avaient été disposées dans l'immense pièce. Les redingotes noires des hommes se mêlaient aux couleurs vives des toilettes des femmes. Marguerite Grandmont était assise à la première rangée, magnifique dans une robe de soie noire sertie de sequins, agitant avec grâce un éventail.

Rosalie chercha Lucien des yeux mais ne le vit pas. Pendant un instant, elle craignit qu'il ne soit pas présent, et la déception lui vrilla le cœur. Puis elle l'aperçut. Il était debout en retrait, près d'un rideau de velours rouge, et écoutait la musique, les yeux mi-clos, ses boucles blondes effleurant joliment le col noir de sa redingote. Sa beauté semblait presque irréelle dans la lumière dorée du salon. Rosalie n'osa pas s'avancer, de peur d'attirer l'attention et de rompre le charme de cette vision. Ce n'est que lorsque les derniers accords du piano et du violoncelle s'éteignirent et que les applaudissements crépitèrent qu'elle s'approcha timidement d'un fauteuil et s'y installa. De sa place, elle pouvait continuer d'admirer Lucien sans que son manège fût remarqué.

Marguerite attendit que les applaudissements s'étiolent pour se lever et s'adresser à ses invités. Jamais Rosalie n'avait vu sa mère autant en beauté. Le noir lui seyait à merveille, rehaussant la blancheur nacrée de sa peau et l'éclat de ses yeux.

— Voici Lucien Latourelle, un jeune poète que vous connaissez déjà et dont le talent se confirme un peu plus chaque jour. Je n'ai pas de doute que vous verrez bientôt son étoile briller au firmament des meilleurs poètes dont notre nation s'enorgueillit.

Lucien s'avança vers elle, un sourire reconnaissant aux lèvres. Il avait perdu de sa timidité des premiers temps. Son pas était plus assuré, ses épaules, plus droites, et une sorte de confiance irradiait de sa personne.

— Je dédie ce poème à madame Marguerite Grandmont, ma bienfaitrice.

Il garda le silence pendant quelques secondes, les yeux baissés, comme s'il entrait en lui-même. Puis il leva les yeux, dont l'éclat bleu provoqua quelques soupirs dans l'assistance. Rosalie ne le quittait pas du regard, comme hypnotisée. Il se mit à réciter son poème, d'une voix claire et vibrante.

Toi, dont je crois l'amour sincère

Il se tourna vers Marguerite, qui avait repris sa place et agitait son éventail pour souligner son ravissement.

Petit oiseau, je t'aime aussi
De tes hommages, grand merci!
Va, mon cœur cent fois les préfère
À ceux dont tu sembles jaloux.
Eh! Que m'importent, entre nous,
Ces courtisans, beaux sybarites,
Qui, m'effleurant armés d'un dard,
Viennent, effrontés parasites,
Aspirer mon plus pur nectar?
En vain ma fierté s'en offense
Contre eux Dieu me fit sans défense.
D'ailleurs, n'es-tu pas trop modeste
De me louer, petit oiseau,
Lorsqu'un harmonieux pinceau,
Conduit par une main céleste,
Sur ton cordage lisse et pur
A semé la pourpre et l'azur?

Quelques murmures et des applaudissements nourris accueillirent la fin du poème. Madame Sicotte, l'épouse du juge, dont la robe fuchsia était si volumineuse qu'elle s'étalait jusque dans l'allée qui séparait les rangées de fauteuils, se pencha et dit à l'oreille de sa fille, d'une voix assez forte pour être entendue:

— Ce petit écrivaillon étale sans vergogne sa liaison avec madame Grandmont. C'est scandaleux. Elle a au moins deux fois son âge.

Sa fille gloussa avec méchanceté:

— Vous voulez dire: trois fois son âge.

Les joues pâles de Rosalie se colorèrent d'indignation. Elle était assise non loin de madame Sicotte et de sa fille, Simone Norton, et avait tout entendu de leur échange venimeux. Elle voulut dire sa façon de penser à ces deux femmes arrogantes, imbues de leur rang social et qui poussaient l'impolitesse jusqu'à critiquer grossièrement l'hôtesse de la soirée, mais sa voix s'étouffa dans sa gorge. Son impuissance à défendre la réputation de sa mère et de l'homme qu'elle aimait de toutes ses forces la dévasta. Le reste de la soirée s'écoula lentement. C'est à peine si elle entendit le concerto en *ré* mineur de Haydn, pourtant magnifiquement interprété par un jeune pianiste qui commençait à faire parler de lui. Lucien n'était plus visible. Le salon, qui avait paru à Rosalie si lumineux tant que le jeune poète y était, lui semblait terne et sans vie depuis qu'il avait disparu.

Enfin, son supplice acheva lorsqu'un valet annonça que le souper était servi. Le bruit des fauteuils que l'on repoussait, le froissement des robes, le bourdonnement des conversations remplirent le salon.

Rosalie se leva, les jambes engourdies parce qu'elle était restée longtemps assise sans bouger. Madame Sicotte et sa fille se levèrent à leur tour et s'éloignèrent en direction de la salle à manger en devisant gaiement. Rosalie les suivit des yeux, la rage au cœur. Elle ne se pardonnait pas sa lâcheté. Juste l'idée d'endurer leur présence durant un long repas lui était insupportable. Elle décida de regagner sa chambre sans manger. De toute manière, elle n'avait pas faim.

En marchant vers les portes doubles de chêne qui fermaient le salon, Rosalie trébucha sur une canne qu'un invité avait oubliée à terre, près d'un fauteuil, et s'étala de tout son long. Des cris s'élevèrent. Quelques mains secourables tentèrent de la soulever, qu'elle repoussa, se sentant humiliée jusqu'au fond de l'âme. Mais dès qu'elle voulut se redresser, une douleur foudroyante la cloua au sol. C'était son pied bot. Dans sa chute, il avait frappé la patte d'un fauteuil. Marguerite, alarmée par les clameurs, se précipita vers le petit attroupement qui s'était formé autour de sa fille. Lorsqu'elle l'aperçut étendue sur le sol, elle étouffa un cri.

— Mon Dieu, Rosalie !

Des larmes roulaient sur les joues de la jeune femme. Ce n'était pas la douleur qui la faisait pleurer, mais un sentiment de mortification. Non seulement elle avait été incapable de prendre la défense de sa mère et de Lucien, mais son propre corps la trahissait. Elle aurait voulu mourir, là, tout de suite, pour échapper à la honte. Soudain, une main se tendit. Un visage apparut devant ses yeux embrouillés par les larmes. Elle reconnut Lucien. Son regard était rempli d'inquiétude.

— Mademoiselle Grandmont, êtes-vous blessée ?

Rosalie eut l'impression qu'elle rêvait. La douleur était toujours aussi vive, mais la voix douce du poète et son beau visage penché au-dessus du sien agissaient comme un baume.

— Rien de grave. Je me suis fait un peu mal à un pied, murmura-t-elle.

Elle ne voulut pas préciser que c'était son pied bot, de crainte d'attirer l'attention de Lucien sur son infirmité, et tâcha de se soulever sur les coudes, mais ce seul mouvement lui causa une souffrance si vive qu'elle fut sur le point de perdre connaissance.

— Ne bougez surtout pas, mademoiselle. Vous n'êtes pas en état de marcher.

Lucien se tourna vers Marguerite, qui était pâle et anxieuse.

— Faites venir un médecin. En attendant, je vais emmener mademoiselle Grandmont dans sa chambre.

Saisie par le ton ferme du jeune homme, Marguerite s'adressa à un valet :

— Allez chercher le docteur Lanthier, rue Saint-Paul.

Marguerite avait la plus grande confiance en ce médecin, qui l'avait soignée jadis pour sa dépendance au laudanum, et avait alors fait preuve d'une discrétion et d'une compétence exemplaires.

Lucien souleva la jeune femme avec une délicatesse infinie.

— Avez-vous mal ?

Si elle en avait eu la force, Rosalie lui aurait crié : « Je suis au paradis ! » Mais elle se laissa porter sans mot dire, sentant le souffle de l'écrivain sur sa joue, qui avait un parfum de cannelle.

— Où est sa chambre ? demanda Lucien à Marguerite.

— Suivez-moi.

Marguerite se dirigea vers l'escalier qui menait aux chambres. Lucien la suivit, tenant fermement la jeune femme dans ses bras, marchant lentement pour ne pas la secouer. Les invités se reculaient pour les laisser passer, médusés par cet incident inattendu qui ferait l'objet de toutes les conversations le lendemain.

~

Le docteur Lanthier se redressa. Ses lunettes en or luisaient doucement dans la lumière de la lampe.

— Une mauvaise foulure, mademoiselle Grandmont. Il vous faudra éviter de marcher sur votre pied pendant une bonne semaine.

Il s'adressa à Marguerite, qui était restée au chevet de sa fille :

— Je vais lui faire un bandage serré, qu'il faudra refaire chaque jour, mais avant cela, il me faudrait une bassine remplie d'eau glacée ainsi que des linges propres, pour une compresse.

Marguerite acquiesça et sortit de la chambre afin de donner des ordres. Le docteur Lanthier se tourna de nouveau vers Rosalie, qui était pâle mais souriante.

— Vous êtes bien brave. Pas de plaintes ni de grincements de dents. Pourtant, une foulure comme celle-ci doit être très douloureuse.

— Ce n'est pas de la bravoure, docteur.

Le médecin sourit, amusé.

— Alors, qu'est-ce que c'est ?

Rosalie fut tentée de répondre : « Je suis amoureuse », mais elle se contint.

— Je suis de nature stoïque. Quand j'étais petite et que je m'éraflais les genoux ou que je me piquais avec une épingle, je ne pleurais jamais.

Le docteur Lanthier lui jeta un regard pensif. Il connaissait Rosalie pour l'avoir vue souvent en compagnie de Fanette, ou lorsqu'il soignait sa mère, et se doutait que son stoïcisme, comme elle l'appelait, était une façon de composer avec son handicap.

Mais il décela dans son visage quelque chose d'autre. Une sorte de joie qu'il n'arrivait pas à comprendre.

— Stoïque ou pas, je vais vous administrer une décoction d'écorce de saule afin de diminuer la douleur.

Tandis que le médecin fouillait dans sa sacoche pour en sortir des médicaments, Rosalie ferma les yeux et revécut la scène merveilleuse où Lucien la portait dans ses bras. Un autre trésor à enfermer dans sa mémoire, qu'elle pourrait revivre aussi souvent qu'elle le souhaiterait, comme les kaléidoscopes de son enfance dont elle admirait sans se lasser les couleurs chatoyantes.

XIV

Le lendemain, Rosalie se réveilla avec le même sentiment de bonheur. Son pied, qui reposait sur un coussin, l'élançait, mais elle sentait à peine la douleur tant elle était habitée par son amour pour Lucien. Sa vie, qui lui avait semblé jusque-là morne et sans joie, lui paraissait digne d'être vécue, remplie de fraîcheur et d'imprévu.

Quelques coups discrets furent frappés à sa porte. Madame Régine entra avec un plateau où se trouvait un copieux déjeuner. Elle le posa sur un guéridon.

— Il y en a pour une armée ! dit Rosalie en souriant.

— Il vous faut reprendre des forces, mademoiselle Rosalie.

Le parfum suave du café et du pain frais et la couleur rubis de la confiture ouvrirent l'appétit de la jeune femme, qui mangea comme une ogresse. Jamais la nourriture ne lui avait semblé aussi délicieuse. Marguerite apparut sur le pas de la porte, la mine inquiète.

— Comment te portes-tu, ce matin ?

— Mieux, merci, répondit Rosalie, touchée par la sollicitude de sa mère.

Portant une élégante robe de chambre de soie moirée, Marguerite vint s'asseoir dans un fauteuil, près de sa fille.

— Le docteur Lanthier m'a dit qu'il faudrait deux bonnes semaines avant que tu puisses marcher normalement. Il n'est pas question que tu retournes aux Trois-Rivières dans cet état.

— Je dois recommencer à enseigner dans deux jours.

— Pourquoi ne resterais-tu pas ici, avec ta grand-mère et moi ? Je sais que tu aimes enseigner et que tu apprécies ta liberté, mais tu t'échines à travailler pour un salaire de misère, loin de nous. Depuis la mort de mon père, je suis devenue une femme riche. Je puis facilement subvenir à tous tes besoins.

La proposition de sa mère ouvrit soudain à Rosalie des horizons inespérés. Rester à Québec signifiait qu'elle aurait le bonheur de voir Lucien presque tous les jours. À défaut d'être aimée de lui, elle pourrait être près de lui, respirer le même air que lui, l'aimer tout à son aise, sans rien attendre en retour que la joie de le savoir près d'elle.

— J'accepte, répondit-elle, éperdue de reconnaissance.

Marguerite sourit et quitta la chambre.

Après que madame Régine eut débarrassé le plateau, Rosalie reçut la visite de Fanette, qui avait eu vent de l'accident de son amie par le docteur Lanthier. Fanette avisa le pied bandé de Rosalie.

— Comment est-ce arrivé ? lui demanda-t-elle, inquiète.

— Oh, une mauvaise chute, répondit Rosalie, le visage rayonnant. Figure-toi que je ne repars plus aux Trois-Rivières. Ma mère m'a proposé de demeurer ici.

— Quelle bonne nouvelle ! s'exclama Fanette en s'asseyant familièrement sur le bord du lit.

Elle remarqua l'éclat dans les beaux yeux noisette de son amie.

— Tu as bonne mine, pour quelqu'un qui vient de se fouler la cheville.

Un peu de rouge colora les joues de Rosalie. Son bonheur était si vif qu'elle éprouva soudain le besoin de s'épancher.

— Je suis amoureuse, Fanette.

Celle-ci fut frappée de l'intensité avec laquelle Rosalie avait prononcé ces mots. Elle se rappela le regard que son amie avait porté sur le poète, lors du salon littéraire qu'avait organisé Marguerite, quelques mois auparavant.

— C'est vrai que Lucien Latourelle est très beau, dit-elle, un sourire taquin aux lèvres.

— Comment as-tu deviné ? s'exclama Rosalie, devenue écarlate.

Fanette lui raconta l'épisode du salon.

— Je suis donc si transparente ? fit Rosalie, embarrassée.

— Je suis ta meilleure amie ! Tu ne peux rien me cacher, ou presque.

D'un mouvement spontané, Rosalie enlaça le cou de Fanette, puis fit la grimace.

— Aïe…

— Tu as mal ? s'écria Fanette, inquiète.

— L'amour ne guérit tout de même pas une foulure.

Elles se sourirent, émues.

— Il y avait longtemps que je t'avais vu sourire, dit Rosalie.

Une ombre passa sur le visage de Fanette. Rosalie lui saisit les mains.

— Toi aussi, tu as le droit d'être heureuse.

— Je me sens coupable de rêver à un autre homme que Philippe, avoua Fanette.

— Tu rêves à un autre homme ? De qui s'agit-il ?

Ce fut au tour de Fanette d'être embarrassée. Rosalie renchérit :

— Attends, laisse-moi deviner. C'est le géant aux cheveux roux, n'est-ce pas ? Alistair Gilmour. Il t'a chanté la pomme pendant le premier salon de ma mère.

— Il ne m'a pas chanté la pomme, protesta Fanette.

— J'ai un pied bot, mais je ne suis pas aveugle. Je l'ai vu t'entraîner vers le balcon. Vous y êtes restés un bon moment. Tu es partie presque tout de suite après, les joues en feu.

Fanette ne put s'empêcher de sourire devant la perspicacité de son amie.

— Il m'a demandée en mariage.

Le visage de Rosalie redevint sérieux.

— Que vas-tu faire ?

— Je n'ai encore rien décidé.

— Es-tu amoureuse de lui ?

— Je ne sais pas.

— Quand on aime quelqu'un, on le sait tout de suite, sans se poser de questions, décréta Rosalie.

— Ce n'est pas si simple. Je le connais à peine.

— On n'a pas besoin de connaître quelqu'un pour l'aimer.

Fanette pensa à la façon à la fois tendre et passionnée dont Alistair l'avait embrassée, lorsqu'elle s'était rendue à son domaine pour lui demander son soutien dans l'évasion d'Amanda, et le trouble qu'elle en avait éprouvé.

— Quelque chose chez lui m'attire, admit-elle. C'est un homme intense, passionné. Il est aussi capable de tendresse. Mais en même temps, cette intensité, cette passion me font peur.

Rosalie sentit le désarroi de son amie et fut touchée par la candeur de l'aveu.

— On n'a qu'une vie, Fanette. Il faut la vivre sans regret et sans regarder en arrière.

Les deux amies gardèrent le silence un moment, perdues dans leurs pensées.

— Je te dis cela, ajouta soudain Rosalie, comme si j'avais la moindre chance d'être aimée de Lucien.

— Qu'en sais-tu ? Lui as-tu au moins fait part de tes sentiments ?

— Je n'en ai pas eu le courage.

Fanette voulut parler, mais Rosalie l'en empêcha.

— Je suis amoureuse, mais je ne suis pas folle. Lucien est beau comme un Adonis. Toutes les femmes sont à ses pieds. Pourquoi voudrait-il d'une infirme ?

Fanette fut peinée par le jugement sévère que son amie portait sur elle-même.

— Si ton Lucien Latourelle est digne de toi, il t'aimera pour ce que tu es.

— Tu le crois vraiment ?

— Jamais je n'ai été aussi sincère.

Rosalie se sentit rassérénée. Bien qu'elle trouvât Fanette trop optimiste sur la nature humaine, elle lui était reconnaissante de ses bonnes paroles.

On cogna à la porte. Le docteur Lanthier entra, tenant sa sacoche dans une main.

— Comment se porte notre patiente ?

— Comme un charme, répondit Rosalie en jetant un regard de connivence à Fanette.

XV

Saint John
Mi-septembre 1860

Après son départ de la pension de Mrs. Garrett, Amanda trouva une autre chambre dans une maison beaucoup moins bien tenue, dont la propriétaire, une femme revêche, exigea d'avance le paiement pour deux semaines d'occupation, excluant le prix des repas. En regardant par l'étroite fenêtre qui donnait sur une cour où s'empilaient des déchets, Amanda comprit qu'il était temps de se mettre à la recherche d'une maison. Avec la somme qu'Alistair Gilmour lui avait remise, elle pourrait louer une demeure convenable, où son fils et elle vivraient en sécurité, à l'abri des regards.

Pour que ce projet devienne réalité, Amanda savait toutefois qu'il lui fallait abandonner son habit de religieuse, qui l'avait très bien protégée jusqu'à présent, mais qui devenait dangereux à cause de la présence de son fils. Elle sentait parfois des yeux intrigués se poser sur Ian et elle lorsqu'ils sortaient pour acheter des provisions, ou simplement pour prendre un peu d'air. *Que fait cet adolescent avec une religieuse ?* semblaient-ils exprimer. Même la nouvelle logeuse leur jetait parfois un œil suspicieux. Or, le fait d'abandonner l'habit obligeait Amanda et son fils à aller vivre dans une région où personne ne les connaîtrait.

Profitant de l'absence de la propriétaire de la pension, partie quelques jours pour Fredericton afin d'assister aux funérailles d'un oncle, Amanda choisit une robe parmi celles qu'elle avait apportées dans ses bagages. Une fois la robe revêtue, elle mit un bonnet, car elle craignait que ses cheveux roux la trahissent. Tant que la police la recherchait, il lui faudrait faire montre de la plus grande prudence. Puis, jugeant que le bonnet ne suffisait pas, elle se procura du brou de noix dans une herboristerie et en enduisit ses cheveux, qu'elle rinça ensuite à grande eau. Lorsqu'elle se contempla dans le petit miroir qui surmontait la vieille chiffonnière, elle fut frappée par le changement qu'une simple teinture apportait à sa physionomie. Même Ian eut peine à reconnaître sa mère lorsque, à son réveil, il vit cette femme debout près de lui, dont les cheveux noirs étaient sévèrement noués en chignon. Amanda lui expliqua la raison pour laquelle elle s'était résignée à teindre ses cheveux et lui fit part de son projet de louer une maison. Ian accueillit cette annonce avec soulagement, car il n'aimait ni leur nouvelle chambre ni la nouvelle logeuse.

Accompagnée de son fils, Amanda se rendit chez un charretier où elle acheta un petit cabrouet à deux places ainsi qu'un percheron, qu'elle paya un prix raisonnable. Puis elle et Ian commencèrent à explorer la région. Après quelques jours de recherches, elle trouva finalement une maison de bois perchée comme une mouette sur un rocher qui surmontait la baie de Chignectou, à quelques milles du village d'Alma. Le propriétaire, Nestor Cyr, un vieux pêcheur acadien, voulait louer sa maison et s'installer à Caraquet avec sa femme afin de se rapprocher de leurs enfants et petits-enfants.

Par précaution, Amanda se présenta au pêcheur et à son épouse sous le nom de Maureen Gallagher. Quant à Ian, elle jugea qu'il pouvait reprendre son véritable prénom sans danger, car celui-ci était commun dans cette partie de la province.

L'intérieur du logis était des plus rustiques, mais d'une grande propreté. Un gros poêle de fonte prodiguait une bonne chaleur et les deux chambres, quoique petites, possédaient chacune un lit convenable et un coffre où ranger les vêtements.

— La maison te plaît ? demanda-t-elle à son fils.

— D'ici, on voit les bateaux, s'exclama Ian, les yeux rêveurs.

Nestor Cyr sourit et proposa à Amanda de lui laisser pour une chanson son bateau de pêche, une vieille embarcation qui avait navigué par tous les temps, mais qui était encore en bon état. Les yeux d'Ian se mirent à briller, et il supplia sa mère d'accepter l'offre du pêcheur. Amanda hésita. Elle avait gardé une sorte d'aversion pour les bateaux, symboles de malheurs, de morts et de séparations douloureuses, mais son fils la pria à un point tel qu'elle finit par céder.

Une fois la transaction conclue, Amanda et Ian retournèrent à Saint John. La jeune femme laissa un mot à sa logeuse, lui expliquant qu'elle avait décidé de quitter la pension, sans ajouter plus de précisions. Elle perdait ainsi l'argent déjà remis à la propriétaire, mais ce petit sacrifice n'était rien comparé au soulagement de quitter cet endroit insalubre.

Avec l'aide d'Ian, Amanda plaça leurs bagages dans le cabrouet. Le garçon insista pour tenir les rênes, ce à quoi elle accéda en souriant. Le chemin vers leur nouveau logis leur parut court. En apercevant la maison perchée sur la falaise, Amanda eut le sentiment qu'elle et son fils commençaient une nouvelle vie et que la page était définitivement tournée sur son douloureux passé.

XVI

Québec
Troisième semaine de septembre 1860

Emma se leva encore plus tôt que d'habitude. Elle voulait se rendre au domaine de Portelance sans tarder. Monsieur Dolbeau, qui était retourné vivre dans la maison de ferme qu'il avait habitée pendant près de trente ans avec sa regrettée épouse avant d'en être expulsé par le notaire Grandmont, l'avait informée par lettre qu'il requérait sa présence pour faire l'inventaire des récoltes, qui avaient été engrangées un mois auparavant. Elle brûlait d'impatience de retrouver ses terres, d'en voir le fruit de ses yeux. « Jamais, dans mon souvenir, nous n'avons eu de meilleures moissons en trente ans, lui avait écrit son métayer. Nous avons jusqu'à présent récolté quatre-vingt-quatre boisseaux de blé, quarante-sept boisseaux d'avoine, sans compter les soixante boisseaux d'orge et de seigle déjà récoltés par l'abominable Romuald Rioux. » Emma n'avait pu s'empêcher de sourire devant l'adjectif dont monsieur Dolbeau avait affublé l'ancien métayer du notaire Grandmont. Il était vrai que cet homme était haïssable. Elle ne se rappelait pas sans un frisson la scène où Romuald Rioux, refusant de quitter le domaine, les avait menacés avec une carabine, elle et monsieur Dolbeau, et où le brave métayer avait réussi à le chasser à l'aide d'un morceau de bois qu'il avait transformé en une sorte de fronde.

Après avoir jeté quelques bûches sur les braises dans le poêle, Emma en raviva la flamme avec un tisonnier, toute à la joie de revoir le domaine qui lui avait été enfin rendu. *Son* domaine, qui appartenait à sa famille depuis quatre générations. Après avoir pris un déjeuner hâtif, elle laissa du café chaud sur le poêle et une note pour Fanette, lui expliquant qu'elle passerait la journée à Portelance. Puis elle mit sa capeline et sa redingote de voyage et sortit dans la cour. L'aube naissante rosissait l'horizon. Une brume légère commençait à se dissiper. Emma respira l'air vif avec bonheur et marcha vers l'écurie. Sa jument l'accueillit avec un doux hennissement. Emma lui caressa le museau avec tendresse, songeant que la bête avait presque vingt ans. Le moment viendrait où il faudrait songer à s'en séparer, mais elle le retardait le plus possible.

— Eh, ma vieille, c'est qu'on rajeunit pas, toutes les deux.

Elle attela son boghei et monta sur le siège, grimaçant à cause de son arthrite, que l'humidité ravivait. Mais rien ne pouvait entamer sa bonne humeur. Bientôt, elle reverrait ses terres ocre bordées par le fleuve.

L'odeur agréable du café et du pain grillé réveilla Fanette. En ouvrant les rideaux, elle vit le boghei de sa mère qui s'éloignait dans la rue Sous-le-Cap. Marie-Rosalie dormait toujours, sa main ourlée contre son menton, comme elle le faisait souvent. Décidant de laisser sa fille dormir, Fanette fit sa toilette et descendit à la cuisine. Le poêle dégageait une chaleur bienfaisante. Elle se versait une tasse de café lorsqu'elle entendit des coups frappés à la porte. Ayant déposé la tasse sur la table, Fanette se dirigea vers l'entrée, inquiète. Depuis la visite du coroner Duchesne, elle était sur le qui-vive et n'ouvrait plus à aucun visiteur sans avoir d'abord vérifié son identité.

— Qui est là ? dit-elle, légèrement tendue.

— Votre voisine, madame Johnson.

Fanette lui ouvrit. Emily Johnson jeta un coup d'œil inquiet derrière elle, puis entra tandis que Fanette refermait la porte.

— Vous êtes seule ? demanda la voisine à mi-voix, le visage anxieux.

— Vous n'avez rien à craindre.

Madame Johnson poussa un soupir de soulagement. Elle avait eu si peur lors de sa rencontre inopinée avec le coroner Duchesne qu'elle en avait été marquée. Elle fouilla dans son tablier et en sortit une enveloppe froissée.

— Pour vous. Elle est un peu abîmée, je m'en excuse.

Fanette s'empara de la lettre.

— Merci, madame Johnson. Vous ne pouvez pas savoir combien j'apprécie votre dévouement.

La voisine eut un sourire timide.

— J'espère que ce sont de bonnes nouvelles.

Elle ouvrit la porte, jeta un œil à la ronde par crainte d'y voir un policier et partit. Fanette regarda l'adresse sur l'enveloppe. Elle reconnut tout de suite l'écriture d'Amanda.

> Ma Fionnualá bien-aimée,
>
> J'espère que ma lettre te parviendra. Je sais que je prends un risque en te l'envoyant, mais il fallait que je te donne des nouvelles plus élaborées qu'un simple télégramme. Ian et moi sommes sains et saufs. Le voyage fut très long, mais nous n'avons eu aucun ennui. Ne t'inquiète donc pas pour nous. Ian continue à grandir. C'est un bel enfant, doux et aimant.
>
> Nous habitons désormais une maison que j'ai louée à un pêcheur. De la fenêtre de ma chambre, j'aperçois la mer et le vol des goélands dans le ciel. Cette vue me rappelle les paysages de notre enfance, à Skibbereen.

Fanette comprit que sa sœur avait évité de lui révéler l'endroit exact où elle habitait, sans doute par crainte que sa lettre ne tombe entre de mauvaises mains. Cette pensée la peina. Le jour viendrait-il où les deux sœurs pourraient se revoir sans crainte, dans le bonheur de la liberté ? Elle poursuivit sa lecture.

> J'ai fait des recherches pour retrouver nos deux frères, Arthur et Sean. J'ai appris qu'ils avaient tous les deux

séjourné sur l'île de Partridge, qui sert de lieu de quarantaine pour les immigrants. Je crains toutefois d'avoir de bien tristes nouvelles à t'annoncer. Malheureusement, Arthur est mort à l'âge de huit ans des suites du typhus. D'après mes renseignements, Sean serait encore vivant. Il a été recueilli par une famille de cultivateurs, mais il a quitté la ferme et personne ne sait ce qu'il est devenu. Dieu veuille qu'il soit heureux et en bonne santé. Prends bien soin de toi et de ta belle Marie-Rosalie. Embrasse-la tendrement de ma part, ainsi qu'Emma.

Je t'aime de toute mon âme,
Amanda

Fanette replia lentement la lettre. Elle était partagée entre la joie de savoir Amanda et Ian sains et saufs et la peine d'apprendre la mort d'Arthur. Quant à Sean, elle eut le sentiment que sa sœur ne lui avait pas tout dit, qu'elle cherchait à la ménager. Elle glissa la lettre dans sa ceinture, songeant avec tristesse qu'il ne restait plus de sa famille qu'Amanda, elle-même et peut-être Sean. *Dieu veuille que Sean soit heureux et en bonne santé.*

~

La brume s'était complètement dissoute sous les rayons du soleil, découvrant un ciel d'un bleu éclatant. Le chemin du Roy était sec. Les roues du boghei traçaient une mince ligne sur le sol d'où s'élevait un jet de poussière. Il n'avait pas plu depuis plusieurs semaines, mais le beau temps avait été favorable aux récoltes. Trop d'humidité risquait de faire moisir les céréales.

Après quelques heures de voyage, Emma s'arrêta à un relais pour y nourrir sa jument et y prendre elle-même un repas, puis reprit la route. Il faisait doux pour septembre. Une brise légère apportait l'odeur suave du foin et du trèfle. Le domaine n'était plus qu'à une dizaine de milles. Emma reconnaissait avec plaisir ce coin de pays qu'elle avait parcouru si souvent. Il n'y avait pas une maison de ferme, pas un champ qu'elle ne connût par cœur.

Une odeur âcre de fumée lui parvint soudain. Emma scruta les champs, tâchant d'en distinguer l'origine. Les paysans brûlaient régulièrement des sarments à cette période de l'année. Elle ne vit rien d'autre qu'un panache de fumée blanche qui sortait de la cheminée d'une maison de ferme.

Elle parcourut encore quelques milles. Plus elle s'approchait du domaine de Portelance, plus l'odeur de fumée s'accentuait. En observant l'horizon, elle entrevit une sorte de brouillard orangé et noir qui le masquait. Sentant l'inquiétude monter en elle, Emma secoua les rênes pour aller un peu plus vite. Sa jument accéléra bravement. La fumée s'était épaissie et prenait à la gorge. Emma commença à tousser. Ses yeux étaient si irrités qu'elle dut les essuyer avec son mouchoir. Un mille plus loin, elle entrevit les ruines fumantes de ce qui avait été le moulin de son domaine. Des larmes, causées par la fumée et le chagrin, roulèrent sur ses joues. Ses terres n'étaient plus que des étendues sombres, d'où montaient des volutes grises. Rien n'avait subsisté, sinon quelques tiges qui saillaient ici et là, épargnées par le feu. Les champs brûlés s'étalaient à perte de vue. En s'approchant de la maison ancestrale, Emma sentit un sanglot silencieux lui nouer la gorge. Seuls quelques murs de pierre avaient résisté à l'incendie. On voyait encore la cheminée, intacte, qui se dressait dans le ciel obscurci par la fumée. Derrière la maison, là où avait été la grange, se trouvait un amas informe. Les récoltes faramineuses dont monsieur Dolbeau avait parlé dans sa lettre avaient été réduites en cendres.

Arrêtant son boghei près de ce qui avait été le perron, lequel s'était écroulé dans un chaos de planches et de tuiles, Emma descendit de voiture, agrippant le siège pour ne pas tomber. L'émotion lui avait scié les jambes. Elle resta debout à contempler le désastre, engourdie par la douleur. C'est à peine si elle entendit un bruit de pas s'approchant d'elle. Sentant une présence, elle tourna la tête. Monsieur Dolbeau était debout près du boghei, son chapeau de paille dans les mains. Son visage était noirci par la fumée. Ses yeux étaient rouges et gonflés. Ils se regardèrent longuement sans parler. Ils se connaissaient depuis trop longtemps pour que les mots soient nécessaires. Finalement, le métayer prit la parole. Sa voix était enrayée par la fumée et la peine.

— Il reste plus rien. Le feu a tout détruit.

Une formation d'outardes traversa le ciel, emplissant l'air de leurs cris rauques.

— Comment est-ce arrivé ? dit Emma.

Les mots passaient difficilement dans sa gorge sèche.

— Quelqu'un a mis le feu.

— Quelqu'un ? répéta Emma, secouant la tête, incrédule.

Les traits de monsieur Dolbeau se durcirent.

— Romuald Rioux. C'est lui qui a fait le coup, maugréa-t-il.

— Comment pouvez-vous en être certain ?

— J'ai été réveillé par la boucane. J'ai pris l'escalier, y avait de la fumée partout, je voyais plus rien. Quand je suis arrivé en bas, la cuisine était en flammes. J'ai juste eu le temps de sortir avant que le toit me tombe dessus.

Il s'interrompit, toussa dans un mouchoir. Des larmes lui vinrent aux yeux.

— Dehors, tout brûlait. Les champs, le moulin… C'était comme en enfer. On voyait quasiment comme en plein jour à cause des flammes. C'est là que je l'ai vu. Y était à cheval, y allait vite, mais j'ai reconnu sa face d'hyène. J'ai couru comme un fou pour le rattraper, mais il était déjà loin. Quand je suis revenu vers la maison, tout s'était écroulé. J'ai couru vers la grange, elle était déjà en feu. J'ai pris le seau du puits, je l'ai rempli, j'ai jeté l'eau sur les flammes, j'ai recommencé, puis recommencé, jusqu'à temps que le soleil se lève. J'ai rien pu sauver.

Emma se détourna, incapable de supporter plus longtemps la vue de son métayer, dont le visage était ravagé par la douleur. Son existence elle-même s'était envolée en fumée, comme les restes calcinés de son domaine.

XVII

Les derniers rayons du soleil rougissaient l'horizon lorsque Fanette entendit le boghei de sa mère rouler dans la cour. Elle embrassa Marie-Rosalie, qu'elle venait de mettre au lit après lui avoir raconté son histoire préférée, celle du roi Lir et de sa méchante femme Aoife qui avait transformé les enfants du souverain en cygnes pour se débarrasser d'eux, la même histoire qu'Amanda lui racontait lorsqu'elle était petite. Remontant la courtepointe pour bien couvrir la fillette, Fanette tourna la mèche de la lampe et sortit à pas feutrés. Il restait suffisamment de lumière sur le palier pour qu'elle puisse descendre l'escalier sans avoir besoin de chandelle.

La maison était silencieuse. Fanette n'avait pas entendu la porte de la cuisine se refermer, pas plus que les sons habituels, le tintement de la vaisselle et des chaudrons, les chantonnements vagues qui accompagnaient toujours les retours d'Emma. Celle-ci était peut-être restée dans la cour à nourrir sa jument, sûrement affamée après ce long trajet.

En entrant dans la cuisine, Fanette aperçut une ombre courbée sur la table. Un rai de lumière entrait par la porte entrouverte et traçait une ligne rougeoyante sur le plancher.

— Maman ?

Emma se redressa. Jamais Fanette ne pourrait oublier le visage que sa mère tourna vers elle, le regard perdu comme celui d'une aveugle, rempli d'un désespoir si profond qu'il lui fit peur. Emma porta une main à son visage couvert de suie. Puis elle se mit à parler, d'une voix cassée, presque chevrotante, que Fanette ne lui connaissait pas. Elle raconta le feu qui avait brûlé son domaine, les efforts du pauvre monsieur Dolbeau pour tenter de l'éteindre, ses soupçons concernant Romuald Rioux, qu'il avait vu s'éloigner du sinistre à cheval.

— Il ne reste plus rien. Plus rien.

Fanette s'avança vers sa mère, la prit dans ses bras. C'est seulement à ce moment que des sanglots secouèrent Emma, telles les branches d'un arbre battu par le vent, mais elle ne versa pas de larmes, trop épuisée qu'elle était pour pleurer. Elles restèrent longtemps ainsi. Puis Fanette entraîna sa mère vers sa chambre, l'aida à se déshabiller, à faire sa toilette, lui murmurant des mots doux et sans suite, dans un vain effort pour la consoler. Emma se laissa faire comme une enfant. C'était comme si une lumière s'était éteinte en elle.

~

Le lendemain, Fanette réveilla Marie-Rosalie et lui expliqua qu'elle devait s'absenter toute la journée pour des démarches importantes.

— Où vas-tu, maman ? demanda Marie-Rosalie.

— Je t'expliquerai plus tard, ma chouette.

La fillette fit la moue.

— Si c'est important, je veux savoir tout de suite.

— De quelles démarches parles-tu ?

La silhouette d'Emma se dessina dans l'embrasure de la porte. Elle avait les yeux battus par le chagrin et le manque de sommeil. Fanette prit sa mère à part et lui parla à mi-voix.

— Je vais rendre visite à Alistair Gilmour. Je reviendrai à la tombée de la nuit.

Emma lui jeta un regard inquiet.

— Ne fais rien que tu puisses regretter un jour, Fanette.

— Faites-moi confiance. Puis-je vous confier Marie-Rosalie durant mon absence ?

— Bien sûr.

Fanette serra sa mère contre elle, puis descendit au rez-de-chaussée et revêtit un mantelet de voyage. Emma insista pour lui préparer un panier de provisions, que Fanette plaça dans le porte-bagages de son Phaéton. Puis, après avoir attelé la voiture, elle prit le chemin en direction de la rue Champlain.

Fanette fit le voyage en quelques heures seulement, profitant du bon état des chemins et de la température clémente. Elle fit halte une seule fois pour nourrir son cheval, mais toucha à peine aux provisions que sa mère lui avait données, trop préoccupée par ce qu'elle s'apprêtait à accomplir.

Lorsqu'elle parvint enfin au domaine d'Alistair Gilmour, Fanette aperçut des serviteurs s'affairant à placer des malles et des valises dans une voiture garée devant l'immense porche ; la porte d'entrée était ouverte pour les laisser circuler à leur guise. Alistair Gilmour, portant un manteau de voyage, un haut-de-forme et des gants, était debout près de la voiture et surveillait ses gens.

Fanette descendit de son Phaéton et alla vers lui, indifférente à la poussière qui couvrait le bas de sa robe de deuil. Alistair parut surpris de la voir, puis se ressaisit aussitôt. Aucune émotion ne se lisait sur son visage, sinon cet air de légère impatience que l'on éprouve avant d'entreprendre un long voyage.

— Vous partez déjà ? dit-elle d'une voix troublée.

— Je n'avais reçu aucune réponse de votre part. J'ai quelques affaires pressantes à régler en Irlande. Je ne sais quand je reviendrai.

Fanette garda le silence, pétrifiée par le départ imminent du Lumber Lord, la froideur avec laquelle il l'avait accueillie, et la portée du geste qu'elle-même allait poser. Elle fut tentée de repartir, mais marcha sur son orgueil.

— Je souhaiterais vous parler, monsieur Gilmour.

Frappé par la gravité de la jeune femme, qui était accentuée par sa tenue de deuil, Alistair Gilmour lui fit signe de le suivre à l'intérieur, non sans avoir donné ordre à un palefrenier d'emmener le cheval de Fanette à l'écurie afin de le nourrir.

— Allons dans mon bureau. Nous y serons plus tranquilles.

C'était la première fois que Fanette y entrait. Les murs étaient entièrement couverts de bibliothèques, sauf un, sur lequel un rectangle plus clair indiquait qu'un tableau avait dû y être accroché. Elle ne songea même pas à enlever son chapeau et son mantelet.

— J'accepte de vous épouser, monsieur Gilmour, dit-elle d'une voix blanche. Si votre proposition tient toujours, ajouta-t-elle, embarrassée.

Le Lumber Lord lui jeta un regard pensif.

— Je devrais me réjouir de votre décision, madame, mais vous me l'annoncez avec une telle tristesse que j'ai bien peur qu'elle ne soit pas dictée par vos sentiments à mon égard.

À ces mots, Fanette, que l'émotion et le voyage avaient épuisée, se laissa choir dans un fauteuil. Il lui fallut garder l'empire d'elle-même pour ne pas éclater en sanglots.

— Le domaine de Portelance a été détruit par les flammes. Ma mère a tout perdu.

— Je comprends mieux votre détresse, dit-il d'une voix altérée. Comment l'incendie s'est-il produit ?

— Le métayer de ma mère, monsieur Dolbeau, croit que le feu a été provoqué intentionnellement par un ancien employé de mon beau-père.

— Je vois.

Il fit quelques pas vers la fenêtre, qui déversait un flot de lumière orangée.

— Ainsi, vous souhaitez m'épouser afin d'éviter la ruine à votre mère.

Il avait parlé avec calme, sans acrimonie. Fanette leva la tête, cherchant son regard, malgré le sentiment de honte qui lui serrait la gorge.

— J'ai la plus grande estime pour vous.

Il se tourna vers elle.

— Seulement de l'estime ? Quel ennui !

— Je ne suis pas indifférente à votre personne, bredouilla-t-elle, au comble de l'humiliation.

— Voilà qui est mieux.

Elle se leva d'un mouvement vif.

— Croyez-vous que ce soit facile pour moi d'être ici à subir vos sarcasmes ? Le malheur de ma mère ne compte donc pour rien à vos yeux ?

Ses lèvres tremblaient d'indignation. Son chapeau s'était déplacé dans son mouvement, et une mèche de cheveux en sortait. Gilmour s'approcha de Fanette, retira une à une les épingles qui retenaient la coiffe, qu'il enleva avec délicatesse et déposa sur une table. Les cheveux noirs de Fanette se répandirent sur ses épaules.

— Peu importe tes raisons de vouloir m'épouser, elles t'appartiennent. Moi, je t'aimerai pour deux.

Il prit le visage de Fanette dans ses mains, l'approcha du sien. Elle le laissa faire, subjuguée par la douceur de ses gestes, par la chaleur de ses mains sur ses joues. Il l'embrassa longuement. Fanette répondit à son baiser avec une fougue qui l'étonna elle-même. Elle avait aimé Philippe de toute son âme, mais jamais elle n'avait éprouvé cette fièvre étrange, ce désir presque violent qui la faisait frémir. Elle sentit ses jambes se dérober sous elle. Il la souleva dans ses bras et la transporta vers une chambre dont le plafond haut était soutenu par des poutres apparentes. Il la déposa délicatement sur un lit aux colonnes torsadées puis commença à déboutonner son corsage, sans la quitter des yeux. Fanette se mit à trembler. Il interrompit son geste, craignant de l'avoir bousculée, mais elle l'attira à elle et le serra de toutes ses forces contre sa poitrine. Il enfouit son visage dans ses cheveux parfumés, chercha ses lèvres. Ils s'embrassèrent de nouveau avec passion, comme deux assoiffés qui ont marché longtemps dans le désert et ont enfin trouvé une oasis. Fanette eut l'impression de se réveiller d'un long sommeil. La moindre parcelle de son corps palpitait sous les mains chaudes d'Alistair. Il lui enleva son corsage, qui se déchira presque, et caressa ses seins ronds, qui gonflaient sa chemise de soie. À son tour, Fanette déboutonna la chemise de son amant, s'enivrant du parfum de sa peau. Emportés par un élan irrépressible, leurs corps s'unirent dans un mouvement éperdu, à l'unisson de leurs cœurs, qui battaient à tout rompre. Après l'amour, ils restèrent dans les bras l'un de l'autre, bercés par le son de la pluie qui avait commencé à tomber. Les cheveux de Fanette formaient un éventail sombre sur l'oreiller. Alistair souleva légèrement la tête et contempla la jeune femme. Il caressa le contour de son visage, comme s'il s'était agi d'une porcelaine précieuse, puis commença à fredonner une chanson :

When Irish eyes are smiling,
Sure, 'tis like the morn in Spring.
In the lilt of Irish laughter
You can hear the angels sing.
When Irish hearts are happy,
All the world seems bright and gay.
And when Irish eyes are smiling,
Sure, they steal your heart away.

On frappa à la porte. Une voix s'éleva :

— Monsieur Gilmour, pardonnez-moi, mais il est temps de partir. Le navire risque de quitter le quai sans vous.

Alistair s'arracha à Fanette avec difficulté.

— Je reviendrai au printemps. Si tu veux toujours de moi, nous nous marierons. Mais que tu m'épouses ou non, sache que ta mère et toi ne manquerez de rien.

— Faut-il vraiment que tu t'en ailles ? murmura Fanette.

Il sourit.

— Tu m'aimes donc un peu.

Il se rhabilla, puis embrassa Fanette une dernière fois, la serrant contre lui comme s'il ne devait plus jamais la revoir.

— Je vais donner ordre à mon valet le plus fidèle de t'escorter jusqu'à Québec. Les routes ne sont pas sûres.

— Je n'ai besoin de personne.

— Je t'en prie, accepte. Je partirai plus tranquille.

Elle acquiesça en souriant.

— Adieu. Ne m'oublie pas.

Il quitta la pièce sans se retourner. La porte se referma sur lui. La jeune femme resta immobile, incapable de faire un geste, envoûtée qu'elle était par son étreinte avec Alistair. Elle ferma les yeux, sentant encore l'odeur musquée de son amant sur sa peau. Après un moment, on frappa de nouveau.

— Madame, votre voiture vous attend, fit une voix derrière la porte.

Fanette se leva d'un bond, comme si elle s'éveillait d'un rêve. Elle s'habilla à son tour, cherchant ses vêtements épars sur le lit et par terre. Elle eut de la difficulté à remettre son corsage. L'émotion avait engourdi ses membres et la rendait maladroite. Elle s'était rendue à Cap-Rouge dans le but de sauver sa mère du désastre financier dans lequel l'incendie de son domaine l'avait plongée, et elle en partait avec le sentiment que sa vie avait basculé, qu'elle ne serait plus jamais la même. Elle était amoureuse d'Alistair Gilmour. Elle aimait chez lui le mélange d'ironie et de douceur, de passion et de tendresse. Mais, plus que tout, c'était par cette phrase qu'il avait finalement fait sa conquête : « Que tu m'épouses ou non, ta mère et toi ne manquerez de rien. » Il refusait de lier ce mariage à un marché, il la laissait libre de choisir, faisant preuve d'une abnégation qui le rendait encore plus attachant. L'homme restait toutefois mystérieux. De larges pans d'ombres subsistaient. Ce départ subit, par exemple. Quelle était la nature des « affaires pressantes » qui l'obligeaient à entreprendre ce long voyage en Irlande ? Mais il avait gagné sa confiance. Un lien tangible, ineffable, existait désormais entre eux.

Fanette sortit de la chambre. Des lampes torchères éclairaient le corridor qui menait jusqu'au bureau d'Alistair. Fanette y trouva le chapeau et le mantelet qu'elle y avait laissés.

Un valet, portant la livrée de la maison Gilmour, attendait Fanette près de sa voiture et l'aida à y prendre place. Puis il se dirigea vers un cheval qu'un palefrenier tenait par la bride et se hissa sur la monture. Lorsque le Phaéton de Fanette se mit à rouler, il piqua son cheval et la suivit.

Le retour à Québec se fit comme dans un rêve. Fanette ne ressentait plus la fatigue du voyage, pleine d'un optimisme renouvelé. Seule la lanterne devant la maison, rue Sous-le-Cap, était allumée lorsque le Phaéton s'arrêta devant la porte. Le valet qui avait escorté la jeune femme rebroussa chemin et s'éloigna au galop.

Jetant un coup d'œil aux fenêtres, Fanette n'y vit pas de lumière. Elle s'engagea dans l'allée qui menait à l'écurie, dételа sa voiture et entra par la cuisine, qui était plongée dans la pénombre. En s'avançant de quelques pas, elle entendit des reniflements accompagnés de ce qui ressemblait à des sanglots. Inquiète, elle tourna la mèche d'une lampe et aperçut sa mère, assise toute seule devant la table de la cuisine, qui pleurait, la tête dans les mains. Elle s'approcha d'elle, lui effleura un bras avec sa main. Emma leva la tête. Ses joues étaient couvertes de larmes.

— Fanette. Dieu merci, tu es revenue. J'étais inquiète.

Emma prit un mouchoir dans sa manche et se tamponna le visage.

— Pardonne-moi, je suis une vieille pleurnicharde. Depuis l'incendie, j'ai peur que le pire survienne.

L'émotion noua la gorge de Fanette.

— Il ne faut plus vous inquiéter. Nous ne serons pas dans le besoin.

Emma la regarda sans comprendre.

— J'ai pris la décision de marier Alistair Gilmour.

Emma ne réagit pas tout de suite, comme si les mots n'étaient pas encore parvenus à sa conscience.

— Te marier ?

— C'était la raison de mon voyage. Alistair et moi nous marierons au printemps.

— Tu n'épouses pas ce monsieur Gilmour à cause de moi, n'est-ce pas ? Tu es bien certaine de tes sentiments pour lui ?

Les yeux de Fanette se mirent à briller.

— Maintenant, je le suis.

XVIII

Le jour suivant, Emma reçut un télégramme de la part de son avoué, maître Hart, la priant de se rendre à son bureau dans les plus brefs délais. Convaincue que le vieil homme avait appris la nouvelle de l'incendie de Portelance et souhaitait la rencontrer pour tâcher d'évaluer les pertes et trouver des solutions à sa situation financière, Emma s'y rendit, se promettant de n'accepter sous aucun prétexte un autre prêt. Maître Hart avait le cœur sur la main et aurait volontiers donné sa chemise pour lui venir en aide.

Le logement du vieil avoué était toujours aussi désordonné. Des dossiers s'empilaient sur son pupitre, dangereusement penchés comme la tour de Pise. Une fumée bleuâtre remplissait la pièce, et le cendrier débordait. Maître Hart accueillit Emma avec son affabilité habituelle, mais ses yeux rouges trahissaient le manque de sommeil et le chagrin.

— J'ai appris la triste nouvelle. Un si beau domaine, tant de souvenirs…

Gagné par l'émotion, il cessa de parler. Ils échangèrent un long regard. Maître Hart travaillait pour sa famille depuis tant d'années qu'Emma n'en faisait plus le compte.

— Malgré tout, un événement surprenant s'est produit, qui pourrait vous redonner espoir.

Emma leva des yeux intrigués vers l'homme, qui prit une bouffée de sa pipe et déposa un document devant sa cliente.

— J'ai reçu ce matin vingt-cinq mille dollars de rentes à votre ordre.

Emma regarda son avoué, incrédule.

— Je ne crois pas aux miracles, mon pauvre ami. C'est sans doute une fumisterie.

— Je sais que cela semble incroyable, mais ce document est authentique, et la somme a bel et bien été déposée à votre nom à la Quebec Bank. J'en ai fait la vérification ce matin.

— D'où vient cet argent ? demanda Emma, la voix blanche.

— Le donateur a exigé que je vous le remette à l'unique condition que son don reste anonyme.

Emma fixa son avoué.

— C'est vous, n'est-ce pas ? Vous saviez d'avance que je refuserais tout prêt de votre part, alors vous avez trouvé ce subterfuge pour me venir en aide.

Le vieil homme secoua la tête en souriant.

— Chère madame Portelance, si j'avais été riche, croyez que j'aurais été ravi de vous faire bénéficier de mes largesses, mais je ne le suis pas.

Emma comprit soudain qui était le bon samaritain.

— Je dois consulter une… une personne avant d'accepter cet argent.

Maître Hart la regarda, éberlué.

— Si vous avez des doutes quant à la légalité de cette transaction, je puis vous rassurer tout de suite, chère madame : il n'y a rien de mal à recevoir une somme d'argent, même si le donateur est anonyme.

Emma se leva, fébrile.

— N'empêche, il me faut faire cette démarche. Je vous enverrai un télégramme pour vous confirmer mon accord, le cas échéant.

En rentrant chez elle, Emma trouva Fanette dans le salon, en train de faire réciter son alphabet à Marie-Rosalie à l'aide de lettres de bois. La fillette se précipita vers sa grand-mère, lui annonçant qu'elle savait ses voyelles. Emma lui frotta affectueusement la tête.

— Tu es douée, mon enfant, tout comme ta mère.

Comme c'était l'heure de la sieste, Fanette monta à l'étage avec sa fille pour la coucher, puis redescendit au salon. Emma profita de ce qu'elles étaient seules pour lui annoncer l'étonnante nouvelle. Fanette elle-même fut saisie par l'ampleur de la somme.

— Le donateur souhaite garder l'anonymat, mais je crois savoir de qui il s'agit. Alistair Gilmour.

— Quand bien même ce serait lui, quelle importance cela a-t-il ?

Emma prit les mains de sa fille dans les siennes. Ses yeux étaient empreints de gravité.

— Je ne voudrais pour rien au monde accepter cet argent sans être absolument certaine que tu n'épouses pas monsieur Gilmour pour me tirer d'affaire.

— J'aime Alistair de tout mon cœur. Il était disposé à nous venir en aide, que je l'épouse ou non.

Le regard clair et franc de sa fille et le ton ferme avec lequel elle avait prononcé ses paroles achevèrent de rassurer Emma.

Fanette se rendit au cimetière Saint-Louis et se recueillit sur la tombe de Philippe. Les feuilles commençaient à se colorer, faisant des taches jaunes et rouges dans le ciel gris. La pierre tombale était déjà altérée par les éléments. Une mousse verte couvrait en partie l'épitaphe : « Son souvenir restera à jamais… » Le reste était devenu illisible. *Comme on oublie vite les morts,* se dit Fanette avec un serrement au cœur. Elle tâcha d'évoquer le visage de Philippe et n'entrevit qu'un vague contour, une ombre qui aurait pu être l'esquisse d'un sourire, ce sourire qui la faisait chavirer autrefois. *Autrefois*… Ces moments heureux, cette joie de vivre sans crainte du lendemain lui semblaient lointains, comme une fanfare qui disparaît au tournant d'une rue.

Un couple de chardonnerets s'envola à tire-d'aile d'un pommier, puis l'un d'eux se posa sur la tombe pour reprendre aussitôt son vol. Fanette observa le ballet gracieux des oiseaux, dont le plumage brillait dans la lumière automnale. Elle voulut y voir un signe que Philippe approuvait son union avec Alistair Gilmour.

Troisième partie

Noël Picard

XIX

Sept mois plus tard
Mi-avril 1861

Il y avait près d'un an que Noël Picard s'était engagé dans la marine britannique et vivait à bord du cuirassé *HMS Warrior*. Grâce à sa compétence, il avait rapidement été promu de simple matelot au grade de deuxième lieutenant-chef de quart, puis de premier lieutenant. Bien qu'il ne fût pas britannique, il avait gagné le respect de la majorité des hommes d'équipage et était toléré, voire estimé, par la plupart des officiers, sauf par le second, du nom de John Caldway, natif de Liverpool. Caldway méprisait Noël à cause de ses origines huronnes et tentait, chaque fois qu'il en avait l'occasion, de l'humilier devant les hommes d'équipage en se moquant de son accent français.

Quoique irrité par le comportement du second à son égard, Noël avait rapidement compris que la meilleure tactique était d'ignorer les vexations dont il était l'objet et de continuer à faire consciencieusement son travail. Il possédait déjà quelques notions d'anglais mais profitait de ses rares moments de repos, entre deux quarts de travail, pour se familiariser davantage avec les termes maritimes dans la langue de Shakespeare et étudier le fonctionnement complexe du navire à l'aide de plans que lui avait fournis le maître charpentier, un passionné de la fabrication des navires, et du *Warrior* en particulier, qu'il considérait comme une merveille d'architecture navale. Pourvu d'un moteur à vapeur alimenté par dix chaudières, le trois-mâts, dont la coque était entièrement fabriquée de métal, pouvait également se propulser par le vent grâce à ses quelques milliers de pieds carrés de voilures. Lorsque le navire naviguait à la voile, il fallait alors démonter les deux cheminées et remonter le moteur à hélices dans la coque pour éviter qu'il ne ralentisse le bateau. Toutes ces manœuvres exigeaient beaucoup de savoir-faire, et Noël travaillait d'arrache-pied afin de les maîtriser.

Son intelligence, sa ponctualité ainsi que son jugement sans faille avaient valu à Noël la confiance du capitaine, L. P. Cochrane, un homme simple malgré son grade et ses responsabilités. Non seulement le capitaine avait remarqué le talent de Picard, qui était capable d'estimer la position du bateau en calculant sa vitesse à l'aide d'un loch tout en tenant compte de la dérive causée par les vents et les courants, mais il admirait sa capacité de ne jamais exiger des autres ce qu'il n'était pas en mesure de faire lui-même. Le fait que son subordonné fût d'origine huronne ne l'avait jamais gêné. Il estimait la valeur des hommes par leurs actions, et non par leurs origines. C'était d'ailleurs à la suite d'un accident pendant lequel Noël avait fait montre d'un sang-froid remarquable que le capitaine avait pris la décision de le promouvoir au grade de deuxième lieutenant, au grand dam de Caldway.

Cela s'était produit alors que le navire effectuait une manœuvre de surveillance dans les eaux de Terre-Neuve, quelques mois auparavant. Une violente tempête avait soudainement éclaté. D'énormes vagues avaient balayé le pont, entraînant un marin par-dessus le bastingage. Malgré les bourrasques de vent et les déferlantes, qui se fracassaient sur le bateau avec une violence inouïe, Noël s'empara d'un cordage, l'enroula solidement autour de sa taille, en fixa l'extrémité à un mât, puis se lança dans le vide. Il atterrit dans l'eau, à une douzaine de pieds de la paroi du navire. Sa chute fut amortie par la corde. Aveuglé par l'eau salée et le vent, Noël mit un moment avant d'être capable de distinguer quelque chose. Puis il aperçut soudain une tête qui affleurait à la surface mouvementée de la mer et nagea le plus rapidement qu'il put dans cette direction. Les vagues étaient si puissantes qu'il avait l'impression de ne pas avancer. La tête disparut, puis remonta quelques secondes plus tard.

Avec l'énergie du désespoir, Noël tenta de nouveau de s'en approcher et réussit à saisir un pan de manteau qui flottait. Il tira dessus, mais le manteau lui resta dans les mains. N'abandonnant pas la partie, bien que l'eau salée lui brûlât la gorge et que la fatigue et le froid aient commencé à paralyser ses membres, il replongea dans les flots en furie pour saisir le matelot par les épaules, mais une vague sépara les deux hommes. L'infortuné marin fut vite entraîné vers le fond.

Le capitaine donna l'ordre à l'un de ses hommes de jeter une échelle de corde à l'eau. Puis un deuxième marin, portant une bouée sur l'épaule, franchit le bastingage et commença à descendre sous les rafales d'écume. Il réussit à atteindre les flots et lança la bouée en direction de Noël. Celui-ci s'en empara. Le matelot saisit le cordage qui retenait toujours Noël et le tira vers lui. Les deux hommes s'accrochèrent à l'échelle et furent hissés à bord. Noël était dans un piètre état lorsqu'il fut déposé sur le pont. Il avait les lèvres bleues et tout son corps tremblait comme une feuille. Le capitaine le fit aussitôt transporter dans sa cabine et manda le médecin qui était à bord. Celui-ci lui administra un vomitif et lui fit cracher l'eau de mer accumulée dans ses poumons. Puis, avec l'aide de deux hommes, il lui frotta vigoureusement les membres afin d'éviter l'hypothermie. Noël sombra alors dans un sommeil profond.

Le lendemain, le capitaine le félicita pour son courage. Noël, encore faible, secoua lentement la tête.

— Je n'ai pas réussi à sauver le pauvre homme.

— *You put your own life in danger to try to save him.*

Lorsque Noël fut rétabli, le capitaine Cochrane lui annonça sa promotion. Le Huron accueillit la nouvelle avec sa modestie habituelle, mais John Caldway piqua une crise de colère lorsqu'il apprit que ce sauvage sans éducation, ce *Frenchie,* comme il l'avait surnommé, avait été promu chef de quart. À partir de ce moment, il se mit à épier les moindres faits et gestes de son rival, tâchant de le prendre en défaut, se jurant qu'il finirait par trouver une occasion de se débarrasser de lui.

La vie quotidienne à bord du *Warrior* était rude. L'équipage, composé de près de sept cents hommes, sans compter l'état-major, se levait à l'aube et, après un déjeuner frugal composé la plupart du temps de morue séchée, sauf les jours fastes où le maître cuisinier sacrifiait un bœuf dont chacun recevait une ration, travaillait sans relâche jusqu'à ce que la cloche annonce le repas du midi, puis reprenait ensuite le travail jusqu'au souper. Pendant la nuit, des quarts de travail étaient organisés afin qu'une partie des hommes puissent se reposer tandis que les autres vaquaient à leurs tâches. Chaque matelot avait droit à un coffre au pied de sa couchette, dans lequel il mettait ses vêtements et quelques objets de toilette. Comme l'eau douce était rare, on ne distribuait qu'un seau par semaine à chaque homme pour sa toilette et le lavage de son linge. Une colonie de rats, dont certains étaient si gros qu'ils pouvaient atteindre dix pouces sans la queue, faisait la pluie et le beau temps dans la cale. Le capitaine Cochrane avait décidé de faire monter à bord un chat, dont l'unique fonction était de chasser les rats et de les tuer. Le félin était si rapide et efficace que les hommes l'avaient surnommé Puss'in Boots, le Chat botté.

Il y avait une nette séparation entre l'état-major et le reste de l'équipage. Le capitaine et ses lieutenants avaient leur propre cabine, et les autres officiers dormaient dans la partie de l'entrepont la plus confortable, à l'abri des embruns et de l'humidité. La table du capitaine accueillait les membres les plus éminents de l'état-major. Lorsque Noël y avait été convié la première fois, après avoir été promu lieutenant de quart, le second s'était levé de table et avait quitté la cabine, cachant mal sa colère. Le malaise avait été tel que le capitaine avait fait une blague, attribuant l'humeur de son second au mal de mer qui affectait la majorité des hommes ce soir-là, à cause du mauvais temps qui faisait rouler et tanguer le bateau.

Contrairement aux autres officiers, Noël Picard se levait en même temps que ses hommes et partageait la plupart de ses repas avec eux. Il lui arrivait même parfois de leur prêter main-forte lorsque les conditions de navigation étaient particulièrement difficiles, ce que le second, John Caldway, ne manquait pas de lui reprocher, prétendant qu'il fallait maintenir les rapports hiérarchiques avec les hommes d'équipage, afin de ne pas encourager l'insubordination. Noël écoutait les remontrances de Caldway avec politesse, mais continuait à n'en faire qu'à sa tête.

Parfois, Noël était si éreinté après une journée de travail qu'il lui suffisait de s'étendre sur sa couchette pour sombrer dans un lourd sommeil, et il avait peine à se lever lorsqu'un matelot le réveillait pour son quart dans la dunette. Mais ce mode de vie lui convenait parfaitement, car il accaparait complètement son esprit et son corps et l'empêchait de penser à elle. *Amanda*. Celle qu'il avait tant aimée et qui avait laissé son cœur en charpie, comme un animal déchiqueté par un oiseau de proie. C'était pour l'oublier que Noël s'était engagé sur le *HMS Warrior* et, jusqu'à présent, il avait à peu près réussi. Certaines nuits, toutefois, lorsqu'il était en service dans la dunette et qu'il voyait la lune à travers des filaments de nuage argentés, l'image d'Amanda flottait devant lui tel un fantôme, ses cheveux de feu auréolant son visage pâle. Alors seulement il tendait les bras, tentant de saisir la forme évanescente qui disparaissait aussitôt.

Le cuirassé s'approchait du port de Saint John. Le capitaine Cochrane donna l'ordre d'amener les voiles. Il avait décidé de donner un jour de repos à son équipage, épuisé par des semaines de navigation difficile. Il en profiterait pour réapprovisionner le navire. Les matelots accueillirent ce répit avec des cris de joie et prirent d'assaut les embarcations qui les emmèneraient vers la terre ferme. Noël Picard fut le dernier à quitter le bateau, profitant de ce rare moment de solitude avant de descendre à terre à son tour.

XX

Baie de Chignectou
Mi-avril 1861

Avec l'arrivée du printemps, il avait fallu repeindre la maison, cirer les planchers et les meubles, refaire une partie du toit et calfeutrer les fissures dans les murs que les grands froids avaient causés, car l'hiver avait été rude. Ian n'avait pas peur de l'ouvrage et refusait même que sa mère fît des travaux qu'il jugeait trop durs pour une femme. En regardant son fils grimpé dans une échelle en train de réparer une fissure dans le toit avec un peu de goudron que le vieux pêcheur leur avait laissé, Amanda constata qu'il avait encore grandi. Sa ressemblance avec son père s'était accentuée. Ses grands yeux sombres, ses cheveux noirs et bouclés, son menton et ses épaules carrées, tout rappelait Jacques Cloutier. Ce qui la rassurait, toutefois, c'était le caractère de son fils, à l'opposé de celui de son père. Autant Cloutier avait été violent, vindicatif, autant Ian était doux, d'une patience d'ange, n'élevant jamais la voix. En fait, il tenait de son grand-père, Ian O'Brennan, et cela remplissait Amanda de fierté, comme si ce dernier, par-delà la tombe, continuait à exister à travers son petit-fils, en lui léguant le meilleur de lui-même.

Ian n'avait plus jamais reparlé à sa mère de ses origines, depuis le jour où il lui avait demandé, peu de temps après leurs retrouvailles, qui était son père. Amanda lui avait menti, prétendant que son père était un marin du nom de John Kilkenny, qui avait disparu en mer lors d'un voyage, et dont elle n'avait plus jamais eu de nouvelles. Il valait mieux pour Ian d'avoir un père fictif, qu'il pouvait admirer et aimer sans le connaître, que d'apprendre que son vrai père était un assassin, et que lui-même était le fruit d'un viol. Et s'il lui posait de nouveau la question, elle n'hésiterait pas une seconde à lui mentir encore une fois. Mais, plus le temps passait, plus le fantôme de Jacques Cloutier s'estompait. *Un jour,* espérait Amanda, *il disparaîtra à jamais.*

Une fois les travaux terminés, Amanda fit les comptes. Il restait trente-huit dollars et vingt-quatre sous de la somme qu'Alistair Gilmour lui avait donnée, de quoi subsister pendant encore quelques semaines, en tenant les cordons de la bourse bien serrés. Maintenant qu'elle avait délaissé son habit de religieuse et établi une nouvelle identité, il lui faudrait chercher un travail qui lui permettrait de gagner sa vie.

Après avoir donné une leçon de français et de géographie à Ian à l'aide de vieux livres qu'elle s'était procurés dans une vente de charité, Amanda attela le cabrouet et se rendit au village d'Alma. Elle s'arrêta d'abord au magasin général afin de se renseigner au sujet d'emplois disponibles. Monsieur Doucet, un homme aux yeux bleus pétillants et aux longues moustaches retombantes, l'accueillit en souriant. À peu près tout le village était au courant que le vieux Nestor Cyr avait loué sa maison à une Irlandaise du nom de Maureen Gallagher, que les gens du coin prononçaient « Gallagué ». La jeune femme, qui vivait seule avec son fils, était discrète, ne participait pas aux fêtes paroissiales ni aux bazars de charité. On la voyait cependant tous les dimanches à la messe, assise discrètement avec son garçon à l'arrière de l'église. D'après le bedeau, elle donnait toujours généreusement à la quête. Le fait qu'elle parle le français sans accent lui valait la sympathie de la plupart des habitants, ce qui n'empêchait pas certains d'entre eux de se méfier de l'« étrangère » qui avait loué la maison d'un des leurs et portait un nom anglais.

Monsieur Doucet n'avait malheureusement pas d'emploi à lui offrir, car sa femme et ses deux filles lui donnaient un coup de main pour tenir son commerce. Il n'y avait pas d'autres magasins dans le village, hormis un charretier et un maréchal-ferrant.

Voyant la déception de la jeune femme, il lui recommanda de se rendre à Saint John, où elle aurait plus de chance de trouver du travail.

~

En sortant du magasin général, Amanda hésita avant de prendre la route vers Saint John. Elle craignait d'y rencontrer Mrs. Garrett et d'être reconnue par elle, malgré sa teinture et sa tenue civile. Puis elle se raisonna. Saint John était une grande ville, il y avait peu de risques qu'elle tombe sur son ancienne logeuse. De toute manière, huit mois s'étaient écoulés depuis son arrivée au Nouveau-Brunswick. Le temps était son plus sûr allié. Elle décida néanmoins de se rendre dans un quartier de la ville où elle n'avait jamais mis les pieds.

Après plus d'une heure de route, Amanda parvint à Saint John et gara sa voiture près d'un marché public. Elle fit le tour des rues à pied, à la recherche d'un emploi. Elle était disposée à prendre n'importe quel travail, pourvu qu'il rapporte assez pour subvenir à ses besoins et à ceux de son fils. Elle passa à côté d'un immeuble de briques rouges et se rendit compte qu'il s'agissait d'une *police court*. Quelques gendarmes faisaient le pied de grue devant l'entrée, semblant attendre quelque chose, ou quelqu'un. Amanda s'éloigna en pressant le pas. La vue des uniformes suscitait toujours chez elle une peur qui avoisinait la panique.

Parvenant à une rue qui s'appelait St. Patrick, Amanda s'y engagea. Le fait que le nom fût irlandais la rassura. L'enseigne d'une auberge se balançait au gré du vent. Les mots *St. James Pub* avaient été peints en lettres blanches sur un fond vert en forme de trèfle. Encore là, elle vit un bon augure. Amanda avait déjà travaillé dans une auberge à son arrivée à Québec, onze ans auparavant, pour ainsi dire dans une autre vie. Qui sait si elle ne pourrait pas trouver du travail dans ce pub irlandais ? Elle saurait se débrouiller, et la paie était sans doute bonne. Le fait qu'elle soit elle-même d'origine irlandaise ne pouvait pas nuire.

Amanda entra dans l'auberge. Le bruit des voix et le tintamarre des ustensiles l'accueillirent. Une fumée dense, provenant de pipes et d'une cheminée qui tirait mal, lui piqua les yeux. La salle était remplie à craquer de convives, en majorité des matelots, dont l'uniforme blanc se détachait sur les murs noircis par le charbon. Une femme ronde au décolleté pigeonnant servait aux tables, transportant des assiettes sur un grand plateau. Un homme au teint rougeaud, debout derrière un comptoir, versait de la bière en fût dans des pichets débordant de mousse qu'il déposait devant lui.

En s'avançant dans la salle, Amanda se rendit compte que la plupart des hommes parlaient anglais, avec un accent qui lui était familier. Elle l'avait souvent entendu lorsque, petite fille, elle se rendait avec son père au marché de Skibbereen qui jouxtait le port, et que des matelots britanniques déambulaient devant les étals, parlant et riant fort. Un navire anglais avait sûrement fait escale au port de Saint John. Elle fut sur le point de s'adresser à l'homme derrière le comptoir lorsque son regard fut attiré par un client. C'était un officier, assis seul à une petite table au fond de la salle. Il portait un uniforme noir, avec des passementeries dorées au col et aux manches, et avait déposé son képi sur la table. Ses cheveux sombres étaient plus courts, mais elle reconnut son profil, son nez droit, sa bouche finement dessinée. *Noël Picard*. C'était lui, ça ne pouvait être que lui. Il tourna légèrement la tête dans sa direction, comme s'il avait perçu sa présence. Un matelot se leva au même moment, la masquant de façon providentielle. Elle se réfugia aussitôt derrière une poutre de chêne. *Mon Dieu, faites qu'il ne m'ait pas vue*.

Toutes ses terreurs remontèrent à la surface. Noël Picard avait beau les avoir aidés, Ian et elle, lors du naufrage du *Queen Victoria* et, plus tard, lui avoir fait une déclaration d'amour dans le bateau à vapeur qui les menait de Sorel à Montréal, elle n'avait jamais pu lui accorder sa confiance. Il avait su à l'époque qu'elle était une fugitive, et il savait peut-être qu'elle avait fui la prison de Québec et était recherchée par la police. Le fait qu'il portât un uniforme d'officier ne faisait qu'ajouter à ses craintes. Cet homme la dénoncerait, elle en avait la certitude. Elle retournerait en prison et, cette fois, n'échapperait pas à la pendaison.

Une main se posa sur son épaule, la faisant tressaillir violemment.

— *You're alright, love ?*

Le visage inquiet de la serveuse était penché vers le sien. Sans répondre, Amanda se dirigea vers la porte, faisant un effort pour ne pas courir et, surtout, pour ne pas tourner la tête en direction de Noël Picard.

Une fois dehors, Amanda prit ses jambes à son cou et elle ne s'arrêta pas une seule fois pour souffler. Son soulagement fut immense lorsqu'elle aperçut son cabrouet. Grimpant sur le siège du conducteur, elle saisit les rênes, qu'elle secoua vivement, se morigénant de son imprudence. Pendant quelques minutes terrifiantes, elle était redevenue une fugitive. Elle se jura de ne plus jamais retourner à Saint John.

Noël Picard termina son repas, le paya en laissant un bon pourboire et sortit, soulagé d'échapper à l'air confiné du pub. Tout en marchant d'un bon pas, il prit une bouffée d'air. L'odeur salée de la mer lui parvint, mêlée aux effluves de charbon provenant des cheminées.

Le navire *HMS Warrior* était en rade dans le port de Saint John depuis plusieurs heures et ne devait repartir que le lendemain à l'aube. Une partie des officiers et de l'équipage avait obtenu un congé pour la soirée, aussi Noël en avait-il profité pour se promener dans la ville. C'est ainsi qu'il était tombé sur cette auberge et qu'il y avait commandé un repas. Sans être de la haute cuisine, le *stew* de bœuf aux pommes de terre qu'on lui avait servi était bien meilleur que les bouillis au goût saumâtre auquel avait droit l'équipage du *Warrior*.

Disposant encore de temps avant de devoir retourner sur le navire pour y faire son quart, Noël décida de se promener. La plupart des matelots du *Warrior* passeraient la nuit dans une maison close. Pour sa part, il préférait de loin explorer la ville, bien qu'elle ne fût guère attrayante, avec ses manufactures rectangulaires et ses rues sans grâce. En regardant le ciel, il vit Sirius scintiller, malgré la lumière blanche des lampadaires. Il pensa à elle. La dame en bleu. Chaque fois qu'il contemplait le ciel, l'image d'Amanda flottait devant ses yeux, comme une poussière d'étoiles. Alors qu'il était assis dans le pub, il avait eu l'impression fugace de sa présence. En tournant la tête, il avait aperçu une jeune femme portant un bonnet d'où sortaient des mèches noires. Pendant un instant, il avait cru que c'était Amanda, puis un matelot s'était levé, la masquant à sa vue. Lorsqu'il avait de nouveau regardé dans sa direction, elle avait disparu. Il s'en était voulu de sa déception, des battements accélérés de son cœur.

Noël pressa le pas, un pli amer à la bouche. Le plaisir de la promenade s'était envolé. Il s'approcha du quai où était amarré le *Warrior* et s'arrêta pour admirer le navire, dont l'énorme silhouette était illuminée par une myriade de petites lumières, puis il franchit la passerelle et se dirigea ensuite vers la dunette où logeaient les officiers. Il profiterait des heures qui lui restaient avant son quart pour lire un traité de navigation que le capitaine Cochrane lui avait prêté.

En marchant dans une coursive, Noël croisa Caldway, le second. Les deux hommes se dévisagèrent, puis Caldway fit mine de cracher par terre et passa son chemin en le bousculant. Noël serra les dents. Il lui fallut toute sa volonté pour garder son sang-froid devant l'affront. Il savait que l'officier cherchait à le provoquer pour ensuite lui faire porter le blâme et exiger son renvoi.

Après être resté immobile pendant quelques secondes pour recouvrer son calme, Noël reprit le chemin de sa cabine. Il s'étendit sur son étroite couchette et, s'éclairant à l'aide d'une verrine, il commença à lire, sans savoir que ses jours à bord du *HMS Warrior* étaient comptés et qu'il lui serait donné de revoir la femme de ses rêves, dans des circonstances dramatiques.

XXI

Debout devant le quai faisant face à la baie de Courtenay, Ian admirait un magnifique voilier de trois mâts encore entouré d'échafaudages. Des ouvriers s'affairaient à en terminer l'apprêt tandis que d'autres posaient les derniers boulons. L'odeur de bois, de résine et de vernis imprégnait l'air déjà chargé du parfum suave des varechs. Malgré les charpentes de bois qui emprisonnaient le bateau et la présence des travailleurs, le garçon n'eut pas de mal à imaginer l'imposant navire, dont la proue majestueuse semblait crever le ciel et glisser sur les flots.

Ian avait développé une réelle passion pour tout ce qui touchait à la navigation. Par beau temps, il prenait place dans la barque qui avait appartenu au vieux pêcheur et faisait le tour de la baie, non sans avoir droit chaque fois aux consignes de sa mère, qui lui interdisait d'aller plus loin que la pointe de l'anse, où se dressait le phare. Lorsque les vagues étaient trop hautes, il se rendait à pied au port de Saint John pour y contempler les bateaux qui entraient ou sortaient de la rade. Il allait souvent jusqu'au chantier naval Thompson, situé à l'est de Saint John, dans la baie de Courtenay. Il pouvait y rester pendant des heures, à observer les ouvriers scier du bois, poser des boulons, grimper dans des échafaudages si hauts que le simple fait de les regarder donnait le vertige.

Les moments les plus exaltants étaient lorsqu'un navire était prêt pour la mise à l'eau. Les hommes s'affairaient à enlever les échafaudages, puis le bateau était ensuite poussé sur une rampe jusque dans la mer et mis à quai. Les marins gagnaient leur poste et hissaient les voiles. Puis l'ordre du capitaine retentissait :

— Larguez les amarres !

C'était le grand départ, sous les hourras des ouvriers.

— La voilà en partance ! *There she goes !* Longue vie à la belle des belles !

Les travailleurs s'étaient habitués à la présence d'Ian et l'avaient familièrement surnommé Ship's Boy, le Mousse. De temps à autre, on lui permettait même de grimper sur un échafaudage ou de monter à bord d'un navire dont la construction achevait. L'un des chefs de chantier, Martin Aubert, un veuf d'une quarantaine d'années, aux yeux bleus et au visage buriné par le soleil, l'avait pris en affection et l'emmenait parfois visiter les bureaux de la compagnie, lui montrant les plans de construction des navires. Ian contemplait avec fascination les dessins complexes, aux angles biscornus, et tentait d'imaginer la silhouette d'un navire à partir de ces formes géométriques. Un après-midi que le chef de chantier expliquait au garçon les plans du *Marco-Polo,* un célèbre voilier à trois mâts qui avait été construit au chantier naval en 1851, il lui demanda, à brûle-pourpoint :

— Eh, le Mousse, tu dois bien avoir un prénom.

— Ian, répondit le garçon, soudain sur ses gardes.

Martin Aubert ne fut pas sans remarquer le changement d'attitude qui s'était produit chez l'adolescent.

— Tes parents habitent dans le voisinage ?

— Je vis avec ma mère, pas très loin d'ici.

Quoique curieux d'en savoir plus, Aubert se retint de poser d'autres questions, sentant la réticence du garçon.

— Je dois partir, dit Ian. Ma mère va s'inquiéter.

Il sortit. Martin Aubert jeta un coup d'œil par la fenêtre et vit l'adolescent marcher à pas rapides sur le chemin qui longeait le chantier. C'est alors qu'il aperçut une femme s'approcher des quais. Elle avait des cheveux noirs sous son bonnet de coton, une silhouette fine. Il pouvait déceler l'inquiétude sur son visage, même à distance. Puis elle aperçut Ian, lui sourit. Martin Aubert la trouva belle. Elle fit de grands signes de la main à son fils, qui accourut dans sa direction. Ils s'éloignèrent sur le chemin, semblant bavarder avec animation. Le chef de chantier les suivit des yeux jusqu'à ce qu'ils disparaissent à un tournant du sentier. Il se rappela les paroles d'Ian : « Je vis avec ma mère, pas très loin d'ici », et il supposa qu'il s'agissait de la femme aux cheveux noirs. Ian n'avait pas fait mention d'un père. Aubert se promit d'en savoir plus à la prochaine visite du garçon.

Quelques jours plus tard, Ian revint au chantier. Martin Aubert lui montra l'armature d'un brigantin que les ouvriers avaient commencé à construire. Ian contempla avec fascination les planches de bois arquées, soutenues par des poutres, qui lui faisaient penser à la cage thoracique d'une baleine. Martin Aubert profita d'une pause pendant laquelle ses hommes cassaient la croûte pour aborder la question qui le tarabustait.

— C'est ta mère qui est venue te chercher, la dernière fois ?

Ian acquiesça sans rien dire. Le chef de chantier hésita, puis poursuivit :

— Et ton père ? Je ne l'ai jamais vu dans les parages. Que fait-il comme travail ?

Ian s'était attendu à cette question. Les gens finissaient toujours par la lui poser. Monsieur Trottier, lorsqu'il l'avait pris sous son aile, après le naufrage du *Queen Mary*, lui avait demandé la même chose.

— Je l'ai pas connu, répondit-il à mi-voix. C'était un marin. Il est mort en mer.

La voix du garçon s'était légèrement enrouée. Martin Aubert, visiblement ému, lui mit une main sur l'épaule. Le mari de sa sœur aînée était pêcheur, et il avait disparu en mer, une dizaine d'années auparavant. Le corps et le bateau n'ayant jamais été retrouvés, Louison n'avait pas perdu espoir de revoir son mari vivant. Chaque jour que le Bon Dieu emmenait, elle allait se poster près du phare et contemplait la mer, imaginant parfois apercevoir l'ombre d'une barque de pêche s'approchant de la rive.

— La mer nous fait vivre, mais elle tue aussi son lot d'hommes, dit Aubert.

Ian le regarda, les yeux brillants comme des escarboucles.

— Plus tard, je deviendrai capitaine d'un grand bateau.

Amanda épluchait des pommes de terre, utilisant du papier journal pour recevoir les pelures. C'étaient les dernières. Il ne restait presque plus rien de l'argent d'Alistair Gilmour, et elle n'avait pas encore réussi à trouver un emploi. Pourtant, ce n'était pas faute d'avoir cherché. De temps en temps, elle se rendait à Alma et se procurait un journal afin d'y parcourir les annonces. L'une d'elles avait attiré son attention. Un couple âgé cherchait une dame de compagnie afin de leur faire la lecture et de les assister dans leurs tâches quotidiennes, mais des références étaient exigées. Quelles références pouvait avoir une ancienne prostituée devenue une fugitive ? Sans compter que le couple habitait à Saint John, où elle s'était juré de ne plus jamais retourner après être malencontreusement tombée sur Noël Picard. Elle avait eu beaucoup de chance de ne pas être reconnue par lui, mais elle ne voulait plus jamais prendre un tel risque.

Le soleil commençait à décliner. Ian n'était toujours pas rentré. Amanda se lava les mains dans la cuvette et décida d'aller à sa recherche. Tout en marchant sur le chemin qui longeait la baie, elle songea à son fils. Tous les matins, elle lui donnait des leçons de français, de géographie et d'arithmétique, mais aussitôt celles-ci terminées Ian se rendait au chantier naval pour y admirer les navires, ou bien il faisait une expédition en mer dans sa vieille barque. Chaque fois qu'Amanda voyait le bateau s'éloigner, son cœur se serrait d'inquiétude, et elle ne respirait de nouveau qu'au moment où Ian était de retour. Même par beau temps, elle avait toujours la crainte que l'embarcation se renverse. Ian avait appris à nager avec les enfants du village lorsqu'ils vivaient dans la petite maison à Cap-Rouge, mais la mer était dangereuse. Pas une semaine ne passait sans qu'un pêcheur ou un marin périsse à cause d'elle. Et pourtant, comme elle était belle en cet instant même, reflétant les rayons incandescents du soleil qui se noyait peu à peu à l'horizon !

En chemin, Amanda passa devant une immense baraque de planches de forme rectangulaire. Curieuse, elle jeta un coup d'œil par l'une des fenêtres qui avaient été percées le long du bâtiment. De nombreuses ouvrières, peut-être une centaine, installées à de longues tables, découpaient ou cousaient de larges bandes de toile blanches. Elle comprit qu'il s'agissait de voiles. Amanda se remit à marcher, songeuse. Une idée germait dans sa tête. Bientôt, elle aperçut le chantier en contrebas. Les voix des travailleurs, les bruits de scie et de marteaux lui parvenaient de loin, portés par le vent. Elle reconnut la silhouette de son fils, debout devant un navire en construction. Un homme qu'elle ne connaissait pas l'accompagnait.

~

Aveuglé par la lumière du soleil, Martin Aubert mit une main en visière. C'est alors qu'il la vit. Elle marchait dans leur direction d'un pas vif. De près, il la trouva encore plus belle. Ses yeux avaient la couleur de la mer lorsque le ciel est couvert de nuages. Elle avait la même mine inquiète que la première fois.

— Je savais bien que je te trouverais encore ici, dit-elle à Ian, une note de reproche dans la voix.

Le chef du chantier tendit la main à la jeune femme.

— Je m'appelle Martin Aubert.

Amanda lui serra la main avec une certaine réserve. L'homme avait une poignée de main franche et l'air honnête, mais elle avait appris à se méfier de tout un chacun.

— Mon nom est Maureen Gallagher, se contenta-t-elle de dire.

Ainsi, c'est elle, l'Irlandaise, celle que tout le monde appelle « Gallagué », pensa-t-il. Il se rappelait maintenant l'avoir parfois entrevue à l'église, mais elle se tenait toujours en retrait, dans un coin mal éclairé. Un bon nombre d'Irlandais travaillaient sur le chantier, mais la plupart parlaient anglais. Il s'étonna du fait que la jeune femme s'exprime dans un français sans accent et se demanda où elle l'avait appris. Il n'osa cependant lui poser la question, de peur d'être indiscret.

— Vous êtes la mère d'Ian ? poursuivit-il, pour prolonger la conversation.

Elle acquiesça.

— J'espère qu'il n'est pas trop dans vos jambes.

Aubert sourit.

— Jamais de la vie !

Il frotta la tête d'Ian.

— C'est un bon garçon, et il a du plomb dans la cervelle.

Rassurée par le ton chaleureux de l'homme, et par l'affection sincère qu'il semblait avoir pour son fils, Amanda eut son premier sourire. Encouragé, Aubert renchérit :

— Ian m'a dit que vous habitez pas loin d'ici ?

Amanda redevint circonspecte.

— En effet.

Sentant qu'il avait poussé sa curiosité un peu trop loin, le chef de chantier ajouta :

— En tout cas, si vous avez besoin de quoi que ce soit, n'hésitez surtout pas à faire appel à moi.

Il fit un salut timide de la tête puis s'apprêta à retourner vers le bateau en construction, mais Amanda le retint.

— Monsieur Aubert…

Il se tourna vers elle.

— En chemin, je suis passée devant une fabrique de voiles.

Elle hésita, ne voulant rien devoir à personne, puis elle poursuivit :

— Je me cherche du travail. Savez-vous si on embauche ?

Le visage de l'homme s'éclaira.

— Ma sœur Louison travaille à la fabrique Thompson depuis une quinzaine d'années. Je vous promets de lui en glisser un mot. Revenez me voir dans une couple de jours.

— Merci.

Il salua de nouveau Amanda, fit un clin d'œil à Ian et, le cœur plus léger, se dirigea vers une passerelle qui menait à l'échafaudage du brigantin. Le fait que la jeune femme lui ait demandé son aide lui semblait de bon augure. S'il réussissait à lui trouver un emploi, cela ne manquerait pas de créer un lien entre eux. Il se surprit lui-même de ces pensées. Après que sa femme Rose fut morte en couches, plus de trois ans auparavant, donnant naissance à un garçon qui n'avait vécu que quelques jours, Martin ne s'était pas remarié. Pourtant, les veuves ne manquaient pas, et certaines d'entre elles auraient sans doute fait d'excellentes épouses, mais le souvenir de Rose était encore trop présent pour qu'il s'intéressât à elles. Sauf depuis qu'il avait rencontré Maureen Gallagher. *La belle « Gallagué »*…

Lorsqu'il rentra chez lui, il trouva la maison triste, sans vie. Pour la première fois depuis la mort de sa femme, il se prit à rêver d'une présence féminine qui égaierait ces pièces vides. Après avoir allumé le poêle et fait chauffer un reste de bouilli qu'il avait préparé la veille, il décida de rendre visite à sa sœur aînée.

~

Un quinquet était allumé devant le portique d'une maison de planches qui surmontait la baie de Courtenay. Martin Aubert descendit de sa carriole, attacha son cheval à la clôture. Lorsqu'il y entra, il fut accueilli par les cris de joie du benjamin, Fabien, qui était âgé de onze ans. Bella, la fille aînée, terminait de laver la vaisselle dans une bassine remplie d'eau chaude.

— Où est ta mère ? demanda Martin après avoir embrassé les deux enfants.

Bella jeta un regard entendu à son oncle.

— À jongler devant la mer, comme d'habitude.

Martin se rendit derrière la maison. Louison était debout devant la baie. Les pans de sa robe battaient au vent. Il s'approcha de sa sœur et s'arrêta à sa hauteur. Le fracas des vagues contre les rochers était assourdissant. Un phare projetait une lumière oblique sur l'écume des vagues. Sentant une présence, Louison tourna la tête. Elle avait un beau visage, serti de rides.

— Il va revenir, tu sais, dit-elle, avec une lueur de défi dans ses yeux bleus.

Martin ne répondit pas. À quoi bon lui enlever ses illusions, si elles l'aidaient à vivre ?

Il lui parla d'Ian.

— Le garçon qui est toujours dans tes jambes ? demanda-t-elle avec un demi-sourire.

— Sa mère cherche du travail. Je me demandais s'il y aurait pas une place à la manufacture.

Louison regarda son frère du coin de l'œil.

— Elle est jolie ?

Martin protesta.

— Arrête de m'étriver, je l'ai vue à peine deux fois.

Sa sœur lui frotta gentiment le dos.

— Je te blâme pas. Ça fait trois ans que tu pleures ta Rose. Toutes les veuves de la baie sont au désespoir.

Il ne put s'empêcher de sourire à son tour. Toute sa réserve avait fondu.

— C'est l'Irlandaise.

— Maureen « Gallagué » ?

Il acquiesça.

— Une peau blanche comme du lait. Des yeux à faire pâlir les étoiles.

Louison fut étonnée de la ferveur avec laquelle son frère parlait d'une femme que, de son propre aveu, il venait à peine de rencontrer. Même Rose, qu'il avait pourtant aimée de tout son cœur, n'avait pas eu droit à autant d'éloges en vingt ans de mariage. Cela l'agaça un peu, mais d'un autre côté elle était heureuse de voir la joie faire enfin pétiller les yeux de Martin.

— Une de nos ouvrières est à la veille d'accoucher. On a besoin d'une couturière pour la remplacer pendant quelque temps.

Je vais causer de ta Maureen avec le contremaître. J'espère qu'elle sait coudre, au moins !

~

Deux jours plus tard, Martin Aubert était en train de surveiller la construction de la coque du brigantin lorsqu'il aperçut Maureen Gallagher qui s'approchait. Il confia le chantier à son adjoint et alla à la rencontre de la jeune femme.

— J'ai de bonnes nouvelles, lui dit-il.

Il lui apprit que sa sœur Louison avait parlé d'elle au contremaître, et qu'elle serait prise à l'essai.

— Savez-vous coudre ? demanda-t-il, embarrassé.

— Bien sûr. J'ai appris…

Elle faillit dire « à l'abri Sainte-Madeleine » mais se retint à temps.

— J'ai appris à coudre chez les religieuses.

Il s'offrit à l'accompagner jusqu'à la fabrique afin de lui présenter sa sœur. En chemin, il lui expliqua que le contremaître, Joël Bricard, un ancien officier de marine de Saint-Malo, menait l'atelier comme l'équipage d'un bateau, mais que ce n'était pas un mauvais bougre et qu'il connaissait les voiliers comme le fond de sa poche. Quant au propriétaire, Douglas Thompson, qui possédait également le chantier naval, c'était le fils d'un loyaliste d'origine américaine qui avait fui les États-Unis durant la guerre d'Indépendance et s'était installé au Nouveau-Brunswick. Thompson avait la réputation d'être impitoyable en affaires, mais il traitait ses employés avec équité et, jusque-là, personne n'avait eu à se plaindre de lui. Il donnait généreusement aux bonnes œuvres et s'occupait avec dévouement de sa femme, d'origine acadienne, qui avait perdu l'usage de ses jambes à la suite d'une chute de cheval. D'après la rumeur, Thompson n'avait qu'un fils, Stephen, un orangiste fanatique, qui avait appris le français enfant, grâce à sa mère, mais refusait obstinément de le parler. Il avait la réputation d'être un débauché et un ivrogne, mais son père avait usé de ses relations pour lui obtenir un grade de lieutenant dans l'armée britannique.

Martin Aubert parlait un peu trop vite, comme s'il tentait de masquer son émoi. Amanda s'en était rendu compte, mais elle préféra mettre cette volubilité sur le compte de la timidité. Il n'y avait de place dans son existence pour rien d'autre que son fils, et un travail qui leur permettrait de vivre décemment. L'amour ne lui avait apporté que chagrins et désillusions ; elle s'en tenait loin.

Lorsqu'ils parvinrent à la fabrique, Aubert présenta Maureen Gallagher au contremaître. Joël Bricard était un homme petit mais râblé, aux mains longues et au regard perçant. Il scruta la nouvelle venue d'un œil sévère.

— Avez-vous déjà fabriqué des voiles ?

Nerveux, Martin Aubert répondit à sa place.

— Non, mais elle sait coudre. Elle a appris chez les religieuses.

Le contremaître l'ignora et continua à s'adresser à la jeune femme :

— Avez-vous perdu votre langue, mademoiselle ?

Amanda soutint son regard.

— Je n'ai jamais fabriqué de voiles, mais suis bonne couturière, je n'ai pas peur de l'ouvrage et j'apprends vite.

Bricard braquait toujours ses yeux sur elle, comme s'il voulait la mettre à l'épreuve. Puis, semblant satisfait de son inspection, il lui dit sèchement :

— Suivez-moi.

Il la prit par le bras avec autorité et la conduisit vers le fond de l'atelier. C'est à peine si Amanda eut le temps de remercier Martin Aubert, qui dut repartir, visiblement déçu de n'avoir pu présenter la jeune femme à sa sœur. Celle-ci, installée derrière une longue table, était en train d'assembler deux laizes de toile de coton lorsque le contremaître l'interpella.

— Voici la recrue, Louison. Je compte sur vous pour en faire une bonne assembleuse.

Il les laissa pour aller houspiller une jeune ouvrière. Louison leva les yeux vers la femme dont lui avait parlé son frère avec tant d'éloquence. Sa première impression fut favorable. Maureen « Gallagué » avait un visage franc, une mine déterminée, et son frère n'avait pas eu tort en prétendant qu'elle avait de beaux yeux, « qui feraient pâlir les étoiles ».

— T'en fais pas, dit-elle à mi-voix, le *boss* jappe fort, mais il a bon cœur.

Amanda ne put s'empêcher de sourire. Louison lui fit signe de s'asseoir à côté d'elle et lui montra les laizes de coton qu'elle était en train d'assembler.

— Tu verras, ça semble un peu compliqué au début, mais c'est pas sorcier. L'important, c'est de bien aligner les morceaux de toile, puis d'avoir un point régulier.

Elle en fit la démonstration à Amanda, qui observa chacun de ses gestes avec attention.

— Tu risques de te piquer souvent avec l'aiguille, au début, poursuivit Louison, mais on s'habitue. Si tu suis mes conseils, tu vas devenir la meilleure assembleuse de l'atelier, à part moi, ajouta-t-elle avec un plissement gentiment moqueur des paupières.

Touchée par la générosité de la sœur de Martin Aubert, et par son humour bon enfant, Amanda voulut se mettre aussitôt au travail. Comme l'avait prédit Louison, elle se piqua le doigt plus souvent qu'à son tour, tellement la toile était épaisse, mais elle apprenait vite. En quelques heures, Amanda fut capable d'assembler deux laizes sans faire une seule erreur. Louison, qui surveillait son travail du coin de l'œil tout en faisant le sien, n'en revenait pas de l'habileté et de la rapidité d'exécution de son apprentie. Même le contremaître, qui vint l'observer avant la sonnerie de la cloche annonçant la fin de la journée, ne trouva presque rien à redire, sinon que certains points n'étaient pas assez solides et laissaient voir un peu de jour à travers la toile.

— Revenez demain. Le travail commence à sept heures précises. Je ne tolère aucun retard.

Amanda retint une exclamation de joie tandis que Louison lui serrait discrètement une main. En rentrant chez elle à pied, la jeune femme s'arrêta en route pour admirer le coucher de soleil qui faisait flamber la baie. Sa famille était dispersée. Fanette vivait loin d'elle. Son frère Arthur était mort, et Dieu sait ce qui était advenu de son frère Sean. Mais elle avait le sentiment qu'ici, sur ces côtes battues par le vent, elle finirait peut-être par trouver un peu de bonheur.

Quatrième partie

Une macabre découverte

XXII

Québec
Mi-mai 1861

Une queue d'indigents s'était formée devant une table où une énorme marmite avait été déposée. Emma, une louche à la main, servait de la soupe tandis que Fanette se trouvait au chevet d'une vieille dame, qu'elle aidait à se nourrir. Le docteur Lanthier refaisait le pansement d'un jeune homme qui avait perdu une jambe lors d'un accident survenu dans un chantier naval et qui, depuis, en avait été réduit à quémander pour survivre.

Grâce à une partie de la somme qu'Alistair Gilmour lui avait remise, Emma avait pu ouvrir de nouveau son cher refuge, qu'elle avait surnommé « le Bon Samaritain » en l'honneur du donateur. Quant au reste de l'argent, il avait servi à la reconstruction du domaine, qui se faisait sous la surveillance de monsieur Dolbeau. Celui-ci avait loué une chambre dans une ferme voisine. Emma avait insisté pour lui verser un salaire, mais il avait obstinément refusé, ne demandant qu'un peu d'argent pour payer son gîte et son couvert. De temps en temps, Emma se rendait à Portelance pour y visiter le chantier. Quelle joie elle éprouvait en observant les progrès accomplis !

À la fin de la journée, Fanette quitta le refuge afin d'aller chercher Marie-Rosalie, qu'elle avait laissée chez madame Johnson. La voisine l'accueillit avec le sourire et la prit discrètement à part.

— J'ai une lettre pour vous.

Fanette s'en empara, tout heureuse. Elle n'avait reçu aucune nouvelle d'Amanda depuis sa dernière lettre, l'automne précédent, et elle s'était fait un sang d'encre à son sujet. Profitant de ce que madame Johnson nettoyait les mains de la fillette ainsi que son tablier, tachés par de la peinture à l'eau, Fanette se dépêcha d'ouvrir la missive.

Le 20 avril 1861

Ma Fanette adorée,

Comme tu me manques ! Il n'y a pas une journée où je ne pense pas à toi. Si je ne t'ai pas écrit durant ces longs mois d'hiver, c'est par crainte que mes lettres soient interceptées. La dernière chose que je souhaite, c'est de te compromettre de quelque façon que ce soit. Mais je ne pouvais me résigner à te laisser plus longtemps sans nouvelles.

Nous avons été littéralement ensevelis sous la neige depuis le mois d'octobre, de sorte que les routes ont été impraticables pendant de longues périodes. Certains jours, les bancs de neige étaient si hauts qu'on se serait cru environné de montagnes blanches. Le printemps a été accueilli comme une sorte de miracle.

Je me suis trouvé un emploi, grâce à Martin Aubert, un habitant du village où je vis maintenant, et à sa sœur, qui travaille chez un fabricant de voiles. J'étais à bout de ressources, ce travail arrive donc à point. Martin Aubert, qui gère un chantier naval, a pris Ian sous son aile. C'est un homme bon et affable. Je commence à m'attacher à ce beau coin de pays. Les gens y sont aimables et généreux.

J'espère que tu te portes bien et que la vie t'apporte le bonheur que tu mérites. Tu peux dorénavant m'écrire, poste restante, au village d'Alma, Nouveau-Brunswick, et adresser tes lettres à Maureen Gallagher. Je sais que je peux compter sur ta discrétion.

Je t'embrasse et t'aime de tout mon cœur,

Amanda

P.-S. Pardonne-moi ce que tu jugeras peut-être comme un excès de prudence, mais il vaudrait mieux que tu détruises mes lettres au fur et à mesure que tu les reçois. On ne sait jamais entre quelles mains elles pourraient tomber.

Les derniers mots assombrirent la joie que Fanette avait éprouvée en recevant des nouvelles de sa sœur. Fallait-il qu'elle soit toujours condamnée à se départir de ce qui avait le plus de prix à ses yeux ? Elle respira la missive, comme s'il y avait un peu d'Amanda dans l'odeur d'encre et de papier, puis la relut.

Qui était cette Maureen Gallagher ? Probablement une voisine. Ou peut-être s'agissait-il de la nouvelle identité d'Amanda. Celle-ci avait recouvré sa liberté, mais elle demeurait une fugitive. « Je commence à m'attacher à ce beau coin de pays. Les gens y sont aimables et généreux. » Fanette se demanda jusqu'à quel point Martin Aubert, le gérant de chantier qu'Amanda avait mentionné, était pour quelque chose dans cet attachement que sa sœur éprouvait pour sa nouvelle patrie. Se pouvait-il qu'elle soit amoureuse ? La pensée d'Alistair Gilmour lui traversa l'esprit. Il ne lui avait pas donné signe de vie depuis son départ pour l'Écosse, huit mois auparavant. Huit longs mois sans savoir ce qu'il était devenu. Le mariage lui apparaissait maintenant comme un mirage. Le souvenir de son baiser, de sa voix douce alors qu'il lui chantait à l'oreille, s'était peu à peu estompé. Même les traits de son visage étaient devenus flous. Seules quelques paroles étaient restées.

And when Irish eyes are smiling,
Sure, they steal your heart away.

Certains soirs d'hiver, lorsque la neige couvrait les rues et les maisons d'une chape blanche, Fanette écoutait le vent âpre qui hululait dans la cheminée et se disait qu'Alistair était peut-être mort. Ou bien qu'il était tombé amoureux d'une autre femme et l'avait oubliée. Elle sentit une petite main se poser sur son bras.

— Maman, qu'est-ce que tu lis ?

Fanette glissa la lettre d'Amanda dans une poche de sa jupe. Elle avait expliqué à Marie-Rosalie que sa tante Amanda et son cousin Ian étaient partis pour un long voyage, lui cachant évidemment la vérité sur l'emprisonnement d'Amanda et sa fuite.

— Une lettre de ta tante. Allez, petite curieuse, nous retournons à la maison.

De retour chez elle, Fanette écrivit une lettre à Amanda.

Le 14 mai 1861

Mon Amanda bien-aimée,

Quel bonheur de recevoir ta lettre datée du 20 avril dernier et de pouvoir enfin t'écrire ! À Québec, l'hiver a été froid et interminable. Au mois de février, la neige a même entièrement couvert les fenêtres du rez-de-chaussée, à tel point que, même en plein jour, il fallait allumer les lampes dans la maison.

J'ai été bouleversée d'apprendre que notre petit frère Arthur a succombé au typhus. J'ai gardé le souvenir d'un garçon plein de vie, qui ne tenait pas en place et qu'il fallait toujours surveiller pour qu'il ne fasse pas de bêtises. Pauvre petit, enterré si loin des siens… Cette seule pensée me brise le cœur. Quant à Sean, je ne sais pas pourquoi, mais j'ai bon espoir qu'il soit toujours vivant. Je continue à croire qu'un jour ce qui reste de notre famille sera enfin réuni.

Je suis heureuse de vous savoir en sécurité, toi et ton fils, et d'apprendre que tu as réussi à trouver du travail. Ce Martin Aubert dont tu parles dans ta lettre me semble être quelqu'un de bien.

Pour ma part, j'ai reçu une proposition de mariage d'Alistair Gilmour, en septembre dernier. J'ai accepté de l'épouser. Entre-temps, il a quitté Québec pour se rendre en Irlande afin d'y régler des affaires. Je n'ai toujours pas de ses nouvelles, mais j'ose espérer qu'il ne lui est rien arrivé de fâcheux et qu'il sera de retour sous peu.

Fanette cessa d'écrire, songeant à quel point les mots n'arrivaient pas à exprimer ses véritables sentiments. C'était peut-être la crainte d'inquiéter Amanda qui lui dictait ces paroles neutres. Comme elle aurait souhaité pouvoir tenir sa sœur dans ses bras, lui confier de vive voix ses doutes, ses craintes, ses espoirs ! Son absence lui pesa encore plus cruellement que d'habitude. Elle continua toutefois d'écrire, sachant que c'était le seul moyen qui lui restait de communiquer avec sa sœur.

> Je ne me résoudrai pas sans peine à détruire tes lettres, qui sont tout ce que j'ai de toi. Mais tu as raison de me conseiller la prudence. Le coroner Duchesne a failli intercepter ton télégramme. Heureusement, le pire a pu être évité. Madame Johnson a beau être fiable, il ne faut pas continuer à prendre de risques. Désormais, envoie tes lettres à la poste restante de la haute ville, rue Grande-Allée ; le bureau a l'avantage d'être éloigné de notre quartier. J'y posterai également les lettres qui te sont destinées.
>
> Quant à Marie-Rosalie et à Emma, elles se portent toutes deux à merveille.
>
> Mes pensées les plus douces t'accompagnent.
>
> Avec toute mon affection,
>
> Ta Fanette

Fanette glissa la lettre dans une enveloppe, qu'elle cacheta et rangea dans sa bourse, avec l'intention de l'apporter le lendemain matin au bureau de poste de la Grande Allée. Normalement, Emma et elle postaient leurs lettres à un bureau situé dans la rue Saint-Pierre, à quelques pas de chez elles, mais les craintes d'Amanda avaient éveillé les siennes. Le coroner avait peut-être donné ordre d'intercepter non seulement les lettres que Fanette recevait, mais également celles qu'elle envoyait.

Il lui restait une dernière chose à accomplir. Prenant une clé qu'elle gardait toujours sur elle, Fanette ouvrit un tiroir de son secrétaire et en retira le télégramme et la lettre que sa sœur lui avait envoyés, quelques mois auparavant. Elle les relut à plusieurs reprises, comme pour s'imprégner de chaque mot, puis y joignit la dernière lettre d'Amanda. Elle descendit ensuite à la cuisine. Emma avait commencé à faire les préparatifs du souper tout en surveillant du coin de l'œil Marie-Rosalie qui, installée à la table, s'amusait à feuilleter un vieil almanach.

Fanette s'approcha du poêle et en ouvrit la porte. Des braises y rougeoyaient. Elle hésita, puis jeta les lettres sur les escarbilles. Les feuilles de papier grésillèrent, puis se tordirent dans des flammes jaune et orange. Fanette referma aussitôt la porte du poêle, avec le sentiment d'avoir perdu une partie d'elle-même.

⁓

Lucien Latourelle récita son poème sans entrain. Même les applaudissements nourris qui suivirent sa prestation le laissèrent froid. Il était las de voir toujours les mêmes visages, ces bas-bleus qui se targuaient d'aimer la poésie et qui n'y connaissaient rien, ou ces jeunes oies blanches qui lui faisaient les yeux doux en agitant leur éventail ; ces bourgeois cravatés et chauves qui fréquentaient le salon de Marguerite parce qu'il était « de bon ton » de s'y montrer, mais qui cognaient des clous pendant ses récitations. Tous ces gens sentaient la province à plein nez et lui levaient le cœur. Marguerite elle-même commençait à l'irriter. Les mille et une attentions qu'elle avait pour lui, ses étreintes passionnées dans la demi-pénombre de son boudoir, ses cadeaux extravagants, tout cela l'avait d'abord ébloui. Puis ces attentions, ces étreintes, ces cadeaux lui étaient apparus peu à peu comme des chaînes dorées. Elle s'était immiscée dans chaque aspect de sa vie, choisissant ses habits, corrigeant son maintien et sa diction, le conseillant même sur ses lectures et ses fréquentations. Il avait le sentiment désagréable d'être devenu une sorte de marionnette, que Marguerite manipulait à sa guise. Il se sentait dépossédé de lui-même.

Cette prise de conscience lui avait fait voir des détails qu'il n'aurait pas remarqués auparavant. La manie qu'avait sa maîtresse, par exemple, de toujours éteindre les lumières avant qu'ils s'enlacent, ou de les tamiser à un point où il n'arrivait plus à bien distinguer les traits de son visage. La différence d'âge, qui l'avait tant charmé au début de leur relation – car elle était un gage de maturité et d'expérience –, lui paraissait maintenant comme un fossé infranchissable. Ce n'étaient pas tant les rides, qui formaient des étoiles au coin des yeux de Marguerite, le léger affaissement du menton, les parenthèses sous ses joues qui l'éloignaient d'elle. Ces marques de l'âge l'émouvaient plutôt. Non, c'était la conscience que Marguerite pourrait être sa mère qui lui pesait de plus en plus. Celle-ci s'était toujours refusé à lui révéler son âge, mais Lucien présumait qu'elle devait avoir dans la mi-quarantaine, s'il en jugeait par sa fille, à qui il aurait donné vingt-deux ou vingt-trois ans. *Quarante-cinq ans*. Plus d'un quart de siècle les séparait. Parfois, lorsqu'il l'embrassait, il avait l'impression désagréable d'embrasser sa propre mère. Étant très sensible au jugement d'autrui, il avait cru déceler du sarcasme dans le regard que portaient sur lui certains invités. Il avait même surpris une conversation où l'on se moquait du « petit caniche blond de madame Grandmont ». Son humiliation avait été telle qu'il avait quitté le salon sans saluer Marguerite. Il n'était pas retourné chez elle pendant les jours qui avaient suivi, bien qu'elle lui ait écrit chaque jour des messages de plus en plus désespérés. Même les parents de Lucien, qui tenaient un petit commerce de chaussures à Sillery et habitaient au-dessus de leur magasin avec leur fils unique, commençaient à s'inquiéter de sa mine sombre, et des nombreux messages qui lui étaient livrés par ce valet portant un uniforme de soie bleue galonné d'or et qui avait fait sensation dans le quartier. Le poète leur avait parlé de madame Grandmont et du fait qu'elle « encourageait son talent », mais il ne leur avait bien sûr jamais avoué qu'il avait une liaison avec sa bienfaitrice. Son père, un homme de petite taille au crâne dégarni, avait fini par prendre Lucien à part et avait tenté d'avoir une conversation « d'homme à homme » avec lui, pressé par sa femme, qui se faisait du mauvais sang pour son garçon. Qui lui envoyait tous ces messages ? S'agissait-il de la dame chez laquelle il passait de plus en plus de temps ? lui avait-il demandé avec embarras. Le jeune homme s'était contenté de dire que madame Grandmont souhaitait qu'il présente une nouvelle œuvre pour l'un de ses Jeudis, mais qu'il n'avait aucune inspiration. Son père l'avait regardé comme s'il parlait chinois. Jamais il n'avait compris le penchant de son fils pour les arts, qu'il appelait du « pelletage de nuages », lui dont l'existence était entièrement consacrée à la satisfaction de sa clientèle et à ses modestes profits. Quant à sa mère, qui avait reçu une bonne éducation chez les Ursulines, elle comprenait davantage les aspirations de Lucien, mais pressentait que la relation de celui-ci avec madame Grandmont dépassait les simples relations de convenance et s'en inquiétait grandement.

Après une semaine sans donner de nouvelles à Marguerite, Lucien s'était finalement décidé à lui rendre visite, avec la ferme intention de rompre. Lorsqu'il était entré dans son boudoir et avait vu son beau visage couvert de larmes, ses bras blancs comme du marbre tendus vers lui, sa résolution avait fondu comme neige au soleil, et il n'avait pas eu le courage de passer aux actes.

Les applaudissements s'étiolèrent. Lucien salua poliment mais sans enthousiasme. Il s'apprêtait à retourner à sa place lorsque son attention fut captée par un regard rivé sur lui. De grands yeux noisette le fixaient. *Rosalie Grandmont*. Ce n'était pas la première fois qu'il remarquait le manège de la jeune femme, mais il fut plus frappé que d'habitude par l'intensité de ce regard, et par la beauté de ces yeux, qui avaient la teinte d'un lac profond. Il la trouva presque jolie, malgré son visage étroit et pâle, et sa silhouette frêle. Il n'avait pas oublié l'« épisode de la chute » – comme il l'avait surnommé – lorsque Rosalie était tombée et qu'il l'avait soulevée dans ses bras afin de la ramener dans sa chambre. Elle l'avait fixé avec ce même regard à la fois intense et doux, et il en avait été touché. Quelle solitude devait être celle de cette jeune femme qui, à cause de son infirmité, s'asseyait toujours à l'écart, discrète dans sa robe terne, et qui ne parlait jamais à personne. Cette pensée provoqua chez lui un élan de compassion qui effaça sa morosité.

Tandis que les premières notes d'un concerto pour piano remplissaient le salon, il regarda de nouveau dans la direction de la jeune femme et se rendit compte avec étonnement qu'elle n'était plus assise dans son fauteuil habituel. Il la chercha des yeux, mais elle avait disparu. Elle était sans doute montée à sa chambre. Une étrange déception l'envahit. Par une impulsion qu'il ne comprenait pas lui-même, il se mit à sa recherche. Ne la trouvant pas, il sortit dans le jardin.

La lune commençait à décroître mais éclairait suffisamment le jardin pour que Lucien puisse distinguer le sentier bordé de buissons et d'arbres qui le traversait. La nuit était douce. Un parfum suave de lilas et de fleurs de pommiers embaumait l'air. Il se sentait triste, mais de cette tristesse qui rend presque heureux. En levant la tête, il aperçut une fenêtre éclairée au premier étage. Une silhouette était courbée au-dessus de ce qui semblait être un secrétaire. Il reconnut Rosalie. Son profil délicat se dessinait dans une lumière dorée, telle une enluminure. Un sentiment qu'il n'avait jamais éprouvé le saisit tout entier. Il ressentait de la compassion pour la jeune femme, mais surtout un vif désir de la protéger. Il lui sembla que ce carré de lumière lui ouvrait soudain un chemin encore inconnu, celui du don de soi, la forme la plus noble de l'amour. Il resta un moment dans l'air du soir, la poitrine gonflée par ce sentiment nouveau. Sans savoir ce que lui réservait l'avenir, il en voyait plus clairement les contours.

~

Rosalie, attablée à un secrétaire en merisier, écrivait rapidement, sans se relire.

Cher journal,
Ce soir, il m'a regardée. Oh, la douceur de son regard, comme une caresse ! Je me suis retournée à plusieurs

reprises, convaincue que ce regard ne pouvait m'être destiné, mais il n'y avait derrière moi que de vieux messieurs. C'est bien moi que Lucien regardait. Est-ce possible que cet être d'exception daigne s'intéresser à ma petite personne insignifiante et sans grâce, alors que les plus jolies femmes de Québec ne fréquentent le salon de ma mère que pour lui ?

L'amour est une étrange chose. J'étais si bouleversée d'être l'objet de son attention qu'il m'a été impossible de rester au salon, comme si je craignais que ce regard de Lucien n'ait été qu'une illusion. Je me suis réfugiée dans ma chambre, et je me suis empressée de me confier à toi, cher journal. Ainsi, ce moment de pure joie sera inscrit à jamais dans ces lignes et, lorsque je serai une vieille dame, je les relirai en me disant : « Les yeux du beau Lucien Latourelle se sont posés sur moi, jadis. »

Rosalie referma son journal, le rangea soigneusement dans un tiroir de sa commode, sous des vêtements, puis fit quelques pas vers la fenêtre de sa chambre pour y contempler le jardin. Elle ouvrit la croisée et respira l'air parfumé du soir. Quelqu'un se tenait debout en contrebas, non loin de sa fenêtre. Son beau visage était éclairé par un rayon de lune. *Mon Dieu, c'est Lucien*. Elle ne fit pas un geste, comme hypnotisée. Le jeune homme leva la tête vers elle. Puis il fit un geste dont l'audace la stupéfia : il lui envoya un baiser de la main. Rosalie referma aussitôt les volets, le cœur affolé. Cette fois, il ne pouvait y avoir de doute. C'était bien à elle que le poète avait envoyé un baiser. Il l'aimait donc ? Elle n'osa retourner à sa fenêtre, mais la joie qu'elle ressentait était si vive qu'elle était presque douloureuse. *Il m'aime, il m'aime, Lucien m'aime*. Les mots dansaient dans sa tête comme une sarabande. *Lucien*. Ce prénom résumait à lui seul son bonheur.

XXIII

La tempête fait rage. Des vagues dantesques déferlent sur le pont et s'y écrasent avec fracas. Une pluie drue tombe comme un rideau devant ses yeux et l'aveugle. Quelqu'un s'avance vers elle, luttant contre les torrents d'eau qui s'abattent sur lui. Ses cheveux roux tombent sur ses épaules ruisselantes. Alistair. Elle tente de s'approcher de lui, mais ses jambes, lourdes comme du plomb, semblent paralysées. Une vague aussi haute qu'une montagne roule derrière lui. Elle veut l'avertir, mais aucun son ne franchit sa gorge. La vague s'écrase sur Alistair et l'emporte par-dessus bord comme un fétu de paille. Elle se penche au-dessus du bastingage et ne voit qu'un tourbillon de vagues et d'écume.

Fanette se réveilla brusquement, en nage. Le mauvais rêve avait été si réel qu'il lui semblait entendre encore le fracas des vagues. La pluie martelait les carreaux de la fenêtre, à travers laquelle se profilait un jour gris. Fanette se leva et mit sa robe de chambre, les yeux encore embrouillés par le sommeil. Elle ne croyait pas à la prémonition, mais ce cauchemar révélait à tout le moins ses craintes. Sans le dire à Emma, elle scrutait chaque jour les journaux, appréhendant d'y trouver la nouvelle d'un naufrage dans lequel Alistair aurait péri. Elle savait que de tels accidents arrivaient rarement, mais c'était plus fort qu'elle. *Au fond, je ne veux pas admettre qu'Alistair m'a tout simplement oubliée.* Lorsqu'elle entra dans la chambre de sa fille, celle-ci, assise dans son lit à ridelles, jouait avec sa poupée. Cette vue rasséréna Fanette. C'est pour Marie-Rosalie qu'il fallait vivre, continuer à se battre, croire en la beauté de l'existence. Elle s'approcha de l'enfant, la souleva dans ses bras et la serra très fort contre elle.

Après avoir aidé la fillette à s'habiller, Fanette se rendit avec elle dans la cuisine. Emma, debout devant le poêle, faisait du café. Avisant un journal sur la table, Fanette ne put s'empêcher d'y jeter un coup d'œil. Une manchette attira son attention. « Un navire périt corps et biens à une centaine de milles des côtes de Québec. »

La gorge nouée par l'angoisse, Fanette lut l'article qui suivait le grand titre, dont l'auteur était Oscar Lemoyne.

« Le *Tempest*, un voilier qui partait de Liverpool et devait faire le voyage jusqu'à Québec, a fait naufrage dans l'Atlantique, à une centaine de milles au large de Québec. D'après les renseignements que nous avons pu obtenir, il n'y a eu aucun survivant. Un violent orage aurait été la cause de ce terrible accident. Le navire avait à son bord un peu plus de deux cents passagers, en comptant les membres de l'équipage. Le capitaine du brigantin, Léopold Frazer, aurait péri avec tous ses hommes. Pour le moment, aucun corps n'a été retrouvé. »

Fanette replia lentement le journal. La main de sa mère se posa sur la sienne.

— Rien ne dit qu'Alistair Gilmour était sur ce navire, dit Emma, qui avait observé la jeune femme et avait compris la cause de son inquiétude.

Fanette demeura silencieuse. *Rien ne dit qu'il n'y était pas.*

~

Il pleuvait à verse. Après avoir attelé son Phaéton, Fanette en remonta le toit rétractable pour se garder au sec. Elle conduisit sa fille chez madame Johnson, puis se rendit au bureau de poste situé dans la Grande Allée afin d'y poster sa lettre à Amanda. La pluie tambourinait sur le toit de la voiture et ruisselait le long des trottoirs. Il fallait conduire avec prudence, car la chaussée était glissante et la visibilité, très réduite.

En franchissant la porte Saint-Louis, Fanette décida sur un coup de tête de se rendre au port. Il lui fallait en avoir le cœur net. Elle passa devant le refuge du Bon Samaritain sans s'y arrêter et s'engagea dans la côte de la Montagne qui menait vers la basse ville, puis dans la rue Dalhousie. La pluie s'était transformée en une bruine froide couvrant les quais et les installations portuaires d'une sorte de voile gris. C'est à peine si l'on pouvait distinguer les mâts des navires amarrés le long des quais. Fanette gara son Phaéton devant les bureaux administratifs du port. Munie d'un parapluie, elle descendit de sa voiture et se dirigea vers l'immeuble.

Le cliquetis du télégraphe remplissait la grande pièce lambrissée de bois. Fanette secoua son parapluie et s'approcha d'un comptoir. Un jeune homme portant l'uniforme des employés du port était installé à un bureau et envoyait un télégramme. Sentant une présence, il leva les yeux. Fanette lui demanda s'il y avait des nouvelles concernant le navire *Tempest*, dont elle venait d'apprendre le naufrage dans le journal. Le jeune commis secoua la tête, la mine désolée.

— Nous n'avons aucun renseignement nouveau pour le moment.

— Puis-je voir la liste des passagers ?

— Bien entendu. Veuillez patienter un instant.

L'employé termina son télégramme, puis se leva et consulta un grand registre dans lequel étaient consignés les noms des passagers des navires qui partaient et accostaient au port. Il finit par trouver ce qu'il cherchait.

— Voici deux listes pour le *Tempest*. La première indique l'équipage et la deuxième, les passagers.

Il déposa le registre devant Fanette, qui le parcourut. Les passagers étaient inscrits par ordre alphabétique. Aubin, Bertrand, Breton, Dandurand, Donovan… Les noms défilaient devant ses yeux, lui donnant le vertige. Faucher, Finn, Gauthier, Gibeault, *Gilmour*.

Son sang se retira de son visage. Elle relut le nom pour s'assurer qu'elle n'avait pas fait erreur.

« Gilmour, Alistair. Occupation : marchand naval. Port de départ : Liverpool. Port d'arrivée : Québec. Cabine individuelle. »

Remerciant l'employé d'une voix blanche, Fanette quitta le bureau, engourdie par le chagrin. Il n'y avait plus de doute possible. Alistair Gilmour était à bord du *Tempest* et avait péri en mer. Son mauvais rêve était devenu réalité.

Ouvrant son parapluie, Fanette se dirigea à pas lents vers sa voiture. Elle entendit à peine les cris qui montaient des quais. Une petite goélette était en train d'accoster. Des marins s'activaient sur le pont, effectuant les manœuvres d'accostage, tandis que des employés du port amarraient le navire. Un marin croisa Fanette en courant et entra en flèche dans l'immeuble. Se demandant ce qui était la cause de ce brouhaha, la jeune femme tourna les yeux vers les quais. Une vingtaine de personnes, des hommes, des femmes et quelques enfants, s'étaient rassemblés sur le pont de la goélette, près d'une passerelle qui venait d'être installée. Ils semblaient avoir froid, malgré la couverture qu'ils portaient sur leurs épaules. Elle remarqua l'un des passagers, qui dépassait les autres d'une bonne tête. Tenant son parapluie d'une main, elle saisit sa jupe de l'autre et se mit à marcher à pas rapides, le souffle court. L'écho des voix, mêlé aux grincements des poulies et des cordages, devenait plus distinct. Les passagers commencèrent à franchir la passerelle. Certains d'entre eux, trop faibles pour marcher sans aide, étaient soutenus par des marins. Bientôt, Fanette put distinguer leurs visages pâles et exsangues. Elle s'adressa à un marin qui était en train de consolider une amarre.

— Qui sont ces gens ?

— Des rescapés du *Tempest*, répondit l'homme.

C'est alors qu'elle l'aperçut. Il aidait un homme plus âgé à marcher. Ses cheveux roux étaient attachés, et il portait un bandage autour de la tête. Son visage était amaigri. Elle tenta de prononcer son nom mais en fut incapable, comme dans son rêve. Il leva les yeux vers elle. Il y avait dans son regard une gravité qu'elle ne lui avait jamais vue auparavant. Elle s'approcha de la passerelle. Ils ne se quittaient pas des yeux. Confiant le passager qu'il soutenait toujours à un membre de l'équipage, Alistair s'avança vers la jeune femme. Il boitait légèrement. S'arrêtant à sa hauteur, il la regarda longuement, sans parler. Ses lèvres étaient bleuies par le froid. Elle fut la première à briser le silence.

— Tu es vivant.

— Tu m'as attendu.

Ils s'enlacèrent. Fanette sentit la joue rugueuse et humide d'Alistair contre la sienne. *Il est vivant.*

XXIV

Debout sur un tabouret dans sa chambre, Fanette se tenait droite et immobile tandis que la couturière, madame Vanasse, fixait des épingles sur l'ourlet de sa robe. C'était la même couturière qui avait confectionné le trousseau de Fanette lorsque celle-ci avait été admise comme pensionnaire chez les Ursulines, à l'âge de dix ans. Elle avait gardé le même visage avenant, mais les cheveux qui l'encadraient étaient devenus tout blancs.

— Vous êtes ravissante, madame Fanette ! s'exclama la couturière, l'élocution un peu chuintante à cause des épingles dans sa bouche, émerveillée par la taille fine de la jeune femme.

Fanette jeta un coup d'œil au miroir sur pied. Elle portait une robe de soie satinée blanche, cintrée à la taille, avec des manches ourlées de fine dentelle. Une robe de mariée.

— Tenez-vous bien droite. Je n'ai pas encore terminé votre ourlet.

Fanette tâcha de se redresser. Elle avait insisté auprès d'Alistair pour que le mariage fût célébré dans la plus grande simplicité, et il s'était rangé à ses vues. Normalement, la cérémonie aurait dû avoir lieu à l'église Notre-Dame-des-Victoires, située dans la paroisse où vivaient Emma et Fanette, mais comme c'était dans cette même église que Fanette avait épousé Philippe, Alistair avait proposé avec tact que la cérémonie ait plutôt lieu à la charmante église de Cap-Rouge, qui avait été achevée en 1859. Presque personne n'avait été invité à la célébration, hormis Rosalie et Emma, ainsi que le docteur Lanthier, qui avait accepté d'être leur témoin. Quant à Marie-Rosalie, Fanette lui avait annoncé qu'elle s'apprêtait à se marier.

— Tu auras un nouveau papa.

Marie-Rosalie lui avait jeté un regard incertain. La fillette avait sans doute gardé peu de souvenirs de son père, mais sa mère lui parlait souvent de lui et l'emmenait parfois au cimetière afin qu'elles se recueillent sur sa tombe. Lorsque Fanette lui avait présenté Alistair, l'enfant, effrayée, s'était réfugiée dans la jupe de sa mère. Embarrassée, Fanette avait tenté de minimiser la réaction de Marie-Rosalie en la mettant sur le compte de la timidité, mais Alistair en avait été affecté.

— Ta fille m'a pris pour le bonhomme Sept-Heures, lança-t-il après que Fanette eut consolé la fillette et l'eut mise au lit.

Il était vrai qu'Alistair ne payait pas de mine. Il avait une cicatrice rougeâtre sur la tempe, il marchait à l'aide d'une canne, et des ombres cernaient ses yeux. Après leurs retrouvailles au port de Québec, Fanette avait insisté pour l'emmener dans sa voiture chez le docteur Lanthier afin que celui-ci l'examine. En chemin, elle avait voulu tout savoir sur les circonstances du naufrage. Il lui avait raconté la rapidité avec laquelle la bourrasque s'était abattue sur le navire. L'instant d'avant, le ciel était bleu, puis de gros nuages noirs avaient soudain obscurci l'horizon et l'orage avait éclaté avec violence. Les hommes d'équipage avaient fait l'impossible pour amener les voiles, mais d'immenses vagues s'élevaient déjà, telles des murailles, et s'écroulaient sur le pont avec un fracas assourdissant, entraînant des passagers dans leur reflux et les projetant dans la mer déchaînée.

— Atteint par la foudre, le grand mât s'est écroulé sur le pont, écrasant des gens dans sa chute, dit Alistair. Des marins tentaient désespérément de mettre des barques de sauvetage à l'eau, mais le bateau roulait et tanguait à un point tel qu'aucune manœuvre n'était possible. Une déferlante a roulé sur moi, me soulevant comme un fétu de paille. Ma tête a heurté le bastingage. J'ai perdu connaissance. Après, ce fut un trou noir. Je ne me rappelle pas combien de temps je suis resté inconscient. C'est le choc de l'eau glacée qui m'a fait rouvrir les yeux. Aveuglé par la pluie et l'eau salée, je me suis rendu compte que je me trouvais au beau milieu de la mer. J'ai battu des bras pour demeurer hors de l'eau. Autour de moi, quelques têtes émergeaient, mais il y avait surtout des épaves, des pans de voilure, des morceaux de bois qui flottaient à perte de vue. À travers le rideau de pluie, j'ai aperçu à distance la silhouette du navire dont la proue s'enfonçait peu à peu dans la mer. C'est alors que j'ai entendu des cris dont l'écho se perdait dans le mugissement des flots. C'étaient des naufragés qui appelaient à l'aide. Jamais je ne pourrai oublier ces cris, poursuivit-il d'une voix affaiblie, la tête appuyée sur le dossier de la banquette.

Continuant à bouger afin d'éviter l'engourdissement de ses membres, il avait avisé un morceau de barque qui dérivait à quelques pieds de lui. Il avait nagé frénétiquement dans cette direction, luttant contre les courants et les vagues qui menaçaient de l'engloutir, et avait fini par l'atteindre. C'était l'arrière d'un canot de sauvetage. Il s'était fermement agrippé aux rebords, hissé dans un effort surhumain et avait réussi à s'asseoir dans ce qui restait de l'esquif. Ses jambes étaient submergées par l'eau glacée, mais au moins le reste de son corps était relativement à l'abri. Il avait réussi à attraper un morceau de bois qui flottait dans l'eau et s'en était servi comme rame.

La nuit était tombée. La pluie avait cessé. Une lune blême était apparue à travers des filaments de nuages. Alistair s'endormait parfois, puis se réveillait en sursaut. Il avait perdu toute notion du temps, n'ayant pour tout repère que le sifflement du vent et l'immensité de la mer. Puis le jour s'était levé. La mer était devenue lisse comme un miroir. En regardant à la ronde, Alistair avait repéré quelques embarcations dans lesquelles des passagers s'étaient entassés. Le reste n'était que débris et épaves. Ce n'est qu'à la fin du jour qu'il avait aperçu la goélette, qu'il avait prise d'abord pour une mouette tellement elle était loin. Puis le bateau s'était rapproché. Il avait tenté de crier, mais il n'avait plus de voix. Quelques heures plus tard, il était secouru, avec une vingtaine de compagnons d'infortune.

Le Phaéton s'était arrêté devant la maison du docteur Lanthier, dans la rue Saint-Paul. Par chance, le médecin était chez lui lorsque Fanette avait cogné à sa porte. En enlevant le bandage qui couvrait le front du marchand naval, il avait constaté que ce dernier avait une entaille assez profonde à la tempe droite. Après s'être soigneusement lavé les mains, il avait désinfecté la plaie à l'aide d'iode, puis utilisé une aiguille qu'il avait d'abord traitée au phénol pour recoudre la plaie. Il avait ensuite fait un pansement. Il avait soigné quelques contusions, ainsi que de vilaines engelures aux mains et aux pieds en les massant doucement avec de l'alcool camphré, puis en les enduisant de pommade.

— Les engelures resteront douloureuses pendant quelque temps.

Alistair s'était à peu près remis des séquelles du naufrage, mais ses pieds étaient demeurés douloureux à cause des engelures, ce qui l'obligeait à se servir d'une canne, et il avait gardé cette cicatrice qui avait tant effrayé la fillette.

— L'ourlet est terminé. Vous êtes libérée, madame Fanette !

Fanette descendit du tabouret. Madame Vanasse jeta un coup d'œil satisfait à la jeune femme, tirant ici et là sur le tissu pour en ajuster les plis. Emma entra dans la pièce sur les entrefaites et s'immobilisa en apercevant Fanette vêtue de sa robe de mariée. Elle la revit, trois ans auparavant, sortant de l'église au bras de Philippe, si belle et joyeuse, malgré la pluie qui tombait à seaux.

Elle songea que les bans du mariage de sa fille avec Alistair Gilmour seraient publiés dans le prône de la paroisse du Cap-Rouge trois dimanches consécutifs avant la cérémonie. Son cœur se serra à la pensée que, dans seulement vingt jours, sa fille deviendrait la femme du Lumber Lord et qu'elle quitterait la maison avec Marie-Rosalie pour ne plus y revenir qu'en visite.

⁂

Florent Bilodeau, portant une paire de grappins de fer pour marcher plus aisément sur la glace, son chapeau bien enfoncé sur sa tête à cause du vent, tirait sa *sleigh* en direction du fleuve. Avec l'arrivée du printemps, il fallait marcher de plus en plus loin sur la rive pour trouver des plages de glace encore intactes, qu'il couperait en blocs avec une scie et empilerait dans sa *sleigh* sur un lit de paille. Il se rendrait ensuite en ville pour vendre ses blocs de glace, en faisant du porte-à-porte. C'était un dur labeur, mais il avait été porteur d'eau et marchand de glace toute sa vie, comme son père avant lui, et ne savait rien faire d'autre.

En scrutant le fleuve, il aperçut des bancs de neige qu'un fort courant charriait vers la rive, créant ainsi une sorte d'embâcle. Il marcha dans cette direction, ravi de sa chance. Grâce à l'embâcle, il aurait facilement accès à une bonne quantité de glace, dont il pourrait obtenir un chargement complet en quelques heures à peine. Après avoir placé sa voiture tout près de l'amas de glace, il s'en approcha, muni de sa scie, d'une hache et d'une palette pour soulever les morceaux et les déposer dans sa charrette. La glace était bleutée par endroits, d'une bonne épaisseur. Il lui sembla voir une forme plus sombre sous le lit glacé. Il se pencha pour l'examiner de plus près. Un cri monta dans sa gorge. Un visage blême était emprisonné dans la glace. Des yeux ouverts, transparents comme ceux d'un poisson mort, semblaient le regarder.

~

Le coroner Duchesne était plongé dans un dossier, le front plissé par la contrariété. Il avait connu une mauvaise journée. Un incendie s'était produit dans un entrepôt du port. Bien qu'il soupçonnât que le feu avait été allumé intentionnellement par des malfaiteurs qui tentaient de prendre le contrôle du marché noir des marchandises circulant dans le port, il n'avait pas réussi à récolter le moindre indice. De toute évidence, les autorités portuaires avaient peur de parler. Cet échec lui rappela un autre dossier au point mort, celui de l'évasion d'Amanda O'Brennan. Il avait eu beau faire surveiller le logement de Jean Labrie, celui-ci n'était jamais revenu. Pourtant, ses hommes avaient passé les tripots et les auberges au peigne fin dans l'espoir de trouver des traces de l'ancien gardien de prison, mais personne ne semblait l'avoir vu. Le mystère de sa disparition restait entier. Rien non plus sur la fugitive : pas un seul indice de l'endroit où elle avait pu se réfugier. Il en était là de ses réflexions lorsqu'on frappa à la porte de son bureau.

— Entrez, dit-il d'un ton sec.

La porte s'ouvrit. Un policier était sur le seuil.

— Le cadavre d'un homme a été retrouvé sur les rives du fleuve, à L'Anse-des-Mères.

Sans attendre, le coroner se leva, mit son haut-de-forme et sa redingote, et suivit le policier.

~

Le fiacre noir s'arrêta aux abords de L'Anse-des-Mères, à l'ouest du cap Blanc. Le coroner descendit de la voiture et fit signe aux trois policiers qui l'accompagnaient de le suivre. Les hommes marchèrent vers la berge. Deux gendarmes s'y trouvaient déjà, en compagnie d'un homme d'une trentaine d'années. Malgré sa grande taille, ses larges épaules et ses bras longs et musclés, l'homme tremblait comme une feuille.

— Y m'regardait, avec ses yeux morts. Y m'regardait, j'vous dis.

Duchesne s'approcha des policiers. L'un d'eux, en reconnaissant l'homme de loi, le salua avec respect et désigna l'embâcle.

— Le cadavre a été trouvé dans la glace par cet homme, un nommé Florent Bilodeau, qui est porteur d'eau et marchand de glace.

Le coroner acquiesça, puis se dirigea dans la direction indiquée. Il se pencha au-dessus du monceau de glace. Au début, il ne vit rien d'autre que la neige mêlée aux glacis. Puis il distingua la forme d'une main, dont les doigts étaient écartés comme les branches d'une étoile de mer. Il suivit des yeux le bras, jusqu'à ce qu'il entrevoie un visage blanc, tel un masque de cire, dont les pupilles dilatées luisaient comme des billes dans la lumière matinale. Le coroner ordonna à ses hommes de dégager le cadavre et de le transporter à l'hôpital de la Marine, situé rue Dorchester, près des rives de la rivière Saint-Charles.

~

Un médecin était penché au-dessus du cadavre, qui avait été disposé sur une table de marbre dans la morgue de l'hôpital de la Marine. Le mort portait un manteau de castor et un pantalon noirs gorgés d'une eau qui gouttait sur le plancher. La blancheur du visage et des mains se confondait avec celle de la pierre. Le coroner se tenait debout en retrait, accompagné d'un policier. Après un moment, le médecin se redressa.

— Le corps a été miraculeusement conservé, grâce à son séjour dans la glace, expliqua-t-il. C'est un homme d'une quarantaine d'années. Mauvaise dentition. À première vue, aucun signe distinctif, sauf quelques marques de petite vérole. Je n'ai vu aucune blessure. Toutefois, je ne suis pas en mesure d'identifier les causes de la mort. Il me faudra procéder à une autopsie pour en savoir plus long.

— Je comprends, dit Duchesne, les sourcils froncés.

Quelque chose dans ce que le médecin venait de dire l'avait frappé, mais il n'arrivait pas à mettre le doigt dessus. Le médecin scruta de nouveau le corps.

— Attendez, murmura-t-il.

— Qu'y a-t-il ? demanda le coroner, sur le qui-vive.

Le médecin souleva la main droite du cadavre.

— Une phalange du petit doigt de cette main a été sectionnée.

L'homme de loi se tourna vers le policier, le visage tendu.

— Allez chercher monsieur Cummings, le directeur de la prison de Québec. Faites vite.

Le policier sortit aussitôt.

Une demi-heure s'était à peine écoulée que monsieur Cummings entrait dans la morgue, le visage blême. Il resta sur le seuil, jeta un coup d'œil anxieux au cadavre, puis détourna le regard.

— Allons, approchez, monsieur Cummings, s'exclama le coroner avec une note d'impatience dans la voix.

Le directeur de la prison fit quelques pas vers la table de marbre. Il enfouit une main dans sa redingote et en sortit un mouchoir, qu'il porta à son nez.

— N'ayez aucune crainte, le cadavre est encore à moitié congelé, il ne dégage pas d'odeur, commenta le médecin, ironique.

— Reconnaissez-vous cet homme ? demanda Duchesne.

Monsieur Cummings, osant à peine respirer, se résigna à regarder le cadavre. Bien qu'il dirigeât la prison depuis plus de vingt ans, il n'avait jamais vu un mort de près. Il fut surpris de constater que le corps semblait presque vivant, tellement il était bien préservé.

— Je le reconnais. C'est Jean Labrie, mon ancien gardien de prison.

XXV

On avait beau être en mai, il faisait froid, et un vent à écorner les bœufs s'était levé. Oscar Lemoyne dut remonter le col de son manteau élimé et glisser ses mains gelées dans ses poches. C'était ainsi à Québec. Un matin, on croyait le printemps arrivé ; le jour suivant, on était replongé dans l'hiver. Il se dirigeait vers le poste de police situé rue Champlain, dans l'espoir d'y trouver matière à manchette. Le seul événement digne de mention, ces derniers temps, avait été le naufrage du navire *Tempest*, dans lequel il n'y avait eu qu'une vingtaine de survivants, dont Alistair Gilmour, le célèbre marchand naval de Québec. Oscar avait réussi à tirer quelques articles sur le naufrage, à la grande satisfaction de son rédacteur en chef, Ludovic Savard. Depuis, rien. Le calme plat. Le reporter en serait bientôt réduit à inventer une nouvelle afin de satisfaire l'appétit insatiable de son patron pour les faits divers croustillants.

En descendant la côte de la Fabrique, Oscar aperçut la cathédrale Notre-Dame, dont le clocher vert-de-gris se détachait sur un fond de ciel bleu perlé de nuages. Il songea qu'il avait maintenant vingt-quatre ans et qu'il était toujours célibataire. Étant devenu orphelin à un jeune âge, il rêvait d'avoir une femme, des enfants. *C'est mal parti,* songea-t-il avec une note d'ironie. Son rédacteur en chef lui avait promis une augmentation de salaire lorsqu'il l'avait réengagé au journal, après qu'Oscar eut dévoilé le scandale Grandmont, mais comme d'habitude, il n'avait pas respecté ses engagements et le journaliste gagnait à peine assez pour manger trois repas par jour et avoir un toit sur la tête. Il avait quitté son ancienne maison de chambres et s'était trouvé un logement un peu plus convenable dans la rue Dauphine, mais beaucoup trop petit pour y installer une famille. *De toute façon, pour fonder une famille, ça prend une femme,* se dit-il avec un brin d'amertume. Il y avait belle lurette qu'il avait abandonné son rêve de voir un jour la « jolie dame » s'intéresser à lui.

Une fois en bas de la côte, Oscar croisa un garçon d'une douzaine d'années qui quêtait au coin de la rue. Il eut une pensée pour Antoine, son ancien protégé, qui s'était sauvé à Montréal. Le petit chenapan lui avait causé toute une frayeur lorsqu'il l'avait attaqué au couteau dans une ruelle de Montréal, avec une bande de voleurs. Heureusement, Antoine l'avait reconnu et laissé partir, mais Oscar craignait que le garçon ne s'enfonce encore davantage dans le crime. Il fouilla dans ses poches, en extirpa deux sous et les jeta dans le chapeau cabossé du garçon. Il aurait voulu faire preuve de plus de générosité, mais il ne lui restait que quelques dollars pour finir sa semaine.

Le vent devint encore plus vif. En levant les yeux, Oscar entrevit le fleuve. Le poste de police n'était qu'à quelques pas. En y entrant, le journaliste remarqua qu'il y régnait une certaine effervescence. Il avisa un policier nommé Vézina, qui lui fournissait parfois des renseignements intéressants sur les affaires en cours. L'homme était en poste derrière le comptoir de l'accueil.

— Quoi de neuf, mon vieux ? dit Oscar sans enthousiasme.

Le policier se pencha au-dessus du comptoir, avec la mine d'un conspirateur.

— Un cadavre a été retrouvé dans le fleuve, pas plus tard qu'hier.

Oscar sentit un courant d'excitation le traverser.

— Où ça ?

— Pas loin d'ici, à L'Anse-des-Mères.

— De qui s'agit-il ?

— Un nommé Jean Labrie.

Jean Labrie. Ce nom lui était familier.

— C'était un gardien à la prison de Québec, poursuivit Vézina. Il était porté disparu depuis l'automne dernier. On l'a ramené à l'hôpital de la Marine. Le directeur de la prison, Edgar Cummings, l'a formellement identifié.

Oscar retint une exclamation. Il balbutia des remerciements et sortit presque au pas de course, laissant le policier abasourdi.

∞

Il était un peu plus de dix heures lorsque Oscar parvint à l'hôpital de la Marine, un vaste bâtiment de pierres blanches dominé par un péristyle à quatre colonnes. La perspective de visiter la morgue ne l'enchantait pas, mais il lui fallait à tout prix jeter un coup d'œil au cadavre. Il n'eut pas trop de mal à trouver la salle, située dans le sous-sol de l'hôpital.

La morgue était entièrement crépie à la chaux. Une odeur fade de phénol flottait dans l'air. Faisant un effort pour juguler la nausée qui commençait à lui monter dans la gorge, Oscar s'approcha d'un homme en tunique blanche penché au-dessus d'un corps étendu sur une table de marbre blanc. Des blocs de glace avaient été placés sous la table afin d'aider à le préserver. À sa grande horreur, le reporter entrevit une poitrine blême qui avait été incisée et qui laissait voir des chairs sanguinolentes. Il faillit tourner de l'œil et s'appuya contre un mur. L'homme à la tunique tourna la tête, contrarié d'être dérangé en plein travail.

— Que faites-vous ici ?

— Je suis journaliste, balbutia le pauvre Oscar, aussi blanc que les murs.

— Que voulez-vous ?

Oscar déglutit, puis expliqua au médecin qu'il travaillait pour *L'Aurore de Québec*, qu'il faisait une enquête sur la mort de Jean Labrie, un gardien de prison, et souhaitait jeter un coup d'œil au corps. Le médecin désigna le cadavre qu'il était en train d'autopsier.

— C'est celui que vous cherchez. Je n'aurai pas de résultats définitifs avant plusieurs jours.

Faisant un effort pour se ressaisir, Oscar poursuivit :

— Avez-vous tout de même fait quelques constatations préliminaires ?

— Il y avait beaucoup d'eau dans les poumons, ce qui indique que la noyade est probablement la cause de la mort. J'ai pu examiner le contenu de son estomac. L'individu avait bu et mangé avant de se noyer. À première vue, il ne s'agit donc pas d'un suicide. Un homme qui veut en finir avec la vie ne prendrait pas la peine d'avaler un repas avant d'accomplir son geste. Mais il y a tout de même quelque chose de particulier.

— Quoi donc ? demanda Oscar, retenant son souffle.

— J'ai trouvé une bonne quantité de ce qui semble être du laudanum dans son estomac. Maintenant, laissez-moi travailler.

Le pathologiste reprit son scalpel. Oscar partit sans demander son reste. Il en avait déjà beaucoup appris.

XXVI

Après sa visite à la morgue, Oscar Lemoyne se rendit à la prison de Québec. Même la lumière éclatante du soleil ne parvenait pas à rendre les murs gris moins sinistres. Le reporter s'adressa au gardien qui occupait la guérite :

— Je suis Oscar Lemoyne, journaliste à *L'Aurore de Québec*.

Le gardien lui jeta un regard méfiant. Oscar renchérit.

— J'ai rendez-vous avec monsieur Edgar Cummings, le directeur de la prison.

Le reporter avait menti comme un arracheur de dents, mais il voulait à tout prix entrer dans la prison.

— C'est quoi votre nom, déjà ? marmonna le gardien.

— Os-car Le-moy-ne, rétorqua-t-il en détachant les syllabes. Un jour, je serai célèbre.

Le gardien haussa les épaules et le laissa entrer.

Traversant le hall, Oscar se rendit vers un guichet vitré derrière lequel était assis un homme au visage chafouin, dont le nom, Aimé Gadbois, était gravé sur une épinglette attachée à son veston. Oscar se présenta de nouveau, disant qu'il faisait une grande enquête pour le compte de *L'Aurore de Québec* et qu'il cherchait des renseignements sur Jean Labrie, dont le corps avait été retrouvé dans le fleuve. Aimé Gadbois lui lança un regard goguenard.

— Vous m'en direz tant.

Oscar ne se laissa pas démonter par le ton railleur de l'homme. Il fouilla dans sa poche, en sortit les quelques dollars qui lui restaient et les déposa sur le comptoir, priant pour que ce montant modeste suffise à délier la langue de l'employé. Aimé Gadbois afficha une mine indifférente, mais son intérêt s'était réveillé. Il hésita, jeta un coup d'œil autour de lui, puis glissa sa main dans l'ouverture du guichet et prit l'argent, qu'il empocha prestement.

— Qu'est-ce que vous voulez savoir ?

— D'après mes sources, Jean Labrie était en devoir quand Amanda O'Brennan s'est évadée.

— C'est exact.

— Quand l'avez-vous vu pour la dernière fois ?

— Le lendemain de la fuite de la prisonnière. Je m'en souviens très bien, parce que Labrie est arrivé à la prison avec un beau manteau de castor, en plein été.

Le ton de l'employé était envieux. Oscar attendit que l'homme poursuive, à l'affût.

— C'est pas avec son salaire qu'il pouvait se payer un manteau pareil. Je lui ai demandé avec quel argent il l'avait acheté. Il a prétendu qu'il avait reçu un héritage d'une vieille tante. Je l'ai pas cru une seconde.

— Pour quelle raison ?

— C'était la première fois qu'il mentionnait une tante. Ça m'a paru louche. D'autant plus que, le surlendemain, Labrie est pas revenu au travail.

L'employé baissa la voix.

— Pour moi, il a reçu de l'argent pour être complice de l'évasion d'Amanda O'Brennan, et quelqu'un l'a tué pour le faire taire.

Oscar ne put réprimer un sourire de satisfaction. Ces quelques dollars avaient été bien investis. Cet employé était une véritable mine de renseignements !

— Quel genre d'homme était-ce ? se hasarda le reporter, sentant qu'il pouvait encore tirer quelque chose de ce personnage antipathique.

L'employé prit un air méprisant.

— Un pilier de taverne, qui passait ses congés à boire.

— Savez-vous où il avait ses habitudes ?

— N'importe quel tripot faisait l'affaire, mais il allait souvent à l'auberge À la bonne fourchette, dans la rue Sault-au-Matelot, près du port.

~

Oscar avait marché si rapidement qu'il était hors d'haleine lorsqu'il arriva à la rue Sault-au-Matelot. Il s'arrêta devant une auberge décrépite. Une enseigne avait été suspendue devant le portique, dont on distinguait à peine les lettres délavées : *À la bonne fourchette*. En entrant dans l'établissement, il fut pris à la gorge par l'odeur de vieux graillon. *Cette gargote ne mérite pas son nom,* se dit-il. Il n'y avait pas un chat, hormis un homme qui faisait ses comptes, assis à une table dans un coin. Le reporter s'adressa à lui :

— Je voudrais parler au patron de cette auberge.

— Lui-même, dit l'homme sans lever la tête de ses papiers.

Oscar se racla la gorge. Il avait soigneusement préparé son boniment en marchant de la prison jusqu'à la rue Sault-au-Matelot.

— Je suis inspecteur des taxes pour la Ville, dit-il en tâchant de donner de l'autorité à sa voix.

Au titre d'inspecteur des taxes, le restaurateur enfouit maladroitement ses papiers sous une nappe.

— J'ai rien à me reprocher, monsieur l'inspecteur. J'suis un bon citoyen, je paye mes taxes rubis sur l'ongle.

Le journaliste avait remarqué l'empressement suspect de l'aubergiste à cacher ses comptes. Il n'était pas sans savoir que la majorité des commerçants tenaient deux livres : l'un, officiel, destiné aux inspecteurs, l'autre pour y inscrire leurs vrais bénéfices. Il décida de tirer profit de la situation.

— Cela reste à prouver, fit-il d'une voix sévère.

L'aubergiste ravala sa salive. Oscar fit quelques pas vers l'homme et s'arrêta à sa hauteur.

— Si vous répondez à quelques questions, je pourrais me montrer indulgent.

— Je vous écoute, fit l'homme, cachant mal son anxiété.

— D'après mes sources, vous aviez un client régulier. Un nommé Jean Labrie. Il travaillait comme geôlier dans la prison de Québec.

Fronçant ses sourcils, l'aubergiste finit par acquiescer.

— Je le connais juste par son prénom, Jean. Tout le monde ici l'appelait Tit-Jean. Mais ça fait une éternité que je l'ai pas vu.

Oscar sentit un frisson lui parcourir l'échine. Il était sur la bonne piste.

— Quand l'avez-vous servi, la dernière fois ?

— Oh, ça doit faire un bon six, sept mois.

Puis il jeta à Oscar un regard où perçait de la méfiance.

— En quoi ça vous intéresse ?

Oscar reprit sa mine sévère.

— Cet homme a eu des ennuis avec la justice pour taxes impayées. J'ai été chargé de faire enquête. Dois-je répéter ma question ?

L'aubergiste secoua la tête.

— C'était un soir de septembre. Je me rappelle très bien, parce qu'il y a eu une bagarre, ce soir-là.

— Une bagarre ?

— Un grand gaillard, un marin, bâti comme une armoire à glace, avec un bandeau noir sur un œil, est entré dans l'auberge. Je l'avais jamais vu dans les parages avant. Y a offert une couple de tournées à Tit-Jean, au point que Tit-Jean est devenu rond comme une barrique. C'est tout juste s'il était capable de se tenir debout sur ses pattes.

— Que s'est-il passé ensuite ?

— Un matelot britannique s'est mis à insulter l'armoire à glace. Lui restait impassible, mais le matelot l'asticotait comme un maringouin, alors l'armoire à glace lui a asséné un coup de poing. Une bataille a commencé, une couple de chaises ont revolé.

J'ai averti l'armoire à glace que s'il sacrait pas son camp, j'allais quérir la police. Y est parti sans faire d'histoires.

— Il est parti seul ?

— Non, y a entraîné Tit-Jean avec lui. C'était drôle de les voir, bras dessus, bras dessous, clopin-clopant... Je les ai plus jamais revus.

— Y a-t-il autre chose que vous puissiez me dire sur le marin au bandeau noir ? Un détail, aussi insignifiant qu'il paraisse ?

L'aubergiste réfléchit.

— Je vois pas.

Puis il sembla se souvenir de quelque chose.

— C'est sûrement pas important.

— Dites toujours, dit Oscar, sur le qui-vive.

— Pendant la bataille, l'armoire à glace a perdu son béret. Il avait des cheveux mi-longs, roux.

Un homme de grande taille. Des cheveux mi-longs, roux. Ce marin était probablement la dernière personne à avoir vu Jean Labrie vivant. Qui était cet homme ? Pourquoi avait-il offert plusieurs tournées au gardien de prison, au point de le soûler ? Voilà ce qu'il lui fallait découvrir. Le reporter quitta l'auberge avec la conviction qu'il s'approchait de la vérité. Étant à deux pas de la rédaction de *L'Aurore*, il décida de s'y rendre. Il avait assez d'éléments en mains pour écrire un bon article.

— Patron, je tiens une manchette sensationnelle ! s'écria Oscar en entrant dans le bureau de Ludovic Savard.

Le rédacteur en chef, une plume à l'oreille, émit un grognement sceptique tout en continuant à travailler. Le reporter raconta à son patron la nouvelle qu'il avait apprise au poste de police au sujet de l'ancien gardien de prison et les renseignements qu'il avait réussi à soutirer de l'aubergiste.

Cette fois, le rédacteur en chef leva la tête, l'œil allumé.

— Fais-moi un papier, et que ça saute. Je te donne une heure.

— Je veux l'augmentation de salaire que vous m'aviez promise.

— Remets-moi ton papier, et je te la donnerai.

— Je la veux maintenant.

Savard rechigna, mais il ouvrit un tiroir et en retira une enveloppe. Il compta deux billets de cinq dollars. Oscar les empocha, un sourire triomphant aux lèvres.

— Ton papier est mieux d'être bon, maugréa le rédacteur en chef.

Oscar revint dans la salle de rédaction, s'installa derrière son pupitre et se mit à écrire fiévreusement, tâchant de reconstituer le cours des événements. Il n'omit pas la description du cadavre de Jean Labrie entrevu dans la morgue, car les lecteurs étaient friands de ce genre de détails.

XXVII

Emma alluma le poêle, puisa dans le quart qui servait à récupérer l'eau de pluie et remplit le canard. Puis, elle déplia le journal *L'Aurore de Québec*, qu'elle était allée chercher au bureau de poste, et y jeta un coup d'œil. Une manchette y figurait : « Cadavre trouvé sur les berges du fleuve, près du port de Québec. »

Intriguée, Emma se mit à lire l'article.

« Le cadavre d'un homme a été découvert par un porteur d'eau du nom de Florent Bilodeau sur la rive du fleuve, à L'Anse-des-Mères, à l'ouest du cap Blanc. »

Florent Bilodeau. Emma reconnut son nom. C'était leur porteur d'eau et leur livreur de glace depuis plusieurs années.

« Le corps était pris dans un embâcle qui s'était formé à cet endroit. Le coroner Duchesne, qui a été dépêché sur les lieux, a fait dégager le corps de sa prison de glace et a ordonné son transport à la morgue de l'hôpital de la Marine. Selon les mots mêmes du médecin qui a procédé à l'examen du cadavre, celui-ci a été miraculeusement conservé, grâce à la glace qui l'entourait. Il n'y avait aucune trace de blessure ni de contusion. La noyade aurait été la cause de la mort, bien qu'une bonne quantité de laudanum ait été retrouvée dans l'estomac de la victime, ce qui laisse supposer que la noyade n'était peut-être pas accidentelle.

« Le coroner Duchesne a pu établir l'identité de l'individu. Il s'agirait de Jean Labrie, qui occupait la fonction de gardien à la prison de Québec. Le directeur de la prison, monsieur Edgar

Cummings, a formellement identifié le corps de son ancien employé. D'après Aimé Gadbois, un employé de la prison, Jean Labrie, qui avait mystérieusement disparu depuis plus de huit mois, était en fonction le jour de l'évasion d'Amanda O'Brennan et pourrait avoir été complice de la fuite de la prisonnière. Par ailleurs, le tenancier de l'auberge À la bonne fourchette, où Jean Labrie avait ses habitudes, affirme avoir vu ce dernier en compagnie d'un marin de grande taille. Après une soirée bien arrosée, une bataille a éclaté. L'aubergiste a mis Jean Labrie et le mystérieux marin à la porte. C'est la dernière fois, semble-t-il, que Jean Labrie a été vu vivant. »

Emma retrouva Fanette à l'étage. Celle-ci finissait d'habiller Marie-Rosalie. N'osant parler devant la fillette, Emma attendit qu'elle eût revêtu sa robe et fit signe à Fanette de la suivre dans le couloir. Inquiète, la jeune femme la rejoignit. Emma lui tendit le journal en silence. Fanette commença à le parcourir. Ses traits s'altérèrent lorsqu'elle comprit de quoi il était question.

— Cet homme s'est noyé. De toute évidence, il s'agit d'un accident, dit Emma, tentant de la rassurer.

Fanette replia le journal, préoccupée. *Si cet homme s'est noyé de façon accidentelle, comment expliquer qu'il ait pris autant de laudanum ?*

∾

Assis derrière son pupitre, Oscar relut l'article qu'il avait écrit, satisfait de le voir en manchette, comme son patron le lui avait promis. Puis il jeta un coup d'œil distrait au panier qui se trouvait sur son pupitre, et dans lequel s'accumulaient des dépêches, ainsi que des avis de mariage, de naissance et de décès, que le journal publiait régulièrement.

« Monsieur Fernand Beaumont épousera mademoiselle Colette Chevrier le 20 mai 1861. La cérémonie aura lieu… »

Plusieurs autres avis suivaient. Un nom capta soudain son attention.

« Monsieur Alistair Gilmour épousera madame Fanette Grandmont, veuve de feu Philippe Grandmont, le 12 juin 1861. La cérémonie aura lieu à l'église de Cap-Rouge, à dix heures précises, en présence d'Emma Portelance, mère de la future mariée, ainsi que du témoin de l'union, le docteur Henri Lanthier. »

Le cœur d'Oscar se mit à battre si fort qu'il en sentit les pulsations jusque dans ses tempes. Fanette Grandmont allait épouser le Lumber Lord ! Il n'arrivait pas à y croire. Il relut l'avis à plusieurs reprises pour s'assurer qu'il ne s'était pas trompé. Puis il se remémora la scène dont il avait été témoin aux funérailles du notaire Grandmont, lorsqu'il avait aperçu Alistair Gilmour prenant familièrement le bras de la « jolie dame » sur le parvis de la basilique Notre-Dame. Il y avait quelque chose, un détail qui lui échappait, mais qui avait un lien avec l'histoire que lui avait racontée l'aubergiste. *Réfléchis, Oscar...* Il se tortura les méninges, tâchant de se remémorer la scène devant l'église. La phrase du commerçant lui revint : « Pendant la bataille, l'armoire à glace a perdu son béret. Il avait des cheveux mi-longs, roux. » *C'est cela. La grande taille, les cheveux roux, mi-longs.* Une hypothèse saugrenue surgit dans sa tête.

— Sapristi, tu deviens fou, marmonna-t-il.

Mais plus il y songeait, plus sa conjecture lui semblait plausible. Un sentiment d'horreur s'empara de lui. Si sa supposition était vraie, cela signifiait que Fanette Grandmont allait épouser un meurtrier, ou pire, qu'elle était peut-être sa complice. Il se leva d'un bond et sortit de la salle de rédaction, le cerveau en bataille.

Oscar marchait vite dans la rue Saint-Pierre. Où trouver Fanette Grandmont ? Une personne pouvait le renseigner : Emma Portelance. Aux dernières nouvelles, la dame patronnesse avait de nouveau ouvert son refuge pour indigents, qui s'appelait désormais le Bon Samaritain. Il connaissait bien l'endroit pour y avoir pris quelques repas avec le petit Antoine du temps qu'ils crevaient tous les deux de faim. Il avait gardé un souvenir ému du dévouement de madame Portelance, qui servait elle-même la soupe, et de Fanette qui, malgré son mariage avec le fils du notaire Grandmont et sa vie choyée dans la rue Grande-Allée, prenait soin des démunis.

D'après son souvenir, le refuge se trouvait rue Saint-Louis, dans la haute ville. Afin de s'y rendre plus rapidement, Oscar décida de héler un fiacre. Tant pis si une partie de la somme qu'il avait réussi à arracher à son pingre de patron y passait !

— C'est ici ! s'écria Oscar.

Le fiacre s'arrêta. Le journaliste en descendit, paya la course et leva les yeux vers la devanture du refuge. Rien n'avait changé, hormis le nom, Le Bon Samaritain, peint à la main sur un panneau de bois. Il y entra.

La grande salle était déjà remplie de gens. Il y avait là des familles, des vieillards, des hommes et des femmes pauvrement habillés. Une quinzaine d'indigents faisaient déjà la queue pour prendre ce qui serait probablement leur seul repas de la journée. Une femme au visage rond et jovial, debout derrière une grande table, leur servait de la soupe. *Emma Portelance.* Oscar jeta un coup d'œil à la ronde, espérant y voir la « jolie dame », mais elle n'était pas dans la salle commune. *Il faut pourtant que je lui parle.* Il s'approcha de madame Portelance, espérant qu'elle pourrait le renseigner. Une porte qui se trouvait dans le fond de la salle s'ouvrit alors. Une jeune femme, portant un tablier par-dessus une robe de coton à fines rayures, tenait à bout de bras une grosse marmite, qu'elle déposa sur la grande table. Il reconnut Fanette Grandmont. Elle commença à servir de la soupe tandis que sa mère rapportait la soupière vide à la cuisine. Oscar voulut s'avancer vers elle, mais des protestations fusèrent.

— Eh, fais la queue, comme tout le monde, lui cria une mère édentée, un poupon dans les bras.

Le journaliste rougit comme une pivoine et se plaça derrière les indigents. Lorsque son tour arriva, il fut accueilli par un sourire.

— Je vous sers une bonne soupe chaude ?

Puis Fanette Grandmont fronça les sourcils. Le visage du jeune homme lui était familier. Oscar prit les devants :

— Je suis Oscar Lemoyne, reporter pour *L'Aurore de Québec*.

Fanette se rembrunit. Sentant la méfiance de la jeune femme, le journaliste renchérit, en parlant un peu trop vite :

— Si vous aviez un petit moment à me consacrer, je vous en serais très reconnaissant. J'ai une révélation des plus importantes à vous faire.

La « jolie dame » parut contrariée. Regrettant d'avoir utilisé un ton trop solennel et pompeux, il rougit encore davantage. Fanette dut avoir pitié de lui, car elle finit par dire :

— Très bien. Je vous accorde cinq minutes, mais pas davantage.

Elle désigna la file de gens.

— Comme vous voyez, j'ai beaucoup à faire.

Oscar la remercia avec effusion. Profitant du fait que sa mère était revenue de la cuisine, Fanette lui demanda de la remplacer quelques minutes et entraîna le jeune homme vers un coin de la salle où se trouvaient un gros poêle et quelques chaises.

— Je vous écoute, dit-elle en s'assoyant.

Oscar prit place à son tour et se racla la gorge.

— J'ai su que vous vous apprêtiez à épouser monsieur Alistair Gilmour.

— Je ne vois pas en quoi cela vous intéresse, répliqua froidement Fanette.

Prenant son courage à deux mains, le journaliste lui parla de sa visite chez l'aubergiste et du fait que Jean Labrie se trouvait avec un marin de grande taille, aux cheveux roux, mi-longs, le soir de sa disparition.

— Où voulez-vous en venir ? dit Fanette avec une note d'impatience.

Oscar hésita, puis lui fit part de son hypothèse :

— Je crois qu'Alistair Gilmour et ce mystérieux marin sont la même personne.

La jeune femme devint pâle comme de la craie.

— Vous êtes fou, dit-elle d'une voix blanche.

— C'est ce que je me suis dit au début, mais tout concorde.

Il poursuivit en baissant la voix :

— Admettons que Jean Labrie ait été complice dans l'évasion de votre sœur. Si Alistair Gilmour et ce marin ne font qu'un, et que Gilmour est la dernière personne à avoir vu le gardien vivant, on peut supposer qu'il l'a tué. Labrie en savait trop, il était plus prudent de se débarrasser de lui.

— J'en ai assez entendu.

Fanette fit un mouvement pour se lever, mais il l'arrêta d'un geste, étonné de sa propre audace.

— Pardonnez-moi, mais vous devez m'écouter jusqu'au bout.

Saisie par le ton ferme du journaliste, Fanette reprit sa place.

— Ce n'est qu'une question de temps avant que le coroner Duchesne n'en vienne aux mêmes conclusions. Il pourrait même vous soupçonner de complicité.

Fanette se fâcha.

— Jamais je n'aurais accepté d'être complice d'un meurtre !

— Je vous crois, dit Oscar, ému par le visage altéré de la jeune femme. Mais vous vous apprêtez peut-être à épouser celui qui l'a commis.

Il se leva et s'éloigna à pas rapides. Fanette suivit le reporter des yeux, sous le choc de ses révélations. Puis une révolte sourde s'empara d'elle. Non, c'était impossible. Alistair n'aurait jamais été capable de commettre un crime aussi crapuleux. Mais un doute s'était insinué en elle. *Et si Oscar Lemoyne disait la vérité ?*

~

Assis derrière son pupitre, le coroner Duchesne lisait un rapport, bien qu'il fût plus de sept heures du soir. Il avait passé la journée dans une scierie située près de Beauport à la suite de la mort accidentelle d'un ouvrier et avait trouvé le rapport du pathologiste de l'hôpital de la Marine sur son bureau à son retour à Québec. Le fait que le médecin ait trouvé des traces de laudanum dans le sang de Jean Labrie avait achevé de le convaincre que la mort de celui-ci était tout sauf naturelle. Quelqu'un lui avait administré la drogue, l'avait ensuite entraîné près du port et l'avait jeté dans le fleuve. Labrie était plutôt baraqué, et il fallait de la force pour s'en débarrasser de cette façon. L'assassin ne pouvait donc qu'être un homme. Un homme qui était lié d'une façon ou d'une autre à Fanette Grandmont. Car le coroner avait toujours la conviction que la sœur d'Amanda était l'instigatrice du complot d'évasion ou, à tout le moins, y avait participé, bien qu'il n'ait pas réussi à trouver de preuves. Était-il possible qu'elle ait également trempé dans le meurtre de l'ancien gardien de prison ? À première vue, cette hypothèse lui parut peu vraisemblable, mais son métier lui avait appris qu'on ne pouvait jamais jurer de rien.

Jetant un coup d'œil à sa montre de gousset, le coroner étouffa un bâillement et décida de rentrer chez lui. Il relirait le rapport le lendemain, à tête reposée, et rendrait une deuxième visite au pathologiste afin d'obtenir plus de détails. Il mit son haut-de-forme et sa redingote et était sur le point de partir lorsqu'il avisa un journal à moitié dissimulé sous une pile de papiers. Il décida de l'emporter : cela lui ferait un peu de lecture avant de se coucher. Une manchette attira son regard. « Cadavre trouvé sur les berges du fleuve, près du port de Québec. » Il parcourut l'article. Son visage se tendit au fur et à mesure de sa lecture. Un passage en particulier le fit bondir : « ... le tenancier de l'auberge À la bonne fourchette, où Jean Labrie avait ses habitudes, affirme avoir vu ce dernier en compagnie d'un marin de grande taille. Après une soirée bien arrosée, une bataille a éclaté. L'aubergiste a mis Jean Labrie et le mystérieux marin à la porte. C'est la dernière fois, semble-t-il, que Jean Labrie a été vu vivant. »

Glissant le journal dans sa redingote, le coroner sortit de son bureau en coup de vent. Il interrogerait cet aubergiste et finirait par connaître l'identité de ce mystérieux marin, quand bien même il lui faudrait y consacrer la nuit.

∽

Fanette donna un bain à Marie-Rosalie et la coucha après lui avoir lu *Peau d'âne,* un conte de Perrault. Elle avait accompli ses gestes quotidiens comme un automate. Les révélations d'Oscar Lemoyne n'avaient cessé de la tourmenter. Malgré l'heure tardive, elle prit la décision de se rendre à Cap-Rouge afin de confronter Alistair. Elle avait besoin de savoir la vérité. Par la fenêtre de sa chambre, elle vit un policier qui faisait sa ronde et se demanda si le coroner faisait surveiller la maison d'Emma. Cette possibilité la fit frémir. Il ne fallait prendre aucun risque. Fouillant dans le coffre au pied de son lit, elle en sortit une redingote et un pantalon d'homme. À la mort de Philippe, elle avait donné la plupart de ses vêtements, sauf ceux-ci, car il les avait portés souvent lorsqu'il avait commencé ses études en médecine, et elle avait été incapable de s'en séparer. Elle se déshabilla et revêtit les vêtements masculins, serrant la taille trop grande avec une ceinture. Elle se fit ensuite un chignon, puis trouva une vieille casquette au fond du coffre et la mit sur sa tête. Elle sortit sur le palier. Il y avait un rai de lumière sous la porte de la chambre qu'occupait sa mère. Emma était sans doute en train de lire, ce qu'elle faisait souvent avant de dormir. Fanette attendit, retenant son souffle. Après quelques minutes, la lumière s'éteignit. Fanette se glissa dans le couloir et se faufila vers l'escalier, faisant attention pour ne pas faire craquer les marches. Elle connaissait chaque pouce de la maison par cœur, de sorte qu'elle n'avait pas besoin de s'éclairer pour s'y orienter.

Une fois au rez-de-chaussée, Fanette se dirigea vers la cuisine et sortit dans la cour, en prenant soin de bien refermer la porte. Elle attela son Phaéton sous la clarté de la lune, qui était presque pleine. Prenant son cheval par la bride, elle franchit la barrière qui séparait la cour de la rue et attendit de s'être éloignée de quelques pâtés de maisons avant de s'installer sur le siège du conducteur. Une longue route l'attendait.

*

Le coroner Duchesne n'eut aucun mal à trouver l'auberge À la bonne fourchette – ou plutôt la gargote, car l'endroit ne payait pas de mine. Le cabaretier l'accueillit comme un chien dans un jeu de quilles. Il n'y avait plus un client dans l'établissement, et il s'apprêtait à fermer boutique.

— Je suis le coroner Duchesne. Je fais enquête sur le meurtre de Jean Labrie.

Il avait utilisé le mot « meurtre » sciemment, pour mettre l'aubergiste dans ses petits souliers. Celui-ci se montra plus que coopératif, répondant à chaque question de l'homme de loi avec force détails, lui parlant du mystérieux marin à la haute stature et aux cheveux roux, qui avait payé à boire à Jean Labrie et avait quitté l'auberge en sa compagnie après une échauffourée avec d'autres clients.

— C'est curieux, parce qu'un inspecteur du revenu est venu avant vous et m'a posé les mêmes questions.

Le coroner se demanda qui pouvait être le soi-disant « inspecteur du revenu » et raisonna qu'il s'agissait probablement du journaliste qui avait écrit l'article de *L'Aurore*, mais cela n'avait pas vraiment d'importance. Ce qui comptait, c'est qu'il avait maintenant une description précise du dernier homme à avoir vu Jean Labrie vivant.

*

Alistair Gilmour se réveilla lorsqu'il entendit des coups résonner dans la maison. Il se redressa et tendit l'oreille. Les coups retentirent de plus belle. Des portes claquèrent, des bruits de pas se firent entendre dans les couloirs. Se levant d'un bond, il mit rapidement un pantalon et une chemise et jeta un coup d'œil à sa montre de poche. Il était trois heures du matin. Prenant son petit pistolet, qu'il gardait toujours sur sa table de chevet, il sortit de sa chambre par un escalier en colimaçon, dissimulé derrière une bibliothèque, dont lui seul connaissait l'existence.

L'escalier menait à la cuisine, située à l'arrière du manoir. Gilmour se faufila dans la grande salle, faiblement éclairée par un rayon de lune qui entrait par une fenêtre. Des voix s'élevèrent. Il reconnut celle de son valet de chambre, qui semblait parlementer avec quelqu'un. Il hésita. Un palefrenier se tenait en permanence dans les écuries, prêt à atteler une voiture ou à seller un cheval à toute heure. Rien n'aurait été plus simple que de s'enfuir à la faveur de la nuit. Mais la curiosité fut plus forte que la prudence. Il voulait savoir qui le dérangeait ainsi dans son sommeil, et pour quelle raison.

Son pistolet au poing, Alistair sortit de la cuisine et s'avança prudemment dans un corridor qui menait à la salle à manger. L'écho des voix se réverbérait dans la pièce vide. Continuant de marcher à pas feutrés, il traversa le salon, dont les lambris de miroir et de marbre luisaient doucement dans une lumière spectrale. Les voix semblaient provenir du hall sur lequel donnait le salon et se rapprochaient.

En débouchant dans le hall, tenant toujours fermement son arme, Alistair aperçut à distance un jeune homme que son valet de chambre tenait fermement par les poignets. L'intrus se débattait en tentant de se défaire de l'emprise du serviteur. Quelques valets se tenaient prêts à intervenir, une lanterne à la main. Sa casquette glissa soudain et tomba par terre. Une cascade de cheveux noirs se répandit sur ses épaules. Alistair la reconnut tout de suite. *Fanette*… Que venait-elle faire chez lui, à cette heure tardive, habillée en homme de surcroît ? Il rangea son pistolet dans une poche et s'adressa à son valet :

— Lâchez madame Grandmont immédiatement.

Le serviteur se confondit en excuses.

— Pardonnez-moi, monsieur Gilmour. Il faisait sombre. Je ne savais pas qu'il s'agissait de madame Grandmont.

Alistair se retourna vers un autre de ses hommes.

— Donnez-moi une lanterne, je vous prie.

Le serviteur alla vers lui et lui remit un quinquet. Alistair le prit et fit signe à ses valets de disposer. Ceux-ci partirent discrètement. Il se tourna vers Fanette, qui se frottait les poignets tout en reprenant son souffle. La lanterne jetait des lueurs orangées sur son visage.

— Il n'y a que toi qui puisses porter un habit d'homme sans perdre ta féminité, dit-il en lui caressant les cheveux.

Fanette recula d'un pas.

— Qu'est-il arrivé à Jean Labrie ? dit-elle, la voix tendue. As-tu quelque chose à voir avec sa mort ?

Gilmour la regarda en face, sans ciller.

— Je l'ai tué.

Il avait parlé calmement, sans montrer d'émotion. Fanette secoua la tête, comme si elle refusait de le croire.

— Pourquoi ? finit-elle par articuler.

— Cet homme était dangereux. Il en savait trop. Tôt ou tard, il aurait fini par parler.

— Comment l'as-tu tué ?

— Il avait ses habitudes dans un bouge, à proximité du port. Je me suis fait passer pour un marin en escale, je l'ai soûlé et entraîné vers ma voiture, que j'avais laissée dans une ruelle, non loin de l'auberge. Je lui ai administré du laudanum dilué dans de l'alcool. Après, je l'ai conduit au bord du fleuve et je l'ai jeté dans le courant. J'espérais que sa mort passerait pour une noyade accidentelle.

Fanette était horrifiée par son récit, mais elle l'était encore davantage par la froideur avec laquelle il décrivait ses actes.

— Tu as assassiné un homme de sang-froid, sans le moindre scrupule.

C'est seulement à cet instant que Gilmour laissa transparaître une trace d'émotion dans sa voix.

— Tu aurais préféré que le complot d'évasion soit découvert, que nous soyons tous arrêtés, que ta sœur soit retrouvée, qu'elle retourne en prison et soit pendue ?

Fanette savait qu'il n'avait pas tort et que la mort du gardien de prison avait renforcé la sécurité d'Amanda et de son fils, celle de sœur Odette et de Béatrice, la sienne, mais elle était incapable de supporter l'idée que son futur mari ait du sang sur les mains.

— Si tu ne veux plus me marier, libre à toi, Fanette. Je refuse que tu deviennes ma femme seulement par respect de la parole donnée.

Elle baissa les yeux, incapable de soutenir son regard. Il eut un sourire amer.

— Tu m'as donné ta réponse.

Il fut sur le point de quitter la pièce, mais elle s'avança vers lui.

— Prends garde à toi. Tôt ou tard, le coroner Duchesne te soupçonnera.

— Ainsi, tu tiens encore un peu à moi.

— Tu as sauvé la vie de ma sœur. Je t'en serai toujours reconnaissante.

— Ce n'est pas de ta reconnaissance que j'ai besoin, fit-il en la saisissant par la taille.

Il l'attira à lui et l'embrassa à pleine bouche, avec une sorte de colère et de désespoir. Fanette tenta de se dégager, mais il la maintenait contre lui. Elle cessa peu à peu de se débattre. Ils restèrent longtemps ainsi, accrochés l'un à l'autre, leurs joues mouillées de larmes.

— Partons d'ici, dit-il soudain.

— Pour aller où ?

— En Irlande. Une révolution s'y prépare. Notre peuple commence à se rebeller contre l'oppression des Britanniques. Nous pourrions nous marier là-bas, retrouver nos racines, aider nos compatriotes, donner un sens à notre vie.

— Tu oublies que j'ai une fille.

— Tu n'as qu'à l'emmener avec nous.

Pendant un instant de vertige, Fanette fut tentée d'accepter. Revoir sa patrie, le ciel sans fin qui se perdait dans la mer, entendre le fracas des vagues sur les falaises, le cri des mouettes… Mais son rêve se brisa vite sur les écueils de la réalité. Avait-elle le droit d'arracher sa fille à sa grand-mère et de l'entraîner dans une aventure incertaine, avec un homme qui avait admis froidement être l'auteur d'un meurtre ? Elle se dégagea de l'étreinte de son amant. Alistair comprit qu'elle ne le suivrait pas.

— Je vous escorterai moi-même à Québec. Demain, je quitterai ce pays pour ne plus y revenir. Dieu sait si nos chemins se croiseront de nouveau.

Cinquième partie

Tante Madeleine

XXVIII

Québec
Le 12 juin 1861

Mon mariage aurait eu lieu aujourd'hui. Ce fut la première pensée qu'eut Fanette en se réveillant. Depuis le départ d'Alistair, pas une journée ne s'était écoulée sans qu'elle ne songe à lui. Son absence se faisait cruellement sentir. Elle revoyait constamment dans sa tête leur première étreinte, puis leur dernière rencontre, la proposition d'Alistair de l'accompagner en Irlande, le chemin du retour vers Québec qui s'était fait dans un silence de plomb. Où était-il en ce moment précis ? Quelle contrée de l'Irlande ses yeux contemplaient-ils ? À quels dangers s'exposait-il, alors qu'elle ignorait tout de son sort ? Sans se l'avouer, elle trouvait sa vie austère. Pourtant, elle éprouvait une réelle satisfaction à venir en aide aux plus démunis. Elle adorait Marie-Rosalie et était très attachée à sa mère, mais elle avait le sentiment que tous les jours se ressemblaient. Une sorte d'effroi la prenait parfois lorsqu'elle imaginait que son existence continuerait à défiler ainsi, jour après jour, tel un ruban uniforme. Elle s'en voulait de ces pensées et redoublait d'efforts au refuge, ou embrassait sa fille avec effusion, comme si elle cherchait à se faire pardonner.

En descendant à la cuisine, Fanette aperçut sa mère en train de préparer des provisions pour un voyage à Portelance. La veille, Emma avait reçu un télégramme laconique de monsieur Dolbeau : « Venez à Portelance dès que vous le pourrez. » Marie-Rosalie se précipita vers sa mère et la supplia de la laisser faire le voyage avec sa grand-mère. Fanette ne se fit pas prier davantage et décida de partir avec elles. Un peu d'air campagnard lui changerait peut-être les idées.

Après avoir attelé son boghei, Emma plaça le panier de provisions dans le porte-bagages et ouvrit la clôture qui séparait la cour de la rue, tandis que Marie-Rosalie courait d'excitation autour de la voiture. Fanette dut intervenir pour calmer la fillette et réussit de peine et de misère à la faire asseoir sur la banquette à côté d'elle. Emma les rejoignit et se hissa sur le siège. Elle brûlait d'impatience de revoir son domaine, dont la reconstruction était maintenant achevée.

Le boghei s'ébranla enfin et roula en direction du chemin du Roy, qui menait à Portelance.

~

Le coroner Duchesne, accompagné de trois policiers, roulait depuis plusieurs heures dans son fiacre. Il s'était levé à l'aube afin d'entreprendre ce voyage, voulant s'assurer d'arriver à temps pour la cérémonie. Son visage affichait un calme imperturbable, mais l'homme de loi sentait son cœur battre la chamade. À la suite de sa visite à l'auberge À la bonne fourchette, le coroner avait déployé tous ses hommes dans le port de Québec. Ces derniers avaient interrogé les capitaines de navire et les autorités portuaires afin de trouver l'identité du mystérieux marin dont lui avait parlé l'aubergiste. Les policiers étaient revenus bredouilles. Rien, pas le moindre indice pouvant le mener à ce marin. Quelques jours plus tard, le coroner avait appris le mariage d'Alistair Gilmour avec Fanette Grandmont par hasard, en prenant un verre au Cercle de la Garnison, un club privé où se réunissaient des officiers britanniques et dont il était membre. Il connaissait Gilmour pour l'avoir vu à quelques reprises au Cercle et dans quelques réceptions données chez le gouverneur. Son physique correspondait de façon frappante à celui du marin que lui avait décrit le cabaretier. Le fait qu'il épouse la sœur d'Amanda O'Brennan ne lui laissait plus aucun doute sur sa complicité dans le plan d'évasion et sur sa culpabilité quant au meurtre de l'ancien gardien de prison.

Sans attendre, le coroner s'était rendu au domaine de Gilmour, à Cap-Rouge, afin d'interroger le Lumber Lord, mais s'était heurté à des portes closes. Le manoir était désert. Personne n'avait répondu, bien qu'il ait sonné avec insistance. Alistair Gilmour avait disparu. Son dernier espoir de mettre la main sur luiétait de retourner à Cap-Rouge le jour du mariage. Il consulta sa montre. Huit heures du matin. La cérémonie était prévue pour dix heures. Il donna l'ordre à son cocher d'accélérer la cadence.

Il était presque dix heures lorsque le fiacre arriva au village. La petite église se dressait au cœur de la rue principale, près du fleuve. Le coroner s'attendait à voir des voitures garées autour, mais il n'y avait qu'une vieille carriole. Ordonnant au cocher d'arrêter, Duchesne sortit de la voiture et s'approcha de l'église, demandant à ses hommes de le suivre. Avant d'entrer, il se tourna vers eux.

— Attendez-moi devant la porte. Tenez-vous prêts. Il est possible qu'il cherche à s'enfuir.

Les policiers acquiescèrent. L'homme de loi attendit un moment pour calmer les battements de son cœur, puis il poussa la porte de l'église. Ses pas résonnèrent sur le parquet de bois. Il lui fallut quelques secondes pour s'habituer à la demi-pénombre qui régnait à l'intérieur. Faisant quelques pas dans l'allée, il découvrit que l'église était vide. Il n'y avait pas âme qui vive, mis à part un vieil homme qui astiquait la balustrade séparant l'autel du parterre. Probablement le bedeau. Le coroner s'approcha de lui.

— Ne devait-il pas y avoir une célébration de mariage, aujourd'hui ?

Le bedeau se redressa. Il hocha la tête.

— *Devait,* c'est le bon mot. Le mariage n'aura pas lieu.

— Pour quelle raison ?

— Parce que les mariés ne se sont pas présentés à l'église.

Le bedeau continua à frotter la balustrade. Le coroner serra les poings de frustration. Sa proie lui avait de nouveau échappé.

Marguerite se leva tard. Une migraine l'avait empêchée de dormir, et sa tête était encore lourde. Elle mit une robe de chambre en mousseline blanche, prit le pichet qui se trouvait sur son meuble de toilette et versa de l'eau dans le lavabo de porcelaine. Elle s'aspergea légèrement le visage. En relevant la tête, elle vit son reflet dans la glace et se trouva mauvaise mine, ce qui la contraria. Elle sonna madame Régine, qui lui apporta son déjeuner sur un plateau, ainsi qu'une lettre.

Tandis que la bonne s'éclipsait, Marguerite prit la lettre et l'examina. Son nom était inscrit sur l'enveloppe, mais il n'y avait ni adresse ni timbre. Elle reconnut l'écriture de Rosalie. Pourquoi sa fille lui écrivait-elle ? Nul besoin de correspondre lorsque l'on habite sous le même toit. Intriguée, elle décacheta l'enveloppe et en sortit une feuille soigneusement pliée en trois.

> Chère maman,
> Lorsque vous lirez ces mots, je serai déjà loin. J'aime Lucien et il m'aime en retour.

Le choc fut si vif que Marguerite sentit ses jambes se dérober sous elle. Ses joues, si pâles quelques instants auparavant, s'étaient empourprées. Elle dut s'asseoir sur le lit défait avant de poursuivre sa lecture, les mains tremblantes.

> Nous nous marierons dès que nous serons arrivés à destination. J'aurais tant souhaité vous confier notre projet de mariage, mais je craignais votre refus, et je ne l'aurais pas supporté. Je vous en prie, ne vous inquiétez pas pour moi. J'avais des économies, qui nous permettront de voir venir pendant quelque temps. Lucien a de grandes espérances, que je partage entièrement. Je suis convaincue que son talent lui ouvrira toutes les portes et qu'il connaîtra le succès qu'il mérite.

J'espère de tout mon cœur que vous me pardonnerez un jour. Peut-être que le fait de me savoir heureuse vous rendra plus indulgente à mon égard.

Rosalie

Marguerite replia lentement la lettre. La douleur qu'elle ressentait était telle qu'elle semblait avoir engourdi tous ses membres. Elle resta là sans bouger, le regard fixé dans le vide. Puis elle se leva soudain, glissa la feuille dans une poche de son peignoir et se précipita vers la chambre de Rosalie. *C'est impossible. Ma fille, si sage, si réservée, ne peut pas avoir fait une pareille folie.*

La chambre de Rosalie était déserte. Le lit était fait. Marguerite ouvrit les portes de la penderie et constata que quelques robes n'y étaient plus. Des flacons qui étaient d'ordinaire sur sa table de toilette avaient disparu. En fouillant dans les tiroirs, elle découvrit un cahier, enfoui sous des vêtements. Elle le feuilleta. *Mon cher journal,* lut-elle. S'asseyant machinalement sur le lit de sa fille, elle commença à le parcourir.

Ce soir, il m'a regardée. Oh, la douceur de son regard, comme une caresse !

Marguerite continua à tourner les pages. Chaque mot l'atteignait, comme autant de poignards qui lui tailladaient le cœur.

Cher journal,
Lucien s'est enfin déclaré. Les simples mots ne peuvent pas décrire ma joie. C'était hier, alors que j'étais retournée dans ma chambre, après une soirée particulièrement pénible pendant laquelle Lucien avait semblé m'ignorer, comme si je n'avais été qu'un bibelot sans importance. J'allais me coucher lorsque j'ai entendu quelque chose frapper un carreau de la fenêtre. Je me suis précipitée vers la croisée. Lucien était debout sous ma fenêtre. Il m'a fait signe de l'ouvrir. J'ai hésité, mais il m'a été

impossible de résister à l'envie de lui obéir. Lucien a alors fait une chose inouïe. Il a pris une échelle que monsieur Joseph avait utilisée le matin même pour tailler un pommier et l'a placée contre le mur. Je n'ai pas fait un geste, paralysée par la crainte que Lucien soit surpris par le cocher, qui dormait dans une maisonnette attenante à l'écurie, et par une exaltation que je n'avais jamais ressentie auparavant. Puis j'ai trouvé la force de me pencher au-dessus de la croisée et de regarder à la ronde. Il n'y avait personne. Un croissant de lune scintillait dans un ciel couvert d'étoiles. J'ai reculé de quelques pas, prise soudain par une sorte d'affolement. Je ne pouvais imaginer que, dans quelques instants, Lucien Latourelle serait dans ma chambre, qu'il me prendrait dans ses bras, qu'il me dirait des mots doux à l'oreille. Je me suis précipitée vers le miroir, persuadée que je devais avoir l'air d'un laideron et que Lucien fuirait à ma seule vue, mais pour la première fois de ma vie je me suis trouvée jolie. J'ai remis un peu d'ordre dans mes cheveux, puis suis revenue vers la croisée, partagée entre le bonheur de le voir et la crainte de le décevoir. J'ai vu sa belle tête apparaître dans le cadre de la fenêtre. Cette apparition m'a fait oublier mes craintes, a balayé mes doutes. Je me suis lancée vers lui, l'ai aidé à enjamber le rebord et me suis empressée de refermer les volets. Nous sommes restés debout l'un devant l'autre, soudain intimidés. Lucien était en nage. Des gouttes de sueur perlaient sur son front. Je ne sais où j'ai trouvé l'audace de m'avancer vers lui. J'ai déposé ma tête sur son épaule, près de son cou. Un léger parfum de musc se dégageait de ses cheveux. Il m'a attirée à lui et m'a serrée très fort. Puis il m'a embrassée. J'ai cru m'évanouir de bonheur.

Marguerite interrompit sa lecture, laissant échapper un gémissement de douleur. Sa respiration était saccadée et ses yeux, sans larmes, fixaient le vide. Elle fit un effort et continua sa lecture.

Puis nous avons entendu un bruit, une sorte de craquement, qui semblait provenir du palier. Nous nous sommes regardés, muets de terreur. Je suis allée vers la porte, y ai collé mon oreille, mais je n'ai plus rien entendu. Lucien a jugé plus prudent de repartir car, m'a-t-il dit, il ne voulait pas me compromettre davantage.

— Hypocrite, murmura Marguerite. Traître.

Elle feuilleta fébrilement le cahier jusqu'à ce qu'elle parvienne à la dernière page annotée.

Cher journal,
J'ai à peine quelques minutes pour écrire. Tout se précipite. Ce soir, Lucien est venu me retrouver dans ma chambre. Il m'a annoncé qu'il avait décidé de quitter Québec pour ne plus y revenir. J'ai cru mourir de chagrin, mais il m'a saisi les mains et m'a suppliée de venir avec lui. Il m'a dit qu'il ne pourrait vivre sans moi. Nous partirons donc demain matin, à l'aube. Mon Dieu, quelle folie ! Je n'ai jamais été aussi heureuse.

Marguerite lança le cahier, qui s'écrasa sur le sol dans un craquement sec. Quelques feuilles s'en détachèrent.

~

Debout devant le comptoir de la cuisine, madame Régine tranchait des légumes lorsqu'elle vit madame Grandmont entrer en trombe dans la pièce, hors d'elle. Ses longs cheveux noirs, où se voyaient des fils gris, tombaient en désordre sur ses épaules, et sa robe de chambre entrouverte découvrait en partie un sein moiré. La crainte que sa maîtresse ait recommencé à prendre du laudanum l'effleura, mais celle-ci lui saisit un bras avec tant de vigueur qu'elle comprit qu'il n'en était rien.

— Madame Régine, avez-vous vu ma fille ce matin ?

— Non, balbutia la bonne.

— N'avez-vous pas entendu de bruit ? N'a-t-elle pas quitté la maison ?

La servante secoua la tête, apeurée par la voix rauque de sa maîtresse et ses yeux injectés de sang. Marguerite renchérit, resserrant son étau :

— Où avez-vous trouvé la lettre ?

— Quelle lettre ?

— Celle que vous m'avez apportée ce matin, pauvre sotte !

Jamais sa maîtresse ne l'avait traitée ainsi.

— Sur la crédence, près de la porte d'entrée, balbutia la pauvre servante.

— Quelle heure était-il ?

— Environ huit heures.

Sans dire un mot, Marguerite lâcha le bras de la domestique et sortit de la cuisine aussi rapidement qu'elle y était entrée. Il ne lui fallut que quelques minutes pour s'habiller, elle qui, depuis qu'elle avait rencontré Lucien, consacrait à sa toilette plusieurs heures par jour. Après avoir tordu ses cheveux dans un chignon, elle les couvrit d'un chapeau qu'elle fixa avec une seule épingle, se piquant au passage. Des larmes de rage et de douleur lui vinrent aux yeux. Elle étancha le sang avec un mouchoir, puis elle aperçut la lettre de Rosalie par terre, la prit et la glissa dans sa bourse.

Monsieur Joseph, selon sa vieille habitude, cognait des clous, assis sur un banc adossé au mur de briques qui séparait la cour des écuries.

— Monsieur Joseph, attelez tout de suite. Je dois me rendre chez Fanette. Allez !

Réveillé par la voix coupante de sa maîtresse, le cocher obéit, non sans lui jeter un regard surpris. Du vivant du notaire, il s'était habitué aux manières brusques et hautaines de son patron, mais c'était la première fois que madame Grandmont le traitait ainsi. Il fallait que la situation fût bien grave. Il commença à atteler en silence, tandis que sa maîtresse battait impatiemment la semelle.

La calèche de Marguerite s'engagea dans la rue Sous-le-Cap et s'immobilisa devant la maison d'Emma Portelance. Indifférente aux cris des enfants qui jouaient dans la rue, Marguerite descendit de la voiture sans prendre la main que le cocher lui tendait et se dirigea d'un pas ferme vers la porte d'entrée. Elle sonna et attendit. Personne ne vint répondre. Elle sonna de nouveau avec une impatience grandissante. Constatant qu'on ne venait toujours pas répondre, elle se résolut à attendre ; quand bien même elle y passerait la journée entière...

XXIX

Le boghei roulait à bon train. Le domaine de Portelance n'était plus qu'à quelques milles. Emma jeta un coup d'œil attendri à Marie-Rosalie et à Fanette. La fillette avait posé sa tête sur l'épaule de sa mère et dormait, la bouche légèrement entrouverte. Cette image lui rappela Fanette lorsqu'elle l'avait trouvée, sur le chemin du Roy, passant à un cheveu de l'écraser. Comme Marie-Rosalie lui ressemblait ! Un cahot réveilla soudain l'enfant. Elle se frotta les yeux.

— On arrive bientôt, grand-maman ? demanda-t-elle en étouffant un bâillement.

Emma sourit.

— Dans dix minutes, on y sera.

Emma reconnut avec bonheur le parfum de trèfle et de foin mêlé aux embruns du fleuve qui lui était si cher. Elle brûlait d'impatience de revoir son domaine.

— On est rendues ! s'écria Emma joyeusement.

Le boghei s'engagea dans un sentier. Emma sentait l'émotion la gagner au fur et à mesure que la voiture s'approchait de la maison. Puis elle l'aperçut, au détour d'une colline, dont les contours semblaient dessinés avec de l'or fin. Emma eut le sentiment que la maison qui se dressait devant elle, toute pimpante, aux couleurs vives fraîchement peintes, était en tout point pareille à celle de son enfance.

Installé sur la véranda toute neuve dans une chaise berçante, monsieur Dolbeau se leva lorsqu'il aperçut le boghei qui roulait dans sa direction. Il enleva son chapeau et salua Emma et Fanette, un grand sourire aux lèvres. C'est alors qu'il vit la fillette, tenant sagement la main de sa mère. Il crut être revenu en arrière, lorsque madame Portelance lui avait présenté Fanette pour la première fois. La petite fille qu'il avait devant lui était le portrait craché de sa mère. Il se pencha et pinça gentiment une joue de Marie-Rosalie, haute comme trois pommes mais l'air d'une demoiselle avec son chapeau de paille et sa robe à crinoline.

Monsieur Dolbeau tint à leur faire visiter la maison de la cave au grenier. Emma retenait ses larmes à grand-peine. Il n'y avait pas une pièce, pas un meuble, qui ne ressemblait à l'original, jusqu'au bahut dans la chambre principale, presque identique à celui qui avait servi à ses parents, et à ses grands-parents avant eux.

Derrière la maison se dressait la nouvelle grange. Elle était magnifique. Le toit d'ardoise tout neuf rutilait sous le soleil, et une girouette en forme de coq avait été installée au faîte d'une lucarne. À l'intérieur, des poutres se croisaient, telle une immense toile d'araignée. L'air sentait le bois, le foin et le blé. Marie-Rosalie, éblouie, se mit à courir partout, se jetant en riant dans des meules de foin, tandis que Fanette ne songeait même pas à la retenir, absorbée dans la contemplation de tout ce qui avait été rendu à sa mère, grâce à la générosité d'Alistair Gilmour. Des regrets poignants la saisirent. Il lui était impossible, encore aujourd'hui, de concilier la générosité de cet homme avec le sang qu'il avait sur les mains. Pour échapper à sa tristesse, elle regarda Emma. Celle-ci, les yeux tournés vers le plafond de la grange irisé par des rayons de soleil, souriait aux anges. Quant à monsieur Dolbeau, il se tenait discrètement à l'écart, les mains dans les poches, fixant ses chaussures pour ne pas montrer son émotion.

Lorsque Emma sortit de la grange, la vue des champs dont la terre noire et riche avait été fraîchement ensemencée eut raison de sa contenance, qu'elle avait réussi tant bien que mal à garder jusque-là. Elle enfouit son visage dans son sempiternel mouchoir.

Marie-Rosalie regarda sa grand-mère avec inquiétude, puis se tourna vers sa mère.

— Pourquoi grand-maman pleure ?

Fanette la rassura.

— Ne t'inquiète pas, Marie-Rosalie. Ce sont des larmes de joie.

XXX

Affalée sur les coussins de la banquette, le visage sombre, Marguerite, exaspérée par l'attente, comptait les minutes. Il y avait au moins trois heures qu'elle se morfondait dans la calèche, espérant que Fanette reviendrait enfin. Elle ne pouvait se résigner à retourner chez elle sans lui avoir parlé. À bout de nerfs, elle songeait à donner l'ordre à monsieur Joseph de repartir lorsqu'elle vit un boghei rouler dans leur direction. Elle reconnut tout de suite Emma Portelance, assise sur le siège du conducteur, les rênes dans les mains. Fanette, tenant sa fille sur ses genoux, était installée à côté d'elle.

D'un mouvement leste, Marguerite ouvrit la portière de sa calèche, sauta à terre et s'élança vers la voiture d'Emma, qui dut tirer brusquement sur les rênes pour éviter de la frapper. Elle interpella Fanette sans même prendre le temps de la saluer.

— Où est ma fille ? Où est Rosalie ?

Fanette descendit du boghei, stupéfaite par la question de sa belle-mère et la brusquerie de ses manières.

— Il y a plusieurs jours que je n'ai pas eu de ses nouvelles.

Marguerite lui jeta un regard suspicieux.

— Je ne te crois pas. Rosalie ne lève pas le petit doigt sans te consulter. Tu dois me dire où elle se trouve.

— Je ne comprends pas de quoi vous voulez parler. J'espère qu'il ne lui est rien arrivé.

La sincérité et l'inquiétude de Fanette étaient si évidentes que Marguerite comprit que sa bru n'était sans doute au courant de rien.

— Puis-je te parler seule à seule ?

Emma posa la main sur l'épaule de sa petite-fille.

— J'avais justement des courses à faire au marché, dit-elle avec sa présence d'esprit habituelle. Tu m'accompagnes, ma puce ?

La fillette applaudit, heureuse de prolonger la promenade avec sa grand-mère. Fanette en profita pour fouiller dans sa bourse à la recherche de la clé de la maison, le cœur serré par l'anxiété, se demandant ce qui avait bien pu arriver à sa meilleure amie.

∽

Fanette fit asseoir sa belle-mère au salon. Cette dernière était si agitée qu'elle ne prit pas la peine d'enlever son chapeau et ses gants de dentelle.

— Enfin, que se passe-t-il ? demanda Fanette, n'y tenant plus.

— Rosalie s'est enfuie avec Lucien Latourelle.

La première réaction de Fanette fut la plus totale incrédulité. Cela ressemblait si peu au caractère de son amie ! Constatant que la jeune femme ne la croyait pas, Marguerite sortit la lettre de sa bourse et la lui tendit. Celle-ci la parcourut, la mine de plus en plus consternée.

— Tu me crois, maintenant ?

Fanette remit la lettre à sa belle-mère, trop bouleversée pour prononcer un mot.

— Dire que j'ai offert à Rosalie de quitter son poste d'enseignante pour l'héberger chez moi. Et pour me prouver sa reconnaissance, elle s'enfuit avec mon…

Marguerite avait failli dire « mon amant ». Elle se reprit aussitôt :

— … mon protégé. Tu es certaine que Rosalie ne t'a parlé de rien ?

Fanette secoua la tête.

— Je vous assure que non.

Sa belle-mère insista :

— Pas même une allusion ?

— Il y a quelques mois, elle m'avait fait part de ses sentiments pour Lucien Latourelle, mais rien d'autre.

Marguerite fixa sa belle-fille dans les yeux. De toute évidence, Fanette lui disait la vérité. Elle cacha soudain son visage dans ses mains. Fanette demeura debout près d'elle, ne sachant que faire. Marguerite finit par redresser la tête. Ses joues étaient mouillées de larmes.

— Je ne sais même pas où ils sont, dit-elle, la voix brisée. Rosalie prétend que Lucien va l'épouser, mais ce n'est qu'une chimère. Lucien est un hypocrite, un vil séducteur, un menteur sans vergogne. Il va se servir d'elle et l'abandonner. Je le connais.

Le désespoir de Marguerite était si profond que Fanette eut l'intuition que la fugue de Rosalie n'en était pas la seule cause. Elle tenta de se faire rassurante :

— C'est un coup de tête. Rosalie reviendra à la raison.

Marguerite secoua la tête.

— Elle ira jusqu'au bout, ne serait-ce que pour ne pas perdre la face.

Les deux femmes restèrent silencieuses, perdues dans leurs pensées. Puis Marguerite leva les yeux vers Fanette. Ses joues étaient encore marbrées de larmes.

— Retrouve-la. Convaincs-la de revenir. Tu es la seule personne en qui elle ait une entière confiance.

— Je n'ai pas la moindre idée de l'endroit où elle se trouve.

— Je suis convaincue qu'elle t'écrira.

Fanette hésita. La simple idée de trahir son amie lui répugnait. Marguerite devina ses scrupules.

— Tu préfères laisser Rosalie entre les mains d'un jeune homme irresponsable, immature, imbu de lui-même, qui profitera de sa naïveté et la quittera dès qu'il en aura assez d'elle ?

— Ses sentiments pour Rosalie sont peut-être sincères, protesta Fanette.

Marguerite eut un sourire désabusé.

— Il y a une personne que Lucien aime, et c'est lui-même. Je suis bien placée pour le savoir.

L'amertume avec laquelle Marguerite s'était exprimée et sa sincérité crue trahissaient ses sentiments mieux que ne l'auraient fait des aveux. Il ne faisait plus de doute dans l'esprit de Fanette que sa belle-mère était amoureuse du jeune poète. Voyant le trouble de sa belle-fille, Marguerite lui dit la vérité :

— Lucien était mon amant. Mais peu importe le chagrin que cet homme m'a causé, c'est pour Rosalie que je m'inquiète. Elle est si entière, si passionnée. Il va lui briser le cœur, comme il a brisé le mien. Il détruira sa réputation, son avenir.

Cette fois, les paroles de Marguerite ébranlèrent Fanette.

— Laissez-moi un peu de temps pour y réfléchir.

— Tu dois lui venir en aide. Sans toi, elle est perdue.

Après le départ de Marguerite, Fanette tourna en rond dans la maison. Toutes ses pensées étaient dirigées vers le sort de son amie. Sur le moment, le geste de Rosalie lui avait paru complètement insensé et sans rapport avec sa nature posée et réfléchie, mais elle devait admettre que des signes avant-coureurs auraient dû lui mettre la puce à l'oreille. Elle se rappela les confidences que Rosalie lui avait faites, lorsqu'elle s'était foulé la cheville, son aveu de ses sentiments pour Lucien, la passion qui faisait briller ses yeux lorsqu'elle parlait de lui. « On n'a qu'une vie, Fanette. Il faut la vivre sans regret et sans regarder en arrière. » Elle aurait dû se douter que ces paroles n'étaient pas seulement l'expression de sentiments passionnés, mais qu'elles révélaient une volonté et une détermination nouvelles. La pensée d'Alistair Gilmour lui vint à l'esprit. Un vif regret la saisit soudain. Rosalie avait peut-être raison. *On n'a qu'une vie.* En renonçant à ce mariage, Fanette avait renoncé à l'amour. La folie de sa meilleure amie la ramenait à sa propre sagesse, et c'est seulement maintenant qu'elle en mesurait le prix.

~

Lorsque Emma et Marie-Rosalie furent de retour, Fanette donna son bain à la fillette, qui racontait avec son enthousiasme d'enfant sa visite au domaine de Portelance, disant « pirouette » au lieu de « girouette », la « grande » au lieu de la « grange ». Avant qu'elle consente à se mettre au lit, il fallut que Fanette lui raconte de nouveau l'histoire de Peau d'âne, puis lui chante *À la claire fontaine.* Il était plus de neuf heures du soir quand Fanette descendit rejoindre sa mère dans la cuisine. Elle la mit au courant de la fugue de son amie, tandis qu'Emma servait du thé bien chaud.

— Pauvre Rosalie !

Emma savait que le geste de Rosalie non seulement lui vaudrait la réprobation de sa mère, mais compromettrait à jamais sa réputation et son avenir, tandis que celui qui l'avait séduite et entraînée dans cette aventure s'en tirerait sans mal. Même que cette escapade de jeune mondain susciterait l'admiration de ses pairs. *Deux poids, deux mesures,* songea-t-elle.

— Marguerite Grandmont m'a demandé de la retrouver et de la convaincre de revenir à Québec, poursuivit Fanette. Je n'ai pas la moindre idée d'où elle s'est enfuie. Et puis, si j'acceptais, j'aurais le sentiment de trahir ma meilleure amie.

— Ce n'est pas trahir ton amie que de l'aider à se sortir d'un mauvais pas.

— Lucien Latourelle est peut-être sincère. Rosalie est convaincue qu'il va l'épouser.

— Je l'espère pour elle, répondit Emma.

Les deux femmes burent une gorgée de thé en silence.

— Rien ne t'oblige à prendre une décision tout de suite. La nuit porte conseil.

~

Marguerite était étendue tout habillée sur son lit, fixant le plafond. Elle fut tentée de demander à monsieur Joseph de se rendre chez Dame Décary, l'herboriste qui tenait boutique rue Saint-Jean, afin qu'il lui procure du laudanum, mais décida de ne rien faire. Il lui fallait garder toute sa tête si elle voulait avoir une chance de retrouver sa fille et, surtout, Lucien.

Car c'est à lui qu'elle pensait, c'est son visage angélique qu'elle évoquait sans cesse dans son esprit, le haïssant et l'adorant en même temps.

On cogna à sa porte. Marguerite se leva d'un bond et l'ouvrit brusquement, dans le fol espoir que ce soit le poète. Madame Régine se tenait sur le seuil, la mine anxieuse.

— Une dame veut à tout prix vous voir.

— De qui s'agit-il ? demanda-t-elle sèchement.

— Elle n'a pas voulu donner son nom. Elle dit que c'est très important et qu'elle souhaite vous rencontrer seule à seule.

— Faites-la attendre au salon.

Malgré sa contrariété, Marguerite se demandait qui était cette visiteuse, et elle descendit la rejoindre sans tarder. En entrant dans la grande pièce lambrissée de chêne, elle aperçut une femme de petite taille, à la silhouette frêle, dont le visage était perclus d'angoisse. Celle-ci leva des yeux rougis vers Marguerite.

— Vous êtes madame Grandmont ?

Marguerite acquiesça.

— Je suis Hectorine Latourelle, la mère de Lucien.

Marguerite fut saisie en entendant ce nom. Elle regretta d'avoir accepté de la rencontrer. La dernière chose dont elle avait besoin, c'était de subir une scène larmoyante. La mère de Lucien perçut sa froideur.

— Ne craignez rien, je ne vous importunerai pas longtemps.

Elle marqua une courte pause, comme pour se donner le courage de poursuivre.

— Vous êtes sans doute au courant que mon fils et votre fille…

— Rosalie m'a laissé une lettre, dit Marguerite, glaciale.

— Mon fils aussi.

Ouvrant sa bourse, madame Latourelle en sortit une feuille pliée en deux et la lui tendit.

— Lisez plutôt.

Elle prit la lettre et la parcourut en silence. Il n'y avait pas de date.

Chers parents,

Je quitte Québec avec la femme que j'aime, Rosalie Grandmont. Vous qui avez déjà été jeunes, tâchez de comprendre mon geste et de ne pas me juger trop sévèrement. Je saurai agir avec honneur, et j'épouserai Rosalie dès que les circonstances me le permettront.

Votre fils tout dévoué,
Lucien

La rage et le chagrin brûlèrent de nouveau les veines de Marguerite. La mère de Lucien reprit la missive en baissant les yeux.

— Je comprends votre colère, madame. Le geste de mon fils est impardonnable. Mais tout n'est pas entièrement de sa faute.

— Vous osez accuser ma fille ? s'écria Marguerite, les yeux remplis d'orage.

— Je ne parle pas de votre fille, mais de moi-même.

Marguerite la regarda sans comprendre. Madame Latourelle continua de sa voix douce :

— Lucien est notre seul enfant. Les trois autres sont morts à la naissance. Je l'ai aimé à la folie dès le premier jour. Je surveillais son berceau jour et nuit, je m'affolais lorsque, penchée au-dessus de lui, je ne l'entendais plus respirer. Je priais chaque jour pour que mon enfant ne meure pas comme les trois autres, et Dieu a exaucé mes prières. Si c'est une faute de trop aimer, alors je l'ai commise. Il n'y a rien que je n'aurais fait pour Lucien. C'était un enfant fragile, alors je ne lui permettais jamais de sortir, de peur qu'il prenne froid. J'ai refusé de l'envoyer à l'école, craignant qu'il y soit exposé aux quolibets et à la violence des enfants de son âge. Je lui donnais des cours particuliers. Je me privais de manger pour pouvoir lui laisser les meilleurs morceaux. Je cousais pour lui les plus beaux vêtements. Cela fâchait son père, qui m'accusait de trop gâter notre fils, prétendant que je finirais par en faire une mauviette ou, pire, un fainéant.

La mère de Lucien eut un pauvre sourire.

— Il n'est devenu ni l'un ni l'autre. Mais mon trop-plein d'amour l'a sans doute conduit à croire qu'il pouvait tout se permettre, sans qu'il y ait de conséquences à ses actes.

Le discours d'Hectorine Latourelle avait irrité Marguerite plutôt que de l'émouvoir. Où cette femme voulait-elle en venir avec ses jérémiades ? La visiteuse fit quelques pas vers elle. Ses lèvres tremblaient légèrement dans l'effort qu'elle faisait pour ne pas pleurer.

— Je sais que, sans être sa mère, vous l'aimez vous aussi, dit-elle avec simplicité.

Marguerite se sentit rougir sous le regard franc de madame Latourelle.

— Lucien n'est pas un mauvais garçon. Il a bon cœur, et je suis persuadée qu'il fera son devoir et épousera votre fille.

La mère de Lucien partie, Marguerite fut en proie à des sentiments contradictoires. La mère en elle souhaitait ardemment donner raison à madame Latourelle. L'amoureuse priait pour que Lucien abandonnât sa fille et lui revînt.

XXXI

Une semaine plus tard, Fanette reçut une lettre de Rosalie. Ainsi, l'intuition de Marguerite ne l'avait pas trompée lorsqu'elle avait affirmé que sa fille lui écrirait. Vérifiant le cachet de la poste, elle constata que l'enveloppe avait été oblitérée en date du 14 juin, mais il n'y avait pas d'indications sur sa provenance. Emma, sentant que sa fille avait besoin d'être seule, proposa à Marie-Rosalie de l'accompagner au jardin afin de l'aider à biner le potager, ce que la fillette accepta avec joie.

Attendant que sa mère et l'enfant, portant des capelines, des gants de jardinage et des bottes, soient sorties, Fanette décacheta ensuite l'enveloppe et en retira deux feuillets, qu'elle déplia et parcourut avec fébrilité. Aucune date ne figurait sur l'en-tête.

> Très chère Fanette,
> Je ne t'apprendrai sûrement rien en te disant que j'ai quitté Québec avec Lucien Latourelle. Je suis sûre que ma mère t'a mise au courant. Je te connais assez pour savoir que tu te fais un sang d'encre à mon sujet. Sache que je suis heureuse comme je ne l'ai jamais été dans toute ma vie. Lucien est un cœur: sensible, attentionné, attentif à mes moindres désirs. Nous avons à peine besoin de parler tellement nos pensées se rejoignent, comme si nos esprits étaient liés par un pont invisible. Nous habitons une petite chambre située dans une rue bruyante à cause de la proximité d'un marché

et du bruit des sirènes de bateaux, mais pour moi, c'est un véritable paradis.

Lucien est bien décidé à m'épouser. Nous nous marierons dès qu'il aura trouvé un éditeur convenable pour publier ses ouvrages, car il ne veut pas que j'épouse un « poète méconnu et sans le sou », comme il le dit lui-même. Il a fait plusieurs démarches auprès de maisons d'édition réputées à Paris, les seules qui soient dignes de son grand talent.

Peut-être désapprouves-tu ce que ma mère a sans doute décrit comme une « fugue », mais n'auriez-vous pas fait la même chose, Philippe et toi, si le notaire Grandmont n'avait pas finalement consenti à votre mariage ? N'auriez-vous pas tout quitté, tout sacrifié par amour, comme Lucien et moi l'avons fait ?

Si tu as encore de l'amitié pour moi, ne cherche pas à me retrouver. Rien ni personne, pas même toi, ne pourrait me faire changer d'avis. Je t'écrirai de nouveau lorsque je porterai un anneau au doigt.

Je reste ta fidèle,

Rosalie

Fanette replia la lettre, profondément préoccupée. Elle aurait voulu se réjouir du bonheur de son amie, mais rien de ce qu'elle avait lu ne la rassurait, bien au contraire. Le fait que Lucien Latourelle ait été l'amant de Marguerite et qu'il l'ait ensuite abandonnée pour séduire sa fille ne plaidait déjà pas en sa faveur, mais c'était surtout l'égoïsme que dénotait un tel comportement qui lui faisait craindre le pire à Fanette. *Il y a une personne que Lucien aime, et c'est lui-même.* Le jugement que Marguerite avait porté sur le jeune homme était sévère, mais il n'en semblait pas moins vrai pour autant. Un passage de la lettre renforçait ses doutes quant aux intentions du poète. « Nous nous marierons dès qu'il aura trouvé un éditeur convenable pour publier ses ouvrages, car il ne veut pas que j'épouse un "poète méconnu et sans le sou". » S'il avait vraiment voulu épouser Rosalie, aurait-il lié ce projet de mariage à un éventuel contrat avec une maison d'édition ? Cela n'était-il pas une façon de gagner du temps, de bercer Rosalie d'illusions afin de ne pas respecter ses engagements ? Mais ce qui troublait Fanette plus que tout était que son amie puisse comparer sa situation avec celle qu'elle-même avait vécue avec Philippe. Car Philippe l'aurait épousée sans attendre, quitte à couper tous les ponts avec sa famille et à se retrouver sans le sou. Il aurait même renoncé à ses études en médecine, auxquelles il tenait tant, et se serait contenté de n'importe quel travail pour subvenir aux besoins du ménage. « Si tu as encore de l'amitié pour moi, ne cherche pas à me retrouver. Rien ni personne, pas même toi, ne pourrait me faire changer d'avis. » Le manque de lucidité de Rosalie, sa confiance totale en Lucien et son obstination à justifier sa conduite l'effrayaient.

Fanette songea que son amie n'avait laissé aucun indice sur l'endroit où elle habitait. Relisant attentivement la lettre, elle fut toutefois frappée par certains détails. Rosalie y parlait d'une chambre petite et bruyante, située près d'un marché, et évoquait également des sirènes de bateaux. Elle vivait vraisemblablement dans une ville, à proximité d'un port. Rosalie avait également mentionné que Lucien avait entrepris des démarches auprès d'éditeurs parisiens. Était-ce possible que le couple se soit réfugié à Paris ? Fanette en doutait. D'abord parce que Rosalie et Lucien n'en avaient probablement pas les moyens. Mais plus encore, le cachet de la poste indiquait le 14 juin. Or, la traversée de l'Atlantique prenait au bas mot trois semaines, et Fanette avait reçu la lettre le 20 juin. Jamais celle-ci n'aurait pu lui parvenir aussi rapidement. *Alors où peuvent-ils bien être ?*

Une idée lui vint en tête. Elle se rendit dans le séjour, où Emma avait installé une petite bibliothèque, et y prit un vieil almanach. En le feuilletant, elle trouva une carte du Bas-Canada. Les principales villes côtières étaient Québec, les Trois-Rivières et Montréal. Il n'était guère plausible que le couple se soit rendu aux Trois-Rivières. Rosalie n'aurait sûrement pas souhaité y retourner, mais surtout Lucien Latourelle, ambitieux comme il l'était, n'aurait pas quitté Québec, où il jouissait de la protection de Marguerite, pour une petite ville industrielle où il ne connaissait personne. L'hypothèse la plus crédible était que Rosalie et Lucien s'étaient réfugiés à Montréal, et que Lucien avait fait parvenir ses manuscrits à des éditeurs parisiens par la poste.

Fanette rejoignit Emma et Marie-Rosalie dans la cour. La fillette tâchait d'aider sa grand-mère en binant la terre du potager avec une petite pelle. Son tablier en était couvert. Emma, son sarcloir à la main, leva la tête et aperçut Fanette. Elle vit tout de suite à son expression préoccupée que les nouvelles n'étaient pas bonnes. Déposant son outil contre un muret, elle enleva ses gants de jardinage et vint vers Fanette, qui lui remit la lettre de Rosalie. Emma la parcourut. Sa capeline lui ombrait le visage. Puis elle remit la lettre à Fanette, la mine empreinte de gravité.

— Que vas-tu faire ?

— Je ne sais pas, avoua Fanette. Je dois d'abord rendre visite à ma belle-mère. Ensuite, j'aviserai.

~

Conduisant son Phaéton, Fanette se rendit rue Saint-Louis, où habitait désormais Marguerite. Elle eut un choc en revoyant sa belle-mère. En une semaine, celle-ci avait perdu du poids et flottait dans sa robe de nuit blanche. La pâleur de son teint accentuait son allure fantomatique. Seuls ses yeux sombres brillaient, comme si elle avait eu la fièvre.

— Rosalie t'a écrit, n'est-ce pas ?

Fanette hésita, puis lui tendit la lettre de son amie avec le sentiment désagréable de trahir sa confiance. Marguerite saisit la missive et la parcourut avec avidité. Deux disques rouges apparurent sur ses joues. Elle serra les dents.

— Menteur… menteur…

Il y avait tant d'intensité dans sa voix que Fanette eut presque peur. Marguerite lui redonna la lettre, les mains tremblantes de colère et de désarroi.

— Et cette sotte de Rosalie qui boit les paroles de Lucien, comme si c'était l'Évangile… Elle ne t'a pas donné d'adresse, pas même le plus petit indice de l'endroit où elle se trouve !

Fanette tenta de calmer sa belle-mère.

— Je crains que Lucien Latourelle ne soit en effet un beau parleur. Mais tout espoir n'est pas perdu.

Elle fit part de son hypothèse à Marguerite. Celle-ci hocha la tête, découragée.

— À Montréal ? C'est une grande ville. Aussi bien chercher une aiguille dans une botte de foin.

— J'ai quelques indices. Et puis Lucien Latourelle n'est pas le genre d'homme à passer inaperçu. Il rêve de célébrité ; il fera tout pour se faire remarquer.

Marguerite jeta un regard étonné à Fanette. Décidément, la jeune femme avait changé. Il y avait une maturité nouvelle dans ses réflexions, une finesse dans son analyse des comportements et des sentiments humains qu'elle ne lui avait pas connues auparavant.

— Ainsi, je peux compter sur ton aide ?

Fanette acquiesça.

— Je ne le fais pas de gaieté de cœur, mais je partirai pour Montréal dès que possible.

D'un geste spontané, Marguerite enlaça sa bru.

— Merci, merci… Tu ne sauras jamais à quel point je t'en suis reconnaissante.

Fanette se dégagea doucement. Elle savait que la gratitude de Marguerite n'était pas désintéressée, et cela ajoutait à son malaise de trahir Rosalie. Marguerite fit quelques pas et demanda à Fanette de l'attendre un instant. Elle revint avec une petite bourse de satin.

— Voilà cinq cents dollars pour couvrir tes frais de voyage. S'il t'en manque, je t'en télégraphierai. Mon défunt mari possédait un compte à la Montreal Bank, rue Saint-Jacques.

Elle ajouta avec ironie :

— Cela faisait partie des nombreuses choses qu'il me cachait.

~

Emma était dans la cuisine en train de se laver les mains dans une cuvette de grès lorsque Fanette revint de sa visite chez Marguerite. Marie-Rosalie jouait au salon avec une poupée, cadeau de sa grand-mère. Fanette fit part à sa mère de sa décision d'aller à la recherche de Rosalie.

— Combien de temps partiras-tu ? dit Emma, la gorge serrée.

— Quelques semaines, peut-être davantage. Je réserverai deux places sur un bateau dès que possible.

— Deux places ?

— Je souhaite emmener Marie-Rosalie.

Un nuage passa dans le regard d'Emma. Bien qu'elle approuvât entièrement la décision de Fanette, elle avait des craintes à l'idée que celle-ci entraîne sa petite-fille dans une pareille aventure. Montréal était une grande ville, qui avait la réputation d'être dangereuse. Sentant la réticence de sa mère, Fanette avoua qu'elle se sentait incapable de se séparer de son enfant aussi longtemps.

Emma réfléchit.

— Je pourrais demander à ma sœur Madeleine de vous héberger. Ça me rassurerait que vous soyez toutes les deux en sécurité sous son toit. Notre ancienne nourrice, Berthe, une femme très dévouée, est à son service, et elle pourra s'occuper de Marie-Rosalie.

Fanette trouva l'idée excellente, bien qu'elle n'ait jamais rencontré sa tante. Mais il lui fallait d'abord s'assurer d'obtenir deux passages à bord d'un bateau. Emma s'offrit de s'occuper de Marie-Rosalie pendant que Fanette se rendrait au port de Québec.

Pendant cette absence, Emma observa avec tendresse sa petite-fille qui s'amusait à faire marcher sa poupée de cire sur le plancher de bois, songeant que la maison serait bien vide sans ses rires et ses jeux d'enfant.

⁂

Fanette revint avec deux billets pour le *Montréal*, un bateau à vapeur qui avait été mis en service un peu plus d'un an auparavant par la compagnie Richelieu. Le départ aurait lieu le lendemain, 24 juin, jour de la Saint-Jean-Baptiste, à huit heures du matin. Il fallait se présenter au débarcadère Chouinard au moins deux heures à l'avance, car il y aurait foule et l'embarquement risquait d'être long. Le trajet durerait deux jours, en comptant l'escale aux Trois-Rivières. L'arrivée du bateau à Montréal était prévue pour l'après-midi du 26 juin, vers les trois heures.

Après avoir pris en note les détails de l'itinéraire, Emma se rendit sans perdre de temps au bureau du télégraphe et expédia un message à sa sœur, lui demandant si elle aurait la bonté d'accueillir sa fille et sa petite-fille chez elle durant quelques semaines. Emma s'excusait de lui faire une telle demande à la dernière minute, expliquant qu'il s'agissait d'une « affaire délicate ». Elle s'abstint toutefois de mentionner la fugue de Rosalie, considérant qu'il valait mieux que Fanette lui en fasse part de vive voix.

En revenant chez elle, Emma songea qu'il y avait près d'une vingtaine d'années qu'elle n'avait pas vu Madeleine, qui était de sept ans sa cadette. Elle avait souvent projeté de lui rendre visite à Montréal, mais, accaparée par son domaine et le refuge, sans compter ses responsabilités de mère de famille, elle avait toujours remis ses projets de voyage au lendemain. Puis il y avait eu le mariage de Fanette, les manigances du notaire Grandmont pour s'accaparer son domaine, la maladie et la mort d'Eugénie, la disparition tragique de Philippe, celle du notaire... Tant d'événements s'étaient produits durant toutes ces années ! Sa sœur et elle s'écrivaient de temps en temps, mais quelques lettres ne remplaçaient pas une rencontre en chair et en os. Pourtant, Emma avait été particulièrement attachée à sa petite sœur, quoiqu'elle se soit souvent fait du mauvais sang à son sujet. Madeleine avait été une enfant à la santé fragile, ombrageuse et parfois colérique. Lorsque leur mère était morte en couches, elle avait fait une crise de nerfs si violente qu'Emma avait eu toutes les peines du monde à la calmer.

Au fil des ans, le comportement parfois étrange de Madeleine, ses colères suivies par de longues périodes d'abattement ainsi que son esprit rebelle avaient vivement préoccupé leur père, au point que monsieur Portelance avait convoqué un conseil de famille afin de discuter de son « cas ». Edmond, le fils aîné de monsieur Portelance, qui était curé d'une paroisse à Beauport, avait été le premier à s'exprimer. Parlant d'une voix onctueuse, il avait suggéré de faire soigner Madeleine dans l'ancien manoir construit par Robert Giffard de Moncel, le premier médecin de Nouvelle-France, qui venait tout juste d'être converti en maison pour aliénés. Elle y serait bien traitée, et il pourrait la visiter chaque semaine, étant donné que le manoir se situait non loin de son presbytère. Emma s'y était opposée de toutes ses forces. Certes, Madeleine n'agissait pas comme le commun des mortels. Ses sautes d'humeur, ses hauts et ses bas prononcés, ses tocades étaient parfois inquiétants, mais on n'enfermait pas une personne parce qu'elle était différente des autres. Sa sœur Anita, dont le rêve était de se marier dans la haute société, avait farouchement appuyé son père et son frère.

— Je ne trouverai jamais de mari convenable, avec une folle dans la famille !

Emma, indignée, l'avait traitée de pimbêche. Marie, la benjamine de la famille, était alors intervenue de sa voix douce mais ferme. Tout le monde s'était tu comme par enchantement. Marie avait beau être la plus jeune, sa maturité dépassait de loin celle de ses aînés, et le fait qu'elle s'apprêtait à entrer au couvent des Ursulines pour y faire son noviciat ajoutait un poids à ses paroles.

— Chacun a son rôle à jouer ici-bas, avait-elle dit. Madeleine est vive et intelligente. Elle a toujours eu d'excellentes notes à l'école. Elle finira par trouver sa voie.

Un silence un peu embarrassé avait suivi son intervention. Monsieur Portelance avait alors décidé de laisser les choses suivre leur cours, en espérant qu'il n'ait pas à le regretter un jour.

Marie ne s'était pas trompée. Après avoir terminé l'école normale avec la mention « haute distinction », Madeleine avait enseigné quelques années dans une école primaire, près de Sillery, puis avait pris la décision de quitter Québec et de s'installer à Montréal, où elle avait déniché un emploi de secrétaire dans une firme d'avocats reconnue. Rapidement lassée du jargon du droit et des avocasseries, elle avait quitté son poste et s'était fait engager comme secrétaire dans un journal, où elle avait peu à peu fait son chemin. Aux dernières nouvelles, elle y travaillait toujours.

Le lendemain, Emma reçut un télégramme en réponse au sien :

> Chère Emma, j'accepte de recevoir Fanette et sa fille. J'irai les chercher au port de Montréal à l'arrivée du bateau. Bien à toi, Madeleine.

Emma fut agréablement surprise de la célérité avec laquelle sa sœur lui avait répondu, et rassurée que celle-ci ait accepté d'accueillir Fanette et Marie-Rosalie. Elle s'empressa d'annoncer la nouvelle à Fanette, puis l'aida à faire ses bagages. Marie-Rosalie, tout excitée à l'idée de faire un long voyage en bateau, tint à leur donner un coup de main, plaçant des babioles inutiles dans les valises, cassant un flacon en courant dans l'escalier.

En plaçant un châle dans une malle, Fanette pensa soudain qu'elle n'avait jamais vu sa tante Madeleine.

— Comment ferai-je pour la reconnaître ? demanda-t-elle à sa mère.

Emma se souvint que sa sœur lui avait envoyé un portrait d'elle au daguerréotype, quelques années auparavant. Elle fouilla dans un coffret où elle plaçait des souvenirs, des lettres, des papiers, et finit par le trouver sous un paquet de lettres.

— Le voilà !

Emma tendit le portrait de sa sœur à Fanette, qui le regarda avec curiosité. Une femme d'environ quarante ans, portant une robe de taffetas sombre, était debout à côté d'un guéridon, un jeune basset couché à ses pieds. Elle était très mince, presque maigre. Ses cheveux, coiffés en bandeaux sévères, étaient en partie couverts d'un chapeau simple, sans dentelle ni colifichets. Elle regardait droit devant elle, l'air un peu revêche, sans l'ombre d'un sourire. Seuls ses yeux noirs, qui pétillaient d'intelligence, lui rappelaient ceux d'Emma. La première impression que Fanette eut de sa tante ne fut pas des plus favorables, bien qu'elle n'osât pas l'exprimer à haute voix. Cette femme lui sembla froide, un brin autoritaire : tout le contraire de sa mère. Cette dernière jeta à son tour un coup d'œil au daguerréotype et dit, comme si elle ressentait le besoin de rassurer Fanette :

— Il ne faut pas se fier aux apparences.

XXXII

Québec
Le 24 juin 1861

Le boghei d'Emma s'approcha des quais. De nombreux passagers se massaient déjà devant l'embarcadère Chouinard, où le *Montréal* était amarré. Marie-Rosalie battit les mains d'excitation lorsqu'elle aperçut le navire, dont les parois blanches se détachaient dans la grisaille matinale. Fanette respira avec émotion l'odeur du fleuve et du charbon. Tentant d'imaginer à quoi ressemblerait Montréal, elle se rappela une gravure au burin du pont Victoria qui commémorait l'inauguration du pont, en 1859, qu'elle avait vue dans l'un des almanachs d'Emma. On y voyait le prince de Galles en train d'y poser la dernière pierre. Une arche monumentale avait été érigée en l'honneur de sa venue, et une foule considérable s'était assemblée sur des passerelles aménagées de chaque côté du pont pour assister à cet événement historique. Quelle ville extraordinaire devait être Montréal !

Emma fit signe à un débardeur, qui empila les bagages dans une charrette à bras. Puis elle se tourna vers Fanette, tâchant de ne pas montrer son émotion.

— Bon voyage, ma fille. Et toi, Marie-Rosalie, sois bien sage.

La fillette lui décocha un sourire à faire fondre une banquise. Fanette jeta un coup d'œil à sa mère. Celle-ci retenait ses larmes à grand-peine.

— Nous ne serons pas absentes longtemps.

— C'est le vent qui me pique les yeux, répliqua Emma du ton un peu sec qu'elle employait parfois lorsqu'elle était trop émue.

Une sirène annonça le départ imminent du bateau. Après avoir embrassé sa mère une dernière fois, Fanette saisit la main de sa fille et se dirigea vers la passerelle, déjà prise d'assaut par les passagers. Elle se retourna, vit Emma porter un mouchoir à ses yeux.

Après être parvenue au pont, Fanette, prenant Marie-Rosalie dans ses bras, réussit à se faufiler dans la foule et trouva un espace libre devant le bastingage. Elle aperçut la silhouette de sa mère, qui agitait son mouchoir blanc. Elle lui envoya la main à son tour, imitée par l'enfant. Dans quelques minutes, le *Montréal* quitterait le port de Québec. Sans savoir pourquoi, Fanette avait le sentiment qu'elle ne reverrait pas sa mère de sitôt. Elle crut voir la grande silhouette d'Alistair Gilmour se profiler derrière Emma. L'homme s'avança pour serrer la main de quelqu'un et elle distingua son visage. Ce n'était pas lui. *Nos chemins se croiseront peut-être de nouveau*. Elle chassa aussitôt la pensée du Lumber Lord. Il ne servait à rien de ressasser le passé. Ce qui était arrivé était arrivé, elle ne pouvait plus rien y changer.

L'angoisse de l'inconnu la saisit, mais surtout la crainte de ne pas être à la hauteur de la « mission » que lui avait confiée la mère de Rosalie. Réussirait-elle à retrouver sa meilleure amie ? Celle-ci accepterait-elle de la revoir, après cette fugue qui avait pris tout le monde par surprise ? Fanette ne savait rien de ce qui l'attendait.

Une secousse fit vibrer le pont. Fanette posa sa fille par terre et la tint serrée contre elle. Un bruit assourdissant de moteurs couvrit le cri des goélands, qui traçaient des cercles dans le ciel. Le bateau avait quitté le quai. La brume se leva. L'air se rafraîchit. Fanette regarda de nouveau vers le quai. Emma n'était plus qu'une forme diffuse nimbée par le brouillard.

XXXIII

Montréal
Le 26 juin 1861

Il faisait un temps resplendissant. Une foule dense s'était agglutinée devant le débarcadère pour accueillir le *Montréal*. Des mouchoirs s'agitèrent lorsque le bateau à vapeur s'avança dans le port. Fanette se pencha par-dessus le bastingage, tâchant de distinguer dans le flot de gens le visage de sa tante Madeleine, mais le bateau était encore trop loin de la rive pour qu'elle pût reconnaître qui que ce soit.

Passant à droite d'une grosse île de forme oblongue, le navire s'approcha de la jetée Albert. La clameur de la foule monta d'un cran lorsque le bateau accosta, et les mouchoirs s'agitèrent de plus belle. Fanette scruta de nouveau la multitude, mais elle ne vit personne qui ressemblait à sa tante, du moins à ce qu'elle en avait vu sur le daguerréotype. Prenant Marie-Rosalie par la main, elle suivit les passagers qui se pressaient vers la passerelle en se disant que la sœur de sa mère était peut-être en retard, ou bien les attendait en retrait afin d'éviter la cohue.

Des passagers jouaient du coude pour se frayer un chemin tandis que d'autres, reconnaissant un parent ou un ami, l'interpellaient. Fanette, tenant toujours la main de sa fille serrée dans la sienne, réussit à franchir la passerelle. La foule était si dense qu'il était difficile d'avancer. Des débardeurs s'étaient assemblés autour d'une plateforme chargée de bagages que des marins s'activaient à faire descendre par paliers à l'aide de chaînes arrimées à une poulie. Soudain, l'une des chaînes qui soutenaient la plateforme se rompit, déversant un flot de malles, de caisses et de valises qui atterrirent sur le quai avec un bruit effroyable. Des hurlements s'élevèrent. Fanette n'eut que le temps de prendre Marie-Rosalie dans ses bras et de se réfugier derrière un muret, échappant ainsi au flot de gens qui criaient et couraient dans tous les sens, pris de panique. Une femme fut projetée à terre dans le mouvement de la foule et passa à un cheveu d'être piétinée.

Des hommes d'équipage s'étaient précipités vers l'endroit où avaient atterri les bagages. Par une chance inouïe, personne n'avait été blessé. Des caisses avaient été éventrées, des valises s'étaient ouvertes sous le choc, répandant des vêtements et des objets de toilette sur le quai, mais il y avait eu plus de peur que de mal.

Une fois le tumulte calmé, Fanette se mit à la recherche de ses bagages, tenant fermement Marie-Rosalie par le bras pour ne pas la perdre dans la mêlée. Il lui fut impossible de trouver quoi que ce soit dans l'amoncellement de valises et d'objets disparates. Fanette décida qu'il serait plus avisé d'attendre que la cohue se disperse et entraîna sa fille dans un coin plus tranquille du port. Elle jeta de nouveau un coup d'œil à la ronde dans l'espoir de voir tante Madeleine, mais ne la reconnut pas parmi les gens qui continuaient d'aller et venir dans un mouvement incessant.

Après une quinzaine de minutes, Fanette constata que la majorité des voyageurs avait quitté la jetée. Il n'y avait plus que quelques marins qui aidaient des retardataires à transporter leurs bagages, et d'autres qui s'affairaient encore autour des caisses éventrées et des valises qui restaient. Étonnée par le calme qui régnait soudain, Fanette regarda autour d'elle. Un couple chargé de bagages s'éloignait vers une voiture. Un homme portant un haut-de-forme faisait les cent pas, l'air impatient, mais toujours pas de tante Madeleine. Fanette commençait à s'inquiéter. Et si cette dernière avait oublié de venir les chercher ? Dans la précipitation du départ, sa mère n'avait pas pensé à lui donner l'adresse. Comment ferait-elle pour la rejoindre ?

Une silhouette sombre se dressa tout à coup devant elle.

— Vous êtes bien Fanette Grandmont, la fille d'Emma Portelance ? dit une voix au timbre masculin.

Levant les yeux, Fanette aperçut un homme portant un haut-de-forme. Son visage lui sembla vaguement familier. Il tenait une cravache à la main.

— C'est bien moi, mais je ne vous connais pas.

L'homme émit un petit gloussement, enleva son chapeau et inclina légèrement la tête.

— Je suis Madeleine Portelance.

Il fallut une ou deux secondes à Fanette pour faire le lien entre l'image qu'elle avait gardée du daguerréotype et cet homme en redingote qui prétendait être sa tante. Mais en y regardant de près, elle reconnut le visage anguleux, les lèvres minces, les cheveux coiffés en bandeaux stricts, mais surtout les yeux noirs, qu'une lueur ironique animait.

— Ne gardez pas la bouche ouverte, vous risquez de gober des mouches, dit tante Madeleine, pince-sans-rire. Où sont vos bagages ?

Fanette désigna le monceau de caisses et de valises autour duquel s'attardaient des marins et des voyageurs, ressemblant à une flopée de mouettes.

— Là-bas.

Madeleine jeta un coup d'œil dans la direction indiquée par sa nièce. Elle fronça les sourcils et plissa ses lèvres minces.

— Dans quel état seront-ils ? marmonna-t-elle, mécontente.

Puis, semblant soudain se rendre compte de la présence de Marie-Rosalie, elle la toisa sans aménité et s'adressa de nouveau à Fanette :

— C'est votre fille ?

Fanette acquiesça.

— Marie-Rosalie.

— Je ne m'attendais pas à ce qu'elle soit si jeune. Je vous avertis tout de suite, j'ai horreur d'entendre des bambins pleurnicher. J'ai besoin du calme le plus complet pour écrire.

Le ton autoritaire de sa tante et sa remarque désobligeante sur les « bambins » déplurent vivement à Fanette.

— Ma fille ne *pleurniche* pas. Lorsqu'elle pleure, c'est pour une bonne raison.

Madeleine observa la jeune femme un moment, la mine sévère, puis un sourire éclaira soudain son visage anguleux.

— Vous n'avez pas la langue dans votre poche, ma chère nièce. Cela n'est pas pour me déplaire.

Puis elle s'adressa à l'enfant, faisant un effort pour adoucir sa voix :

— Quel âge as-tu ?

Un peu intimidée par la mine sévère et la voix rauque du monsieur qui portait un prénom féminin, la fillette répondit :

— Presque trois ans.

— En voilà une qui sait compter. J'espère que tu as aussi appris à écrire.

— Elle connaît déjà ses voyelles, répliqua Fanette avec froideur.

— Je connaissais tout mon alphabet dès l'âge de deux ans, répliqua Madeleine.

L'antipathie que Fanette éprouvait pour sa tante monta d'un cran. Elle n'osa imaginer comment se déroulerait le reste du séjour. Pour une fois, elle regrettait d'avoir écouté les conseils de sa mère et accepté d'habiter chez cette femme déplaisante et autoritaire plutôt que de louer une chambre d'hôtel.

Lui prenant impérieusement le bras, Madeleine marcha d'un pas vif en direction des bagages. Fanette n'eut que le temps de saisir Marie-Rosalie par la main. En chemin, sa tante héla un marin qui portait l'uniforme de la compagnie Richelieu et lui ordonna de leur donner un coup de main.

— Je vous avertis, jeune homme, si les possessions de ma nièce ont le malheur d'être abîmées ou perdues, je ferai une réclamation en bonne et due forme à votre compagnie.

Le jeune homme, qui devait avoir tout au plus vingt ans, se mit presque au garde-à-vous et entreprit de fouiller dans ce qui restait de bagages. Fanette n'eut pas de difficulté à reconnaître sa malle et ses deux valises. Heureusement, elles étaient intactes ; à peine avaient-elles été éraflées. Fanette dut admettre que, malgré ses défauts, sa tante avait de la poigne. Le pauvre marin, en nage, dut transporter les bagages vers la calèche de Madeleine, qui avait été garée en amont du port afin d'éviter la circulation. Pour toute récompense, elle gratifia le jeune homme d'une brève inclination de la tête, prit place sur la banquette du conducteur et saisit les rênes. Se tournant vers Fanette et Marie-Rosalie, elle les interpella de sa voix de stentor :

— Allons, qu'attendez-vous pour monter ? Je suis déjà en retard pour la livraison de mon feuilleton. Le respect des échéances, ma chère nièce, il n'y a que cela qui compte dans la vie !

Agacée par le ton tranchant de sa tante, Fanette aida néanmoins sa fille à franchir le marchepied de la voiture et l'installa sur la banquette. À peine avait-elle eu le temps de s'asseoir et de refermer la portière qu'elle entendit un coup de cravache accompagné d'un « *Andiamo !* » retentissant. La calèche partit en flèche. Fanette s'agrippa d'une main à la portière tout en empoignant Marie-Rosalie de l'autre pour éviter que la fillette ne passe pardessus bord. Jetant un coup d'œil à sa fille, elle constata que celle-ci, excitée par l'aventure, riait aux éclats.

Après avoir roulé dans la rue de la Commune, la voiture bifurqua rue Saint-Pierre et, parvenant au carrefour de la rue Notre-Dame, fit un arrêt. Fanette profita du répit pour regarder autour d'elle, impressionnée par la largeur de la rue Notre-Dame, dans laquelle une multitude de voitures de toutes sortes circulaient dans les deux sens. De nombreux édifices de quatre ou cinq étages, construits avec la pierre calcaire qui provenait des carrières de Montréal, abritaient des commerces variés. Une botte géante, suspendue devant la façade d'un magasin, annonçait un bottier ; un marchand de vin avait disposé d'énormes tonneaux devant son commerce. Des rouleaux de tissu étaient savamment déroulés devant l'échoppe d'un drapier afin de les mettre en valeur. Brillamment éclairées de l'intérieur, les vitrines semblaient faire de l'œil aux badauds. Le bruit des roues sur le pavé, les cris des cochers et le martèlement des sabots faisaient une sorte de musique discordante, mais quelque chose dans cette cacophonie, ce mouvement perpétuel, cette anarchie ordonnée plaisait à Fanette, bien qu'elle fût habituée au calme de la rue Sous-le-Cap.

La calèche poursuivit sa route en direction est. De temps en temps, Madeleine devait s'immobiliser derrière un omnibus ou une charrette pour laisser traverser un passant ou un cavalier. Elle pestait contre tout à chaque intersection. « A-t-on déjà vu un moyen de transport plus inconfortable et lent que les omnibus ? » « Cette idée, de transporter des bottes de foin en pleine ville ! » « Qu'attend-il, celui-là, pour traverser la rue ? Que je me change en statue de sel ? »

La calèche arriva rue Saint-Denis et s'y engagea. Des champs s'étendaient de chaque côté de la rue, parsemés ici et là de charmants cottages entourés de clôtures. La circulation y était moins dense que sur Notre-Dame, de sorte qu'on se serait presque cru à la campagne. Se tournant vers sa nièce, Madeleine lui expliqua que la rue Saint-Denis ne s'était développée qu'au début du siècle, à la suite de la vente d'un terrain qui appartenait à Louis-Joseph Papineau et à sa tante, Périne-Charles Cherrier, veuve de Denis Viger. L'église Saint-Jacques, dont le clocher ciselé s'élevait gracieusement vers le ciel, se profilait à distance.

Après une dizaine de minutes, la voiture arriva à l'angle de la rue Ontario. À partir de cette intersection, la rue Saint-Denis montait en pente abrupte vers le nord, jusqu'à la rue Sherbrooke. De jolies maisons de style victorien, entourées d'arbres, y avaient été érigées.

— J'habite à deux pas, dit Madeleine.

La voiture s'immobilisa devant une belle maison de brique rouge dominée par une tourelle aux tuiles argentées. Un tilleul au parfum délicat ombrageait le toit mansardé. Le jardin, envahi de mauvaises herbes, n'était visiblement pas entretenu, mais il s'en dégageait un charme bucolique.

— Comme c'est joli ! s'exclama Fanette.

Les yeux noirs de Madeleine brillèrent.

— C'est mon havre de paix, dit-elle avec une note de fierté dans la voix.

La quiétude des lieux fut interrompue par des aboiements intempestifs qui semblaient provenir de l'intérieur.

— C'est George, soupira Madeleine. La pauvre petite déteste rester seule.

Devant la mine intriguée de sa nièce, elle renchérit :

— Je l'ai appelée George en l'honneur de George Sand. Le plus grand écrivain que la Terre ait jamais porté.

Fanette sourit sous cape. Pour la première fois, l'excentricité de sa tante l'amusait. Sitôt la porte ouverte, la chienne prénommée George se lança sur Madeleine en aboyant à s'en étouffer. Fanette reconnut le basset du daguerréotype que sa mère lui avait montré.

— Du calme, George ! Allons, allons, ma pitchounette ! Maman est de retour.

Fanette hocha la tête en entendant ce « maman » affectueux que sa parente avait utilisé pour parler à son chien. Sans doute faisait-elle partie de ces gens qui préfèrent la compagnie des animaux domestiques à celle des êtres humains. La petite Marie-Rosalie, fascinée par l'animal, lui caressa le museau. George se jeta sur la fillette avec une frénésie affectueuse, lui léchant les mains et le visage. Madeleine dut intervenir :

— Tout doux, ma belle. Ne la mange pas tout rond, la pauvre petite.

Après avoir réussi à calmer les ardeurs de George, Madeleine invita sa nièce et Marie-Rosalie à entrer chez elle. Le hall, éclairé par un lustre, menait à un escalier de chêne. À gauche de l'entrée se trouvait un salon encombré d'objets hétéroclites : des statuettes, des sculptures, des vases de toutes les formes qui s'entassaient un peu partout dans la pièce, sans ordre apparent. Des tableaux et des gravures couvraient les murs. Fanette fit quelques pas dans la pièce et s'arrêta devant une gravure au burin.

— La fameuse église Santa Croce, située à Florence, commenta Madeleine, qui s'était approchée de sa nièce. Mon plus grand rêve serait de visiter un jour cette merveilleuse ville. L'écrivain Stendhal, après une visite à cette basilique en 1817, a bien failli se trouver mal tellement la beauté des lieux l'avait bouleversé.

Elle récita de mémoire, d'une voix dramatique :

— « Là, à droite de la porte, est le tombeau de Michel-Ange ; plus loin, voilà le tombeau d'Alfieri, par Canova : je reconnais cette grande figure de l'Italie. J'aperçois ensuite le tombeau de Machiavel ; et, vis-à-vis de Michel-Ange, repose Galilée. Quels hommes ! Et la Toscane pourrait y joindre le Dante, Boccace et Pétrarque. Quelle étonnante réunion ! Mon émotion est si profonde qu'elle va presque jusqu'à la piété. J'étais arrivé à ce point d'émotion où se rencontrent les sensations célestes données par les beaux-arts et les sentiments passionnés. »

Les toiles étaient si nombreuses que l'on aurait pu se croire dans un musée. Parmi celles-ci, Fanette remarqua plusieurs œuvres des peintres Cornelius Krieghoff, Joseph Légaré et Antoine Plamondon. Une toile en particulier attira son attention. C'était un portrait de sa tante Madeleine, posée en cavalière, une cravache à la main. La ressemblance du portrait avec sa tante était frappante, mais c'était surtout la force qui se dégageait de l'ensemble et l'agencement inusité des couleurs que Fanette trouva remarquables.

— Une amie qui m'est chère a peint ce portrait : Clara Bloomingdale. C'est une artiste de grand talent, mais elle a eu le malheur de naître femme.

Il n'y avait pas d'amertume dans sa voix, mais plutôt une émotion contenue. Comme pour y couper court, Madeleine entraîna sa nièce vers une pièce de forme octogonale qui était séparée du salon par une arche. Les murs étaient entièrement tapissés de livres, cordés les uns sur les autres dans des étagères ployant sous leur charge. Un secrétaire, également envahi par des piles de livres et de paperasses, avait été placé près d'une fenêtre en forme d'ogive.

— C'est ici que je travaille, expliqua tante Madeleine, qui ne semblait pas remarquer le désordre.

Une femme âgée, à la mine renfrognée, apparut sous l'arche. Elle portait un vieux bonnet à cornette et un tablier garni de dentelle qui semblaient appartenir à une autre époque.

— J'essaie de ranger, mais madame Madeleine interdit que j'touchions à ses affaires.

Avec son accent campagnard prononcé et son bonnet à l'ancienne mode, la servante semblait tout droit sortie d'un roman de George Sand.

— Au lieu de rouspéter, ma vieille, demande à Alcidor d'aller chercher les bagages.

Quoique les mots employés par Madeleine fussent durs, son ton était empreint de bienveillance. La servante maugréa quelque chose d'inaudible et repartit. Madeleine se tourna vers sa nièce.

— Berthe était ma nourrice, à la seigneurie de Portelance. Elle a bien mauvais caractère, mais elle a bon cœur et elle m'est très dévouée.

Qui parle de mauvais caractère ? songea Fanette, médusée. Malgré tout, sa tante semblait éprouver une réelle affection pour son employée. Décidément, cette femme était un véritable paradoxe ambulant...

Entre-temps, celui que Madeleine avait appelé Alcidor entra dans la maison, portant la malle de Fanette à bout de bras, comme s'il s'était agi d'une plume. C'était un petit homme, mais il était fort comme un bœuf. Une partie de son visage était couvert de cicatrices rougeâtres.

— Veuillez porter le tout dans la chambre d'invités, Alcidor, ordonna Madeleine.

L'homme acquiesça sans mot dire et s'engagea dans l'escalier, tenant toujours le bagage à bout de bras. Madeleine attendit que son serviteur soit parvenu à l'étage pour reprendre la parole, à mi-voix.

— Alcidor était cracheur de feu dans des spectacles de foire. Il a été renvoyé à la suite d'un accident qui lui a causé de graves brûlures. Il en était réduit à quêter dans la rue. J'ai décidé de le prendre à mon service, il y a quelques années. Jamais je n'ai eu à me plaindre de lui. J'ai tenté de lui apprendre à lire et à écrire, mais il a la tête dure comme un pavé. Au moins, il est capable de signer son nom.

Fanette regarda sa tante d'un autre œil. La générosité dont elle avait fait preuve à l'égard de l'ancien cracheur de feu démontrait une qualité de cœur insoupçonnée.

La chambre que Madeleine avait fait préparer pour sa nièce et Marie-Rosalie, située au deuxième étage, était de bonne dimension. Un flot de lumière entrait par la fenêtre entrouverte. L'ameublement était simple, mais confortable : un grand lit ; un autre, plus petit, placé en angle ; une belle armoire de pin patinée par le temps, un coffre et un meuble de toilette. Un joli secrétaire en noyer avait été placé devant la fenêtre. Les couleurs vives de la tapisserie et des rideaux de chintz assortis donnaient de la gaieté à l'ensemble. Comme dans le salon, des étagères remplies de livres couvraient les murs. Une horloge de bronze ornait le manteau d'une fausse cheminée. Fanette regarda par la fenêtre. Quelques branches du tilleul se balançaient doucement sous la brise. Étrangement, elle se sentit comme chez elle dans cette chambre jusque-là inconnue.

XXXIV

Le souper fut servi dans une salle à manger dont l'aspect solennel et bourgeois faisait contraste avec le reste de la maison. Une table de chêne massif, entourée de chaises droites rembourrées en cuir, était surmontée d'un imposant lustre en cristal de Venise. La table avait été mise avec élégance : couverts en argent et chandeliers de cuivre dont les bougies jetaient des lueurs fauves sur la nappe damassée. Tante Madeleine avait troqué son habit d'homme contre un tailleur à la coupe sévère, agrémenté toutefois d'un col blanc garni de dentelle. Son visage étroit, au nez aquilin, était presque beau dans la lumière cuivrée. Pour la première fois, Fanette remarqua ses cils, d'une longueur étonnante, qui adoucissaient son regard.

— C'est la plus belle pièce de la maison, mais Berthe m'interdit d'y écrire ! s'exclama Madeleine. Elle prétend que la « mangeaille » et les mots ne font pas bon ménage. Et, ma foi, elle a bien raison !

Au même moment, comme si elle avait entendu son prénom, la servante entra dans la pièce, apportant une soupière fumante. Le repas fut délicieux. Berthe avait peut-être mauvais caractère, mais c'était une cuisinière émérite. Une bouteille d'excellent bordeaux accompagnait le repas. Sans se faire prier, Madeleine engouffra deux assiettées de soupe, une portion imposante de bœuf aux légumes et but les trois quarts de la bouteille, comme si celle-ci n'avait contenu que de l'eau. Fanette se demanda comment cette femme plutôt maigre pouvait ingurgiter autant de nourriture et de vin sans que rien n'y paraisse. Tout au plus avait-elle pris un peu de couleur aux joues. Après que la table fut desservie, tante Madeleine fixa Fanette.

— Alors, ma chère nièce, qu'est-ce qui t'amène dans notre belle ville de Montréal ? Dans son télégramme, ta mère a fait allusion à une « affaire délicate ».

Prise de court par la question directe de sa tante et par son tutoiement soudain, Fanette tourna la tête vers sa fille, qui s'amusait à donner des miettes de pain au basset. Madeleine comprit que la jeune femme ne voulait pas parler devant la fillette. Elle s'adressa à Marie-Rosalie, tentant d'adoucir sa voix :

— Ma pitchounette, va voir Berthe à la cuisine, elle te donnera une bonne tasse de lait chaud.

Fanette fut agacée que sa tante utilise le mot d'affection dont elle gratifiait son chien pour s'adresser à sa fille, mais elle décida de ne pas s'en formaliser.

— Fais ce que tante Madeleine te demande, dit-elle à l'enfant, qui quitta la table et courut vers la cuisine, George sur ses talons.

Madeleine poursuivit :

— Alors, cette affaire délicate ?

Voyant que Fanette gardait un silence embarrassé, Madeleine se pencha vers sa nièce, posant familièrement ses coudes sur la table.

— Une histoire de cœur ? dit-elle à mi-voix. Tu es amoureuse !

Elle mit soudain une main sur sa bouche.

— Mon Dieu, tu n'es pas en famille, j'espère ?

Fanette répliqua plus sèchement qu'elle ne l'aurait souhaité :

— Je suis veuve, ma tante. Il n'y a guère de danger que je sois enceinte. De toute manière, il ne s'agit pas de moi.

— De qui, alors ?

— Je préfère ne pas la nommer.

— Voyons, ma chère, tu peux compter sur ma plus entière discrétion.

Fanette hésita, puis se décida à parler, sans toutefois nommer sa meilleure amie.

— Une personne qui m'est chère est tombée amoureuse d'un jeune homme et l'a suivi jusqu'ici.

— Comme c'est romantique ! s'écria Madeleine avec un brin d'ironie. Laisse-moi deviner la suite. Le jeune homme en question lui a promis le mariage, mais tu as des raisons sérieuses de croire qu'il ne tiendra pas ses promesses, et les parents de la jeune femme t'ont envoyée en mission pour faire entendre raison à la jeune écervelée. Vrai ou faux ?

Étonnée par la perspicacité de sa tante, Fanette admit :

— C'est vrai. À la différence que la jeune femme en question n'est pas une écervelée. C'est même la personne la plus raisonnable que je connaisse. Et c'est sa mère qui m'a chargée de la retrouver.

Les yeux vifs de Madeleine se posèrent sur sa nièce.

— Tu as raison de me corriger, ma chère. Dans ce genre de situation, ce sont toujours les femmes qui portent le blâme, alors que les hommes se font une gloire de leurs vices.

Submergée par une vague d'émotion, elle frappa soudain la table d'une main. L'un des chandeliers chancela. Quelques gouttes de cire rouge tombèrent sur la nappe.

— Les hommes. Tous pareils ! Des séducteurs de pacotille, qui utilisent les femmes comme un mouchoir qu'on jette après usage.

Fanette ne répondit pas, saisie par l'acrimonie avec laquelle Madeleine s'était exprimée. Regrettant de s'être laissé emporter, cette dernière s'empara d'une blague à tabac qui se trouvait dans une poche de son tailleur, l'ouvrit et prisa un bon coup, ce qui sembla la calmer.

— Revenons à nos moutons. À défaut de me dire le nom de ton amie, peux-tu au moins m'apprendre celui de son séducteur ?

Sentant de nouveau l'hésitation de Fanette, Madeleine ajouta avec gravité :

— La situation de cette jeune femme me touche beaucoup. Je t'aiderai à la sortir du pétrin, mais pour cela, tu dois m'accorder toute ta confiance.

Le ton de sa tante semblait si sincère et son désir de lui venir en aide, si évident que Fanette se décida à parler.

— Il s'appelle Lucien Latourelle.

— Lucien Latourelle, répéta Madeleine, les sourcils froncés. Ce nom me dit quelque chose.

— C'est un jeune poète, qui rêve de devenir célèbre.

Madeleine émit un gloussement caustique.

— Quel jeune poète n'aspire pas à la célébrité ?

Puis elle reprit plus sérieusement :

— Sais-tu dans quel quartier de Montréal nos amoureux habitent ?

— Je n'en ai pas la moindre idée.

Ce fut au tour de Madeleine d'être étonnée.

— Dans ce cas, comment espères-tu les retrouver ?

— J'ai quelques indices. Dans la lettre qu'elle m'a fait parvenir, mon amie m'a indiqué qu'elle et son…

Fanette s'interrompit, mal à l'aise.

— … son amant, compléta tante Madeleine, avec une note d'impatience. Avec moi, il te faudra apprendre à nommer un chat un chat.

— Elle m'a dit qu'elle et son amant vivaient dans une chambre modeste et bruyante, située près d'un marché.

Madeleine hocha la tête.

— C'est vague. Tu es bien certaine qu'il s'agit de Montréal ?

— Mon amie a précisé qu'elle entendait des sirènes de bateaux.

— Des sirènes de bateaux, répéta Madeleine, pensive. Il doit s'agir du port de Montréal. Le marché Bonsecours est situé juste à côté, sans compter qu'il y a beaucoup de maisons de chambres dans ce quartier. Je mettrais ma main au feu que nos deux tourtereaux y ont fait leur nid.

Elle se leva, la mine décidée.

— Demain, à la première heure, nous commencerons nos recherches. Je devais consacrer ma journée au quinzième chapitre de mon feuilleton, mais au diable ! Je le finirai cette nuit.

— Je vous suis très reconnaissante de votre aide, ma tante, mais si vous n'y voyez pas d'inconvénients, je préfère entreprendre cette démarche seule.

Madeleine parut vexée pendant un instant, puis haussa les épaules.

— Comme tu veux. Mais je t'avertis, c'est un coin malfamé. Qui dit port dit prostitution, vols à la tire, et j'en passe.

— Je serai prudente.

Puis elle ajouta, avec une note d'embarras:

— Pourrais-je vous demander un service ?

Madeleine attendit qu'elle poursuive.

— Auriez-vous la bonté de prendre soin de Marie-Rosalie pendant mon absence ?

— Je n'ai pas d'enfant ! Je ne saurais pas comment m'en occuper, s'écria Madeleine, effarée. Et puis elle me dérangera pendant que j'écris.

— Marie-Rosalie est très sage. Vous n'aurez qu'à lui donner un crayon et un peu de papier, et elle se tiendra bien tranquille.

Soudain, un tintamarre suivi de cris retentit. Tante Madeleine se leva d'un bond. Le bruit semblait provenir de la cuisine. Ouvrant une porte vitrée, Madeleine s'engagea dans un couloir éclairé par une lampe torchère. Fanette lui emboîta le pas.

La cuisine se trouvait au bout du corridor. Lorsqu'elles y parvinrent, un spectacle inusité les attendait. Le basset George gambadait partout dans la pièce, entraînant Marie-Rosalie qui le tenait par son collier en riant. Une chaise et quelques bols avaient été renversés sur leur passage. Berthe, un balai à la main, ramassait des morceaux de faïence répandus sur le sol tout en maugréant:

— Des bols presque neufs, si c'est pas de valeur...

Se précipitant vers la fillette, tante Madeleine la saisit par un bras et la gronda:

— Petite sotte ! Ne sais-tu pas que les animaux ne sont pas des jouets ?

Apeurée par la voix et la mine sévères de la grande dame maigre, Marie-Rosalie se mit à pleurer. Fanette intervint, bouillant d'indignation :

— Et vous, ma tante, ne savez-vous pas qu'il ne sert à rien de crier contre une enfant ?

N'ayant pas l'habitude de se faire parler sur ce ton, Madeleine resta interdite. Fanette courut vers sa fille et la prit dans ses bras pour la consoler. De son côté, Madeleine saisit le basset par le collier et le caressa.

— Ma pauvre pitchounette. Tu ne t'es pas blessée, au moins ?

Outrée, Fanette sortit de la cuisine avec sa fille dans ses bras. Comment avait-elle pu songer un seul instant à confier Marie-Rosalie à cette femme égocentrique, qui accordait plus d'importance au bien-être de son chien qu'à celui d'une enfant ?

En mettant Marie-Rosalie au lit, Fanette prit la décision de quitter cette maison. Cela ne lui simplifierait pas la tâche. Il lui faudrait trouver une chambre décente, qui lui coûterait cher. Mais il y avait un problème plus criant : à qui confierait-elle sa fille ? Car il était hors de question de l'emmener dans un quartier « malfamé », comme l'avait qualifié sa tante. Peut-être qu'il aurait été préférable qu'elle laisse Marie-Rosalie à Québec avec sa grand-mère, mais il était trop tard pour revenir en arrière.

Sentant soudain la fatigue de sa longue journée, Fanette fit sa toilette et se coucha à son tour. Un vent frais souleva les rideaux et la pluie se mit à tomber, martelant la fenêtre. Incapable de trouver le sommeil, Fanette pensa à sa mère. Comme elle était différente de sa sœur ! Il était difficile d'imaginer deux femmes aux caractères plus divergents. Elle se demanda quelle opinion Emma aurait d'elle si elle la revoyait aujourd'hui. Sa mère était ouverte d'esprit, mais aurait-elle approuvé la manie de Madeleine de s'habiller en homme, de priser du tabac, sans compter son désordre et son caractère ombrageux ?

La pluie s'amplifia. Un coup de vent fit claquer un volet. Fanette se leva et se dépêcha de le refermer. Heureusement, le bruit n'avait pas réveillé Marie-Rosalie, dont la respiration régulière soulevait la couverture. En contemplant sa fille, elle eut le sentiment que son voyage à Montréal était voué à l'échec et regretta amèrement d'avoir accepté la mission que sa belle-mère lui avait confiée. Les chances qu'elle retrouve Rosalie étaient très minces. Et, même si elle réussissait à savoir où son amie résidait, elle n'arriverait sans doute pas à la convaincre de revenir à Québec. Un souvenir de Rosalie lui revint. Cela s'était passé plus de dix ans auparavant. Fanette avait été invitée à fêter Noël chez les Grandmont. C'était la première fois qu'elle séjournait dans leur demeure, située dans la Grande Allée, et qu'elle rencontrait Philippe. Celui-ci avait été sévèrement corrigé par le notaire Grandmont à cause d'une vétille. Rosalie, révoltée mais impuissante, avait alors confié à Fanette qu'elle aussi était parfois punie par son père à coups de martinet. Ses confidences avaient scellé à jamais leur amitié.

Regagnant son lit, Fanette comprit qu'il lui fallait à tout prix revoir Rosalie, quel que soit le résultat de cette entreprise. Apaisée par sa résolution, elle ferma les yeux et finit par s'endormir.

Des cris stridents s'élevèrent soudain, la tirant de son sommeil.

— Mauvais ! Mauvais ! MAUVAIS !

Reconnaissant la voix de sa tante, Fanette s'appuya sur un coude, remonta la mèche de sa lampe de chevet et jeta un coup d'œil à l'horloge de bronze. Il était près de trois heures du matin. Fanette mit sa robe de chambre, prit la lampe, sortit de la pièce et s'avança vers l'escalier, le cœur serré par l'inquiétude. Qu'avait-il bien pu se produire, cette fois ? Les cris s'étaient transformés en gémissements.

— C'est affreux… affreux…

Convaincue qu'un grave accident était survenu, Fanette dévala les marches et courut en direction du salon, d'où semblait provenir la voix. La pièce était plongée dans la pénombre. Les formes et les teintes des tableaux dansaient dans le halo de la lampe. S'avançant de quelques pas, Fanette aperçut une faible lumière provenant de la petite salle octogonale qui servait de bureau à sa tante. C'est à ce moment qu'elle la vit. Portant une robe de chambre informe, ses cheveux ordinairement bien coiffés dressés en épis sur sa tête, tante Madeleine était affalée dans un fauteuil derrière son secrétaire, la mine hagarde. Des dizaines de boulettes de papier jonchaient le sol. Fanette déposa sa lampe sur un guéridon et se pencha vers la forme prostrée.

— Ma tante, que vous arrive-t-il ? Êtes-vous souffrante ?

Madeleine leva son visage pâle et anguleux vers sa nièce. Ses yeux étaient bordés de rouge.

— Je suis l'écrivain le plus médiocre que la Terre ait jamais porté, dit-elle, la voix empreinte de désespoir.

Interloquée, Fanette ne sut que répondre.

— Je ne vaux rien. Il n'y a pas un mot de ce que j'ai écrit qui ait la moindre valeur.

— Vous devriez peut-être aller vous coucher. Ma mère dit souvent que la nuit porte conseil.

— Dormir ! s'écria Madeleine, hors d'elle. Crois-tu que je puisse me permettre un tel luxe ? Je dois remettre mon chapitre dans deux jours, et je viens de jeter tout ce que j'avais écrit tellement c'était mauvais.

— Vous êtes sûrement trop sévère. Avec un peu de repos…

Sa tante la coupa :

— Je te laisse en juger par toi-même.

Madeleine se pencha vers le sol, ramassa l'une des boulettes de papier, la déplia et se mit à en lire le contenu à voix haute :

— « Hortense, accoudée à son balcon, bercée par le chant mélodieux d'un rossignol, songeait, en contemplant la lune qui se profilait entre les arbres tel un disque d'argent, à la proposition de mariage que Napoléon lui avait faite le matin même. »

Elle leva les yeux vers Fanette.

— N'est-ce pas la phrase la plus inepte, la plus banale qui ait jamais été écrite dans toute l'histoire de la littérature ? D'abord, les rossignols ne chantent pas la nuit. Sans compter qu'il n'y en a pas au Québec. Et puis cette métaphore de la lune ressemblant à un disque d'argent est d'une médiocrité navrante.

Devant le silence poli de sa nièce, Madeleine renchérit :

— Qu'attends-tu pour me dire le fond de ta pensée ?

— Eh bien...

Sans lui laisser le temps de terminer sa phrase, Madeleine balaya le contenu de son secrétaire. Une bouteille d'encre se renversa, éclaboussant des feuilles de papier.

— Tu as raison. Je ne suis qu'un tâcheron de l'écriture, un écrivaillon de la pire espèce. Mes lecteurs finiront par m'abandonner. Mon patron me remplacera sans le moindre état d'âme par un auteur plus jeune et plus talentueux. De toute manière, il ne cherche qu'un prétexte pour se débarrasser de moi. Tu comprends, je suis payée au mot, il trouve que je lui coûte trop cher.

— Mais, ma tante, je n'ai rien dit de tout cela, protesta Fanette.

Madeleine hocha la tête. Des larmes roulaient sur ses joues.

— Je suis finie, ma pauvre Fanette. Le citron a été trop pressé, il n'en reste plus la moindre goutte de jus.

Le désespoir de sa tante, qui lui avait d'abord semblé factice, voire comique, toucha Fanette malgré elle.

— Vous êtes épuisée. Il n'y a rien qu'une bonne nuit de sommeil ne puisse réparer.

Émue par la gentillesse de sa nièce, Madeleine lui prit spontanément la main et la porta contre sa joue humide de larmes.

— Non seulement tu es intelligente et franche, mais tu as du cœur.

Puis, se redressant, elle tâcha de mettre un peu d'ordre sur son pupitre.

— Quel gâchis ! soupira-t-elle, en remettant la bouteille d'encre presque vide à sa place.

Fanette s'attarda, se demandant si le moment était bien choisi pour annoncer à sa tante sa décision de quitter la maison et de prendre une chambre dans un hôtel.

— Ma tante, je voudrais vous dire...

— As-tu appris à conduire une voiture ? la coupa soudain Madeleine.

Prise de court par la question, Fanette répondit :

— Oui. Mon beau-père m'avait procuré un Phaéton pour le baptême de Marie-Rosalie.

— À la bonne heure ! À part ma calèche, je possède un Phaéton Petit Duc. C'est une voiture fort pratique dont je me sers parfois pour des promenades. Demain, je le mettrai à ta disposition. Ainsi, tu pourras te rendre partout où tu le souhaites. Cela facilitera tes recherches.

— Et Marie-Rosalie ?

— Je te promets de bien prendre soin d'elle. De toute manière, Berthe sera là pour veiller au grain.

Devant la bonne volonté manifestée par sa tante, Fanette décida de renoncer à son projet de départ, pour le moment du moins.

— Je vous remercie, ma tante. Bonne nuit.

— Bonne nuit, chère nièce.

Avant de quitter le salon, Fanette se tourna une dernière fois vers sa tante.

— Hortense épousera-t-elle Napoléon ?

— Plaît-il ?

— Dans l'extrait de votre feuilleton que vous m'avez lu, Hortense songeait à la proposition de mariage que Napoléon lui avait faite. Que décidera-t-elle ?

Les yeux noirs de Madeleine se mirent à briller.

— Sais-tu, je n'ai pas encore décidé. Napoléon est fils de médecin, et il a lui-même entrepris des études en médecine. C'est un bon garçon, voué à un bel avenir, mais un peu ennuyeux.

— S'il est ennuyeux, Hortense ne devrait peut-être pas l'épouser, dit Fanette.

Un sourire malicieux éclaira le visage de Madeleine.

— J'y penserai.

Fanette lui sourit à son tour et, reprenant sa lampe, elle sortit. Madeleine se remit à écrire avec fébrilité, comme si l'intérêt qu'avait démontré sa nièce pour son intrigue avait momentanément balayé ses doutes.

XXXV

Le lendemain, Fanette se leva tôt et fut étonnée de trouver Madeleine en train de prendre son déjeuner. Sa tante semblait être dans d'excellentes dispositions, malgré ses yeux cernés trahissant le manque de sommeil.

— Figure-toi que j'ai presque terminé mon chapitre. Plus que quelques lignes à écrire. Grâce à toi, je suis maintenant en avance sur mon échéancier. Mon rédacteur en chef en avalera sa pipe !

— Grâce à moi ? répéta Fanette, étonnée.

Sa tante se pencha vers elle, avec la mine d'une conspiratrice.

— En fin de compte, Hortense n'épousera pas Napoléon. Mes lectrices seront déçues sur le moment, mais pas pour longtemps. Le pauvre Napoléon sera supplanté par un beau et ténébreux comte polonais, au nom imprononçable, le comte Doroszewski. Cela sonne mystérieux à souhait, tu ne trouves pas ?

Après le repas, Madeleine donna ordre à Alcidor d'atteler le Phaéton Petit Duc, puis fouilla dans un tiroir de son secrétaire en quête d'une carte détaillée de la ville de Montréal. Pendant ce temps, Fanette chercha sa fille et la trouva à la cuisine, installée bien sagement dans un coin, en train de dessiner sous l'œil vigilant de Berthe. Rassurée, elle embrassa la fillette et se rendit à l'écurie, où l'attendait la voiture déjà attelée. Elle s'apprêtait à y monter lorsque Madeleine surgit dans l'écurie et courut vers sa nièce, lui remettant le plan de la ville.

— Pour te rendre au port, tu n'as qu'à reprendre en sens inverse le chemin que nous avons parcouru lors de ton arrivée, mais une carte ne peut pas nuire. Notre ville s'est beaucoup développée ces dernières années.

Fanette examina la carte avec intérêt. Elle fut frappée par le nombre de rues qui s'entrelaçaient en un réseau complexe, délimité au nord par la montagne du mont Royal et au sud par le port. La ville s'étendait vers l'est jusqu'à la rue Parthenais et s'arrêtait au faubourg Saint-Antoine à l'ouest.

Glissant la carte dans sa redingote de voyage, Fanette prit place sur le siège du conducteur. En tirant sur les rênes, la jeune femme sentit un frisson d'excitation et d'anxiété la parcourir à l'idée de s'aventurer seule dans une ville qu'elle connaissait à peine.

Après avoir traversé une partie de la ville sans encombre, Fanette dut s'arrêter non loin du champ de Mars. Un embouteillage avait été causé par une collision entre une charrette à foin et un omnibus. Par chance, personne n'avait été blessé, mais des meules de foin s'étaient répandues sur la chaussée, bloquant le passage. La voie fut finalement dégagée par des gendarmes appelés à la rescousse. Fanette put poursuivre son chemin jusqu'au marché Bonsecours. Les étals les plus recherchés se trouvaient sur la rue Saint-Paul, qui était encombrée de voitures et de charrettes. Comme par miracle, la jeune femme réussit à garer le Phaéton Petit Duc dans un espace libre, à proximité de l'hôtel de ville, un long bâtiment rectangulaire dont l'entrée principale, composée de six colonnes, était surmontée par une gracieuse coupole.

La place du marché était noire de monde. Les boniments des marchands rivalisaient avec le bruit des voitures qui roulaient sur le pavé inégal. L'odeur du crottin se mêlait aux effluves suaves des fruits et des légumes. Des exhalaisons fétides émanaient d'une boucherie. Fanette descendit de la voiture et attacha la bride à une clôture. Pendant un moment, elle resta debout sur place, étourdie par le va-et-vient continuel des voitures et des badauds. Comment avait-elle pu imaginer qu'elle trouverait Rosalie dans cette cohue ? Son entreprise lui apparut de nouveau insensée, mais elle surmonta son découragement et jeta un coup d'œil à la carte que sa tante lui avait remise. La rue Saint-Paul était située à deux pas de la Commissionner's Street, qui longeait le port de Montréal. Une rangée de maisons se trouvait du côté nord de la rue, en face du marché. Dans sa lettre, Rosalie avait fait allusion à une chambre bruyante à cause de la proximité d'un marché et du bruit des sirènes de bateaux. Il était donc plausible d'imaginer que son amie avait élu domicile dans l'un de ces immeubles.

Traversant la rue, Fanette s'approcha des façades et vit, sur quelques-unes d'entre elles, des affiches indiquant des chambres à louer. Elle décida d'entrer dans la première maison venue.

Le vestibule était noir comme un four. Un relent de vinasse et d'urine saisit Fanette à la gorge. En s'avançant à tâtons, elle trébucha sur quelque chose et dut s'agripper à une main courante pour ne pas tomber. Un son inarticulé se fit entendre. S'habituant peu à peu à l'obscurité, Fanette aperçut le corps d'un homme allongé au pied d'un escalier. Une bouteille traînait près de lui. L'homme continuait à marmonner lorsqu'une porte s'ouvrit brusquement, laissant filtrer un rectangle de lumière. Un second individu d'allure robuste apparut sur le seuil et poussa une exclamation rageuse en apercevant le corps affalé par terre.

— Dehors ! J'veux pas de guenillou icitte !

Laissant la porte de sa loge entrouverte, il saisit le vagabond par le collet, le traîna jusqu'à l'entrée et le jeta à la rue, comme s'il s'était agi d'un tas d'ordures. Fanette, qui était restée à l'intérieur, résista à l'envie de fuir cet endroit sordide et attendit le retour de celui qui semblait être le logeur. Ce dernier revint après quelques instants, pestant contre le mendiant.

— Maudite vermine !

Il s'apprêtait à entrer dans sa loge lorsqu'il aperçut une silhouette près de l'escalier.

— Pas un autre ! Attends que j't'attrape, mon vlimeux !

En voyant l'homme avancer vers elle, Fanette n'eut que le temps de reculer de quelques pas.

— Bas les pattes ! s'écria-t-elle.

Surpris d'entendre une voix féminine, l'assaillant s'arrêta. Fanette s'approcha prudemment du rectangle de lumière.

— Je voudrais parler au logeur de cet immeuble, dit-elle, tâchant de raffermir sa voix.

— C'est moé, déclara le commerçant, ébahi en voyant une jeune et jolie femme, habillée avec élégance, debout devant lui, telle une apparition.

— Louez-vous des chambres ?

— J'en loue à la journée, à la semaine, ou ben au mois, mais icitte, c'est pas un endroit pour une jolie p'tite dame comme vous.

Comme pour lui donner raison, un tintamarre effroyable retentit soudain. Un marin, portant un béret et un veston bleu marine, dévala l'escalier et se précipita vers la porte d'entrée tandis qu'un pichet, lancé du haut des marches, s'écrasa contre un mur et vola en éclats. Une femme, un peignoir défraîchi sur les épaules, fit irruption sur le palier, vociférant des injures, puis retourna à sa chambre en claquant la porte. Le logeur, dont les bras étaient couverts de tatouages, jeta un regard entendu à Fanette.

— Pis, voulez-vous toujours louer, ma p'tite dame ?

— Je ne cherche pas une chambre.

Elle lui demanda s'il avait loué récemment une chambre à un jeune couple et fit une description détaillée de Rosalie et de Lucien. L'homme secoua la tête.

— Ça me dit rien pantoute. À votre place, je les chercherais dans les beaux quartiers, pas dans des trous à rats comme icitte.

Il retourna dans sa loge et referma la porte. Fanette sortit à l'air libre, soulagée d'échapper à l'atmosphère confinée et infecte de cette maison, mais déçue de ne pas être plus avancée dans ses recherches. Encore une fois, elle eut la tentation d'abandonner, mais fit un effort et se dirigea vers la maison voisine.

❦

XXXVI

Attablée à son secrétaire, Madeleine écrivait rapidement, de son écriture large et hachurée, la mine concentrée. La chienne George dormait à ses pieds. Après avoir terminé sa page, Madeleine souffla dessus pour faire sécher l'encre, puis lut ce qu'elle venait de rédiger, sa plume toujours à la main.

Hortense n'avait pas fermé l'œil de la nuit. Le lendemain, Napoléon se présenterait chez ses parents, comme il le faisait invariablement, une fois par semaine. Il la saluerait avec la même inclinaison polie de la tête, s'assoirait dans le même fauteuil, avec le même geste qui consistait à remonter légèrement son pantalon. Il replacerait une mèche imaginaire de ses cheveux impeccablement gominés et lui servirait les mêmes platitudes : « Ravi de vous revoir, ma chère Hortense. J'espère que vous vous portez bien. » À la différence que, cette fois, il attendrait un mot, un seul mot, qui changerait son existence à jamais, la jetterait dans les bras de cet homme qui, malgré ses visites hebdomadaires, demeurait un étranger pour elle. Son prénom, Napoléon, détonnait chez cet être ennuyant, à la voix monotone, aux propos insignifiants, qui ponctuait toujours ses phrases par un « Je vous le donne en mille » pontifiant. Comment pouvait-on s'appeler Napoléon, un prénom qui évoquait l'aventure, le courage, l'esprit de grandeur, et être aussi plat ? Sa seule présence provoquait chez Hortense un tel ennui qu'elle devait souvent cacher ses bâillements derrière son éventail. Et pourtant, elle supportait ses visites, sachant qu'elle encourageait ainsi les espoirs de son prétendant, sans doute parce qu'elle n'avait pas le courage de le renvoyer.

Ne pouvant résister à la tentation d'ajouter un mot ici, une phrase là, pour augmenter un peu son cachet, étant donné qu'elle était payée au mot, Madeleine poursuivit sa lecture.

Un mot, un seul, et chaque jour de sa vie sera dorénavant consacré à un homme pour qui elle n'éprouvait qu'une sorte d'affection tiède. Cette seule pensée la terrifia. Bien qu'elle eût déjà vingt-six ans et que Napoléon, un excellent parti, selon ses parents, représentait sans doute sa dernière chance de se marier, elle ne pouvait se résigner à lui confier son avenir. L'aube pointait. Hortense se leva, écarta le rideau de la fenêtre et contempla le jardin. Les dernières roses d'automne retombaient de la pergola en grappes languissantes. Elle distinguait même des perles de rosée sur les pétales délicats. « Si j'épouse Napoléon, songea-t-elle, je ne reverrai plus jamais ce jardin, ces roses. Je me réveillerai aux côtés d'un homme que je n'aime pas. » Dès lors, elle sut ce qu'elle devait faire. Ce mot, elle aurait le courage de le prononcer. Elle dirait « non » à la proposition de mariage de Napoléon, quelles qu'en soient les conséquences. L'esprit apaisé, Hortense retourna s'étendre et s'endormit aussitôt. Elle ignorait que son avenir se dessinerait bientôt sous les traits d'un homme qu'elle ne connaissait pas encore, mais qui bouleverserait son existence à jamais : le beau comte Doroszewski.

Satisfaite, Madeleine rassembla les feuilles éparpillées sur son pupitre et les glissa dans une enveloppe. Il ne lui restait plus qu'à aller porter son nouveau chapitre à la rédaction du journal. Elle s'apprêtait à appeler Alcidor afin qu'il attelle sa calèche lorsque George se réveilla soudain et se mit à frétiller de la queue. Levant les yeux, Madeleine aperçut une tête blonde se profiler derrière un fauteuil. *La petite*... Dans la fièvre de l'écriture, elle l'avait complètement oubliée.

— Que fais-tu ici, mon enfant ? Berthe n'est pas avec toi ?

— Je joue à cache-cache avec elle, chuchota Marie-Rosalie.

Madeleine jeta un coup d'œil amusé à la fillette, qui s'était recroquevillée derrière le fauteuil.

— Berthe a beau être myope comme une taupe, je crains qu'elle n'ait aucun mal à te trouver.

— Chut... Il ne faut pas parler trop fort.

Berthe entra dans le salon sur les entrefaites.

— Où est-ce qu'elle se cache, ma p'tite sacripante ?

Marie-Rosalie se rencogna davantage. Berthe s'avança dans le salon.

— Où est-ce qu'elle se cache, ma p'tite rose des champs, que je la cueille ?

La servante vit tout de suite l'enfant tapie derrière le fauteuil et échangea un regard de connivence avec Madeleine, qui joua le jeu.

— Je n'en ai pas la moindre idée. Je n'ai pas vu Marie-Rosalie de toute la matinée.

— Ah, c'est que la p'tite friponne est devenue invisible, ma foi !

George se mit de la partie et se précipita vers le fauteuil. En apercevant la fillette, elle aboya joyeusement en remuant la queue. Marie-Rosalie la caressa.

— Chut... George. Berthe va me trouver...

Avec un cri de triomphe, la servante se précipita vers Marie-Rosalie et la prit dans ses bras.

— Ha, ha ! J't'ai cueillie, ma rose des champs !

La fillette gigota en poussant des cris de joie tandis que George aboyait comme une forcenée. Madeleine se surprit à rire de bon cœur, puis elle rabroua sa servante et la fillette pour la forme.

— Allez, allez, ouste, laissez-moi travailler en paix.

Berthe mit un doigt sur sa bouche, saisit la main de Marie-Rosalie et l'entraîna vers la cuisine. Les rires de la fillette s'estompèrent. Le silence revint. Madeleine avait horreur d'être dérangée lorsqu'elle écrivait et ne pouvait supporter le moindre bruit, aussi s'étonna-t-elle de sa patience. Elle haussa les épaules et se remit au travail.

XXXVII

À la fin de la matinée, Fanette avait fait le tour de toutes les maisons de chambres de la rue Saint-Paul devant le marché Bonsecours et avait même poussé ses recherches jusqu'à la place Jacques-Cartier, mais ses démarches étaient restées infructueuses. Se rendant compte qu'elle avait l'estomac dans les talons, elle décida de retourner au marché afin d'y acheter un peu de pain et de fromage. En traversant la rue Saint-Paul, elle entendit des cris aigus.

— Au voleur ! Ma bourse ! Au voleur !

Fanette aperçut à distance une femme d'allure bourgeoise qui gesticulait, le visage rouge et le chapeau de travers.

— Le petit vaurien m'a volé ma bourse ! Au voleur !

Le sifflet d'un gendarme retentit. Il y eut un mouvement de la foule. Fanette fut soudain bousculée par quelqu'un. Elle n'eut que le temps d'entrevoir le visage d'un adolescent portant une casquette. Leur regard se croisa pendant un bref instant. Elle eut le sentiment que les traits du garçon lui étaient vaguement familiers. Des taches de rousseur couvraient ses joues sales, comme un reste d'enfance. Puis le garçon continua sa course folle et disparut dans le flot de gens. L'incident avait à ce point troublé Fanette qu'elle ne vit pas une jeune femme, portant un mantelet avec un capuchon qui lui couvrait la moitié du visage, un cabas à la main, s'éloigner du marché à pas rapides en direction de la rue Notre-Dame.

Antoine courait à toutes jambes, donnant des coups de coude à gauche et à droite pour écarter les gens qui l'empêchaient de passer. Il tourna la tête. Le gendarme qui avait sifflé fendait la foule à l'aide de son bâton et s'approchait de lui. Redoublant d'efforts, Antoine se précipita dans la rue et faillit se faire renverser par une voiture. Roulant sur lui-même, il réussit à éviter l'une des roues et se retrouva de l'autre côté de la rue, étourdi et les membres douloureux, mais sain et sauf. Il se releva péniblement, puis avisa une ruelle et s'élança dans cette direction. Il continua à courir comme un forcené jusqu'à ce qu'il parvienne à une porte cochère, qu'il poussa de toutes ses forces. Heureusement, celle-ci n'était pas barrée. Il la referma et s'y adossa, tentant de reprendre son souffle. Son cœur allait lui sortir de la poitrine. Antoine tâta la poche gauche de son pantalon élimé et reconnut avec soulagement les contours de la bourse qu'il y avait enfouie. Tout à coup, il sentit une sorte de picotement à sa jambe droite. En penchant la tête, il aperçut une poule, qu'il chassa d'un coup de pied. Le volatile s'éloigna en battant maladroitement des ailes.

Regardant autour de lui, le garçon se rendit compte qu'il se trouvait dans une cour intérieure entourée d'une clôture de bois. Une douzaine de poules s'y promenaient, picorant ici et là, tandis qu'un coq allait de l'une à l'autre, sa crête faisant une tache écarlate sur la terre brunâtre. Par chance, il n'y avait personne. Rassuré, il sortit la bourse de sa poche et en répandit le contenu dans sa paume ouverte. Il y avait plusieurs billets de banque et de nombreuses pièces de monnaie. Il compta en tout seize dollars et dix-huit sous.

Remettant l'argent dans la bourse, qu'il glissa dans sa poche avec un sourire satisfait, il se dit qu'il aurait de quoi survivre pendant un bout de temps, pourvu qu'il fasse attention à la dépense. Puis son sourire s'effaça. Un sentiment étrange, qu'il n'avait pas éprouvé depuis longtemps, s'insinua en lui. La honte. Il n'eut pas de mal à en connaître la cause. La « jolie dame ».

Il l'avait reconnue tout de suite, bien que trois ans se fussent écoulés depuis qu'il l'avait vue la dernière fois, devant la prison de Québec. Elle n'avait pas changé d'une miette, avec ses yeux d'un bleu si profond, presque noir, et sa peau blanche comme les plumes d'un cygne. Il eut soudain conscience de la saleté de ses mains. Ses ongles étaient noirs de crasse. Baissant la tête, il vit que ses orteils sortaient de ses chaussures, dont les semelles ne tenaient plus qu'à un fil. Il s'était tellement habitué à vivre sans domicile fixe, courant la fortune du pot, dormant le plus souvent sous un pont ou dans un logis abandonné, qu'il avait oublié à quoi il ressemblait. Le regard de la « jolie dame », à la fois surpris et compatissant, le lui avait cruellement rappelé. Il n'était qu'un petit voleur à la tire, sale et dépenaillé. Le souvenir d'Oscar lui revint. La honte qu'il avait éprouvée lorsqu'il l'avait reconnu, après l'avoir attaqué dans la rue avec ses comparses, l'envahit de nouveau. Les paroles d'Oscar résonnaient encore à ses oreilles. « Depuis quand tu te tiens avec des voyous pareils ? J'ai passé à un cheveu d'être assassiné ! » Puis une révolte sourde balaya la honte. Était-ce sa faute s'il avait dû fuir son père, un ivrogne de la pire espèce, qui le battait comme plâtre et le faisait travailler comme un esclave ? Était-ce sa faute s'il devait voler pour se nourrir ? Chassant une autre poule qui s'était aventurée près de lui, il ouvrit la porte cochère et regarda des deux côtés de la ruelle. Constatant que celle-ci était déserte, il s'y aventura furtivement.

~

Montant un escalier étroit et vermoulu, Rosalie dut s'arrêter au premier palier pour reprendre son souffle. Elle portait un cabas rempli de nourriture qu'elle s'était procurée au marché. Le panier était lourd et lui tirait le bras, mais elle ne sentait pas la douleur tant elle était bouleversée. Elle s'appuya quelques instants sur la balustrade, indifférente à l'odeur aigre du chou qui régnait dans l'espace confiné. *Que fait Fanette à Montréal ?* Car c'était bien son amie qu'elle avait entrevue au marché Bonsecours, juste avant qu'un garçon ne s'empare de la bourse d'une passante. Pourtant, dans sa lettre, Rosalie avait été on ne peut plus ferme. « Si tu as encore de l'amitié pour moi, ne cherche pas à me retrouver. » Fanette avait trahi sa confiance. Sinon comment expliquer sa présence à Montréal ? Elle fut surprise elle-même du ressentiment qu'elle éprouvait pour celle qu'elle aimait pourtant si tendrement. *Je ne dois plus retourner au marché Bonsecours*, se dit-elle. Il lui faudrait trouver un autre endroit pour se procurer ses provisions.

Perdue dans ses pensées, Rosalie reprit son ascension. Il lui fallait se rendre au cinquième et dernier étage de la maison où Lucien et elle avaient élu domicile. Située sous les combles, la pièce était si petite qu'il fallait se pencher pour y circuler. Les jours de beau temps, on y étouffait à cause du soleil qui chauffait le toit, mais la chambre avait pour avantage d'être lumineuse, même par temps gris. Quand l'hiver surviendrait, elle ne serait pas trop difficile à chauffer.

Une fois parvenue au cinquième palier, Rosalie déposa son cabas, fouilla dans une poche de sa jupe et en sortit une clé. En entrant dans la chambre, la jeune femme constata que les rideaux défraîchis qui garnissaient la lucarne étaient encore fermés. Elle déposa son fardeau près d'une petite truie sur laquelle une bouilloire de fer-blanc avait été déposée, tira les rideaux, puis tourna la tête vers le lit. Lucien dormait encore. Son beau profil semblait avoir été sculpté dans l'albâtre et ses lèvres carmin, légèrement entrouvertes, laissaient deviner des dents blanches. Elle le regarda longuement, comme pour s'assurer qu'il existait bel et bien, qu'il n'était pas un songe qui se volatiliserait dans la lumière du jour. Elle tendit une main, lui caressa les cheveux, dont les boucles blondes étaient répandues sur un traversin. De longs cils bordaient ses paupières closes. Un bonheur fou envahit Rosalie, si vif qu'il lui coupa presque le souffle. Elle ne rêvait pas. Lucien dormait d'un sommeil paisible, dans un lit de fer dont les draps étaient imprégnés de son parfum. Ses cheveux étaient soyeux sous ses doigts. Après un moment, les narines de Lucien frémirent. Il poussa un gémissement et ouvrit les yeux. Il sourit en apercevant le visage de Rosalie penché au-dessus du sien.

— Tu es là, ma Rosalie. C'est donc vrai. Tu n'es pas un songe. Je me suis éveillé tout à l'heure, j'étais seul, et j'ai eu peur que tu sois partie.

Tu n'es pas un songe. Rosalie fut émerveillée que Lucien ait utilisé les mêmes mots qu'elle pour exprimer ses sentiments, comme s'il avait lu dans ses pensées. Attendrie par sa moue enfantine, elle se pencha encore davantage et l'embrassa. Puis elle s'assit sur le bord du lit, pressant ses mains dans les siennes.

— Je ne me suis pas absentée plus d'une heure, dit-elle en souriant. J'ai acheté quelques provisions au marché, et je suis passée par le bureau de poste.

Lucien se redressa sur un coude. Ses yeux d'un bleu céruléen brillaient d'espoir.

— Alors ? Il y a une réponse ?

Rosalie secoua la tête. La déception de son amant fut si vive que la jeune femme éprouva le besoin de le rassurer.

— Deux semaines à peine se sont écoulées depuis que tu as envoyé ton manuscrit. Les éditeurs ne l'ont sans doute pas encore reçu. Il faut compter au moins un mois pour qu'un colis parvienne à Paris par bateau.

Les paroles de Rosalie semblèrent calmer le jeune poète. Il s'assit dans le lit et posa sa tête sur la poitrine de la jeune femme.

— Tu as raison, ma sage Rosalie. Tu comprends, s'il fallait que mon manuscrit soit refusé, je n'y survivrais pas.

Rosalie l'entoura d'un geste protecteur.

— Il sera accepté. Avec un talent comme le tien, il ne peut en être autrement.

Il se dégagea doucement, la regarda dans les yeux.

— Tu le crois vraiment ?

— T'ai-je déjà menti, Lucien ?

Il observa le visage de Rosalie. Ses traits, sans être harmonieux, avaient une douceur qui les rendait presque beaux, mais c'étaient surtout ses yeux, graves et profonds comme un lac, qui le fascinaient. Il y voyait tant d'amour et d'admiration à son égard qu'il avait l'impression de s'y mirer. Au début de leur relation, le fait qu'elle ait un pied bot l'avait certes ennuyé mais, peu à peu, cette infirmité avait éveillé en lui des sentiments chevaleresques, un besoin de protéger Rosalie, de la défendre envers et contre tous, qui lui semblait une forme supérieure de l'amour. Lorsqu'ils faisaient leur promenade quotidienne et qu'un passant posait sur Rosalie un regard rempli de pitié, Lucien serrait ostensiblement le bras de sa maîtresse et fixait le passant avec le plus parfait mépris jusqu'à ce que celui-ci, embarrassé, détourne les yeux. Lorsqu'il croisait une jolie femme, il adoptait un manège un peu différent. Son sourire devenait indulgent et ses yeux se remplissaient d'une tendresse rêveuse. *Avec ma beauté,* semblait dire son regard, *j'aurais pu avoir les plus belles femmes à mes pieds, mais j'ai choisi celle-là, justement parce qu'elle n'a pas été choyée par la vie.* Sa propre bonté l'émouvait parfois jusqu'aux larmes.

— Je meurs de faim. Qu'as-tu apporté de bon ? s'écria-t-il joyeusement.

Rosalie sortit quelques provisions de son cabas, qu'elle déposa sur une caisse de bois qui leur servait de table. Lucien, après avoir mis un pantalon, s'empara d'une miche qu'il déchira à belles dents. Rosalie sourit en voyant le jeune homme manger avec un tel appétit.

— Tu n'as pas faim ? lui demanda Lucien, la bouche pleine.

L'amour qu'elle ressentait pour le poète occupait tant de place qu'elle ne songeait même pas à se nourrir. Elle s'efforça de manger un bout de pain accompagné de confiture. La pensée de Fanette l'assombrit. Il n'y avait pas de doute dans son esprit que c'était Marguerite qui avait convaincu son amie d'entreprendre ce voyage. Qui eût cru qu'un jour la présence de Fanette, qu'elle aimait tant, lui pèserait, et qu'elle souhaiterait si vivement son départ ? Au fond, c'était le manque de confiance dont témoignait cette présence même qui la blessait. Lucien avait un cœur noble. Elle ne pouvait comprendre que sa meilleure amie puisse douter un seul instant de la sincérité de ses sentiments pour elle. Fanette ne croyait peut-être pas qu'il fût possible qu'un homme aussi beau puisse aimer une infirme. Elle ferma les yeux pour chasser cette pensée douloureuse. Lorsqu'elle les rouvrit, la vue de Lucien lui souriant dans la lumière gaie qui entrait maintenant à flots dans la petite pièce suffit à chasser ses doutes. Quand bien même Fanette réussirait à la retrouver, cela ne changerait rien à sa décision. Elle aimait son amant de toute son âme. Rien ni personne, pas même sa meilleure amie, ne parviendrait à les séparer.

XXXVIII

L'après-midi tirait à sa fin lorsque le Phaéton Petit Duc s'engagea dans l'allée qui menait à l'écurie. Fanette descendit de la voiture, épuisée par sa longue journée et ses démarches infructueuses. Sa rencontre avec le logeur dans la rue Saint-Paul, le vol dont elle avait été témoin et ses visites dans d'autres logements tous plus miteux les uns que les autres lui avaient laissé une pénible impression. Dans un sens, elle était soulagée de ne pas avoir retrouvé Rosalie. Il lui était difficile de l'imaginer vivant dans des conditions aussi exécrables.

Tel un diable à ressort, Alcidor surgit dans la cour et commença à dételer le cheval. Fanette constata que la calèche de sa tante n'était pas à sa place habituelle. Madeleine était probablement allée porter son fameux chapitre à la rédaction du journal. Tandis que le serviteur donnait à boire et à manger au cheval, Fanette entra dans la maison. Elle chercha sa fille des yeux et fut rassurée en la voyant en train de dessiner dans un coin de la cuisine, sous le regard attentif de Berthe, qui se livrait aux préparatifs du souper. La fillette courut vers sa mère et lui montra les dessins qu'elle avait faits. Fanette y jeta un coup d'œil et fut attendrie par leur fraîcheur enfantine. L'un des dessins représentait une maison. Une cheminée laissait sortir un filet de fumée. Un arbre s'élevait à côté de la maison. Fanette pensa au tilleul dont elle apercevait les branches à travers la fenêtre de sa chambre et fut étonnée par le sens de l'observation de sa fille. Un deuxième dessin représentait un visage féminin. Les lettres

« m-a-m-a-n » avaient été maladroitement tracées sous l'esquisse. Fanette sourit, émue. Madeleine avait sans doute donné un coup de main à la fillette, car celle-ci, bien qu'elle adorât que sa mère lui fasse la lecture avant de dormir et qu'elle pût déchiffrer quelques mots, n'avait évidemment pas encore appris à lire ni à écrire. Le portrait n'était guère ressemblant, mais quelque chose dans la coiffure évoquait tout de même le visage de Fanette.

Le roulement d'une voiture se fit entendre, accompagné d'un « Hue dia ! » sonore. Madeleine fit son entrée dans la cuisine, portant ses habits d'homme et tenant sa cravache dans une main. Elle fulminait.

— Cette fois, je suis bien décidée. Je quitte ce foutu journal ! *L'Époque* se passera de ma plume !

La chienne George alla se réfugier sous une chaise, attendant que l'orage passe. Berthe continua à couper ses légumes comme si de rien n'était, visiblement habituée aux colères de sa maîtresse. Fanette s'enquit poliment de la raison pour laquelle sa tante songeait à quitter le journal.

— Figure-toi que Point final a eu le culot de me refuser mon chapitre, sous prétexte que ce n'était pas assez romantique et que cela ferait fuir les lectrices. Quel fieffé imbécile !

— Point final ? demanda Fanette, interloquée.

— C'est le surnom que j'ai donné au rédacteur en chef du journal. Il termine toutes ses phrases par : « Point final. » Dire que j'ai passé une nuit blanche à refaire mon texte ! J'ai eu beau expliquer à ce sombre imbécile qu'Hortense ferait la rencontre d'un beau et mystérieux comte, rien n'y a fait. Ah non, c'est fini, ma chère nièce. Je trouverai bien un autre journal qui saura reconnaître mon talent. J'en ai plus qu'assez de jeter des perles aux pourceaux !

Puis, prenant familièrement Fanette par le bras, elle l'entraîna vers le salon.

— Alors ? dit-elle, curieuse. Quelles nouvelles ?

Fanette secoua la tête.

— Rien.

Elle lui raconta les visites qu'elle avait faites dans toutes les maisons de chambres autour du marché Bonsecours, et même au-delà. Personne n'avait entendu parler du couple.

Madeleine hocha la tête, perplexe.

— En fin de compte, nos tourtereaux ne sont peut-être pas à Montréal.

Elle réfléchit.

— Si ce Lucien Latourelle est vraiment sérieux dans ses aspirations d'écrivain, il cherchera sans aucun doute à faire éditer ses œuvres. Je connais quelques imprimeurs montréalais qui sont également éditeurs. Notre poète a peut-être déposé son manuscrit chez l'un d'eux. Ce serait alors possible d'obtenir son adresse.

— Dans sa lettre, mon amie faisait uniquement mention d'éditeurs parisiens.

Le regard de Madeleine se chargea d'ironie.

— Tous les écrivains rêvent d'être édités à Paris, mais peu y parviennent. Après avoir essuyé suffisamment d'échecs, notre poète n'aura d'autre choix que de se rabattre sur des éditeurs d'ici. Je te donnerai quelques adresses, on ne sait jamais.

Fanette se rendit à sa chambre afin d'écrire une lettre à Marguerite, à qui elle avait promis de donner des nouvelles. Elle trouva du papier, de l'encre et une plume dans un tiroir du secrétaire, puis monta la mèche de la lampe au kérosène, car le soleil avait décliné et la pièce était plongée dans la pénombre.

> Chère Marguerite,
> Jusqu'à présent, mes recherches sont demeurées infructueuses, mais il ne faut pas perdre espoir. Je vous écrirai dès que j'aurai du nouveau.

En terminant sa lettre, Fanette ressentit le même malaise qu'elle avait éprouvé en acceptant la mission que sa belle-mère lui avait confiée. Les paroles d'Emma lui revinrent à l'esprit. *Ce n'est pas trahir ton amie que de l'aider à se sortir d'un mauvais pas.* Songeant à Rosalie, la jeune femme se mit à crayonner le visage de cette dernière sur une feuille de papier. Les lignes, d'abord imprécises, prirent forme peu à peu. Fanette dessinait maintenant fiévreusement, comme si une autre main avait guidé la sienne. Lorsqu'elle eut terminé, elle constata à quel point le portrait était ressemblant : le regard à la fois circonspect et contemplatif, le nez et la bouche minces, le menton à l'ovale délicat. Elle entreprit ensuite de faire le portrait de Lucien Latourelle de mémoire. Le visage du poète prit graduellement forme.

Fanette était si absorbée dans sa tâche qu'elle n'entendit pas les coups frappés à sa porte. Après un moment, celle-ci s'entrouvrit. La tête de Madeleine apparut dans l'embrasure. Elle tenait un bout de papier dans une main.

— Ma chère nièce, voici les noms de quelques librairies et imprimeurs dont je t'ai parlé, dit-elle en entrant dans la pièce. Il y a la librairie Rolland, située sur la rue Saint-Vincent, puis l'imprimeur Fabre, à deux pas de là.

En déposant le papier sur le pupitre, Madeleine remarqua les esquisses et les observa avec intérêt.

— Ce sont nos amoureux, n'est-ce pas ?

Fanette acquiesça, embarrassée.

— Tu as du talent à revendre, très chère. Où as-tu appris à dessiner aussi bien ?

— Chez les Ursulines.

— Eh bien, on dira ce qu'on voudra, sans les religieuses, les filles n'auraient pas reçu une aussi bonne éducation. On leur doit au moins cela.

Elle cligna de l'œil.

— Le souper est servi. Ne fais pas trop attendre la pauvre Berthe. Elle ne supporte pas qu'on mange ses plats refroidis.

Madeleine sortit, laissant la porte entrouverte. Fanette jeta un dernier coup d'œil aux esquisses. Une idée se précisa alors dans son esprit. Comment n'y avait-elle pas pensé plus tôt ? Son espoir de retrouver Rosalie se raviva.

XXXIX

Fanette s'éveilla vers six heures. Une légère pluie pianotait sur les carreaux de la fenêtre. Elle avait mal dormi et aurait volontiers prolongé son sommeil d'une bonne heure, mais elle éprouvait un sentiment d'urgence, une certitude qu'il lui fallait retourner au marché Bonsecours aussitôt que possible. S'extirpant de son lit, elle fit sa toilette, s'habilla et releva ses cheveux en chignon, puis jeta un coup d'œil à Marie-Rosalie, qui dormait paisiblement. Elle monta légèrement la couverture de l'enfant. Elle prit ensuite les portraits des amoureux qu'elle avait exécutés la veille et les glissa dans sa bourse, ainsi que le bout de papier sur lequel sa tante avait inscrit des adresses d'imprimeurs-libraires, puis elle sortit de la chambre à pas de loup pour ne pas réveiller sa fille.

Lorsque Fanette parvint au hall, elle constata qu'une lumière était allumée dans le salon. Elle fit quelques pas dans la pièce et aperçut Madeleine endormie dans son fauteuil, sa plume encore à la main. Attendrie, Fanette lui retira la plume des doigts et plaça délicatement un coussin sous sa tête. Madeleine dormait si profondément qu'elle eut à peine un tressaillement. Fanette griffonna un mot, qu'elle mit bien en évidence sur le secrétaire.

> Chère tante,
>
> Je serai au marché Bonsecours toute la matinée.
>
> Je reviendrai vers midi.
>
> Fanette

Berthe jetait une bûche dans le poêle lorsque Fanette entra dans la cuisine.

— Vous êtes bien de bonne heure, à matin, ma'me Fanette. Quand j'étais petite, ma mère disait : la vache la première au pré lèche toute la rosée.

Fanette sourit.

— Chez nous, on disait : « *The early bird catches the worm.* » L'oiseau lève-tôt attrape le ver.

Les deux femmes échangèrent un regard de connivence. Fanette prit la tasse de café que la servante lui tendait et en but quelques gorgées. Le café était fort et acheva de la réveiller.

Après avoir déjeuné, Fanette se rendit à l'écurie. Constatant qu'Alcidor dormait, le dos appuyé sur un muret, elle décida d'atteler le Phaéton elle-même, puis se hissa sur le siège du conducteur, prenant soin de déposer sa bourse à côté d'elle.

Le marché Bonsecours était moins achalandé que la veille. Fanette put garer facilement la voiture de sa tante derrière une charrette remplie de tonneaux. Des fermières, debout derrière des étals bien garnis, haranguaient les passants.

— Un poulet vivant, qui veut un beau poulet vivant ? Un beau poulet...

— Des carottes pis des navets, des patates pis des panais...

Fanette commença à faire le tour des étals, montrant aux marchands les portraits de Rosalie et de Lucien. Si les amants habitaient bel et bien les environs, ils devaient forcément se nourrir, et donc se rendre au marché. L'espérance de Fanette était que quelqu'un les reconnaisse. La première commerçante qu'elle aborda ne se rappelait pas avoir vu des jeunes gens qui ressemblaient à ces dessins, faisant remarquer que si elle avait eu devant ses yeux un jeune homme aussi beau, elle ne l'aurait pas oublié. Passant d'une marchande à l'autre, Fanette reçut la même réponse. Une maraîchère lui donna un peu d'espoir lorsqu'elle lui dit que le visage de la jeune femme lui était familier, mais elle fut incapable de fournir d'autres détails. Fanette parcourut ainsi tout le marché, allant jusqu'à aborder un potier qui tenait boutique rue Saint-Paul et qui avait placé un étal sur le trottoir de bois pour vendre sa marchandise. Le potier regarda longuement les portraits, puis finit par secouer la tête. Fanette ravala sa déception. Il ne restait plus qu'une boulangerie située un peu en retrait, à côté d'un marchand de bois. Une jeune femme, portant un bonnet et un large tablier blancs, plaçait des pains encore chauds sur un comptoir devant le magasin. Lorsque Fanette lui montra les dessins, la boulangère hocha la tête.

— Je sers tellement de monde dans une journée…

Puis elle regarda le portrait de Rosalie de plus près.

— Y me semble que j'ai déjà vu ce p'tit minois, pas plus tard qu'hier matin.

Pleine d'espoir, Fanette lui fit une description détaillée de son amie.

— Elle est de taille moyenne, mince.

Elle hésita avant d'ajouter :

— Elle boite légèrement.

Cette fois, la boulangère acquiesça.

— C'est bien elle. Elle vient presque tous les jours, depuis quelques semaines. Une p'tite dame toute chétive. La pauvre, elle boite à en faire pitié.

C'est Rosalie. Ça ne peut qu'être elle.

— À quel moment de la journée vient-elle, d'habitude ? demanda Fanette, s'efforçant de garder son calme.

— Vers les neuf heures. Des fois un peu plus tard, mais je l'ai jamais vue dans l'après-midi.

Les cloches de l'église Bonsecours sonnèrent huit coups. Fanette décida d'attendre dans l'espoir que Rosalie se présente à l'étal de la boulangère.

Rosalie faisait la queue devant un guichet du bureau de poste. Le bruit sec d'un tampon résonnait dans la grande salle. Il y avait trois clients devant elle. *Pourvu qu'il y ait une lettre pour Lucien…* L'impatience lui faisait battre les tempes. Comme pour le faire exprès, la cliente qu'on servait à ce moment avait plusieurs lettres et un colis à poster. Il sembla à Rosalie qu'elle attendait depuis des heures, alors que seulement quelques minutes s'étaient écoulées depuis son arrivée au bureau de poste. Elle vit avec soulagement la cliente s'éloigner du guichet et se diriger vers la sortie. Il ne restait plus que deux personnes devant elle. Consultant l'horloge, Rosalie constata qu'il était près de neuf heures. Elle pensa à Lucien et l'imagina en train de dormir, ses mains longues et fines posées sur l'oreiller. Cette évocation suffit à l'apaiser. Une dizaine de minutes passèrent, puis ce fut enfin son tour. Elle se pencha anxieusement vers le postier, qui avait fait coudre des ronds de cuir sur les coudes de son veston.

— Auriez-vous reçu du courrier pour monsieur Lucien Latourelle ? demanda-t-elle, la voix étouffée par l'anxiété.

— Lucien Latourelle. Je vais vérifier, mademoiselle.

L'employé se leva et se rendit vers un pigeonnier dans lequel les lettres et les colis reçus en poste restante étaient rangés par ordre alphabétique. Rosalie observait ses moindres gestes, priant intérieurement pour qu'il y ait du courrier. Elle n'osait imaginer la déception de Lucien si elle rentrait dans leur petite chambre les mains vides. Après quelques minutes, l'homme revint vers le comptoir de marbre. Il avait une lettre à la main, qu'il glissa dans l'interstice du guichet. Le cœur battant, Rosalie prit la missive et l'examina. Le papier était d'une bonne épaisseur, doux au toucher. Elle jeta un coup d'œil au cachet de la poste. Celui-ci indiquait « Paris ». *Paris !* Le mot magique la remplit d'allégresse. La voix impatiente du postier s'éleva :

— Au suivant !

Constatant qu'elle empêchait les autres clients d'être servis, Rosalie glissa soigneusement la lettre dans son cabas et sortit du bureau de poste. L'activité fébrile qui régnait dans la rue et la lumière aveuglante du soleil l'étourdirent. Quelques fiacres étaient garés à proximité. Elle avait si hâte d'aller porter la lettre à son amant qu'elle fut tentée d'en prendre un, mais elle se raisonna. Leurs ressources étaient maigres. Comme elle souhaitait que Lucien puisse se consacrer entièrement à l'écriture, il lui fallait calculer minutieusement chaque dépense. Elle décida plutôt de marcher, impatiente de rentrer chez elle.

Toujours debout à deux pas de la boulangerie, Fanette observait anxieusement les clientes qui s'y présentaient. Elle devait bien être à son poste depuis une demi-heure, mais elle n'avait pas encore aperçu Rosalie. *Peut-être qu'elle ne viendra pas aujourd'hui,* se dit-elle.

L'attention de Fanette fut soudain attirée par une jeune femme qui marchait sur le trottoir de bois, de l'autre côté de la rue Saint-Paul. La promeneuse portait un mantelet dont le capuchon lui masquait une partie du visage, mais sa silhouette gracile lui paraissait familière. Elle crut remarquer que la femme boitait légèrement. Sans perdre un instant, Fanette se mit à courir et traversa la rue sans regarder. Une calèche s'arrêta si brusquement qu'un Tilbury qui arrivait derrière faillit l'emboutir. Le conducteur de la calèche se mit à vociférer. Fanette bredouilla des excuses et se remit à courir. Elle n'était plus qu'à quelques pieds de la promeneuse.

— Rosalie ! cria Fanette.

La jeune femme se retourna. Son capuchon avait glissé dans le mouvement, de sorte que son visage était maintenant dégagé. Ce n'était pas Rosalie. La déception de Fanette fut si vive qu'elle lui fit monter des larmes aux yeux. La foule était de plus en plus nombreuse, mais elle ne vit pas son amie. Lorsque la cloche de l'église sonna dix heures, Fanette partit à regret.

Comme elle avait encore un peu de temps devant elle, Fanette décida de se rendre chez les deux imprimeurs dont sa tante lui avait donné les adresses. Elle monta dans le Phaéton, qui roula vers la rue Saint-Vincent, espérant que ceux-ci pourraient la renseigner sur Rosalie et Lucien.

XL

Rosalie entra dans le hall crasseux de la maison de chambres et entreprit l'ascension des marches, le cœur en fête. Il lui sembla que sa claudication était plus légère et que l'escalier était moins ardu à monter que d'habitude. Lorsqu'elle entra dans la chambre, essoufflée et en nage, elle vit Lucien de dos. Il était assis devant la caisse qui leur servait de table et écrivait. En entendant la porte grincer, il tourna la tête vers elle. Il avait un sourire radieux aux lèvres.

— Je me suis remis à l'écriture. Un nouveau poème, dit-il. Je crois que c'est prometteur.

Lucien était si beau et ses yeux, animés d'une telle confiance que Rosalie se sentit submergée par l'amour qu'elle lui vouait.

— Regarde ce que je t'ai apporté, dit-elle.

Elle s'avança vers lui et lui tendit la lettre. Lucien s'en empara, fébrile. Il jeta un coup d'œil au cachet.

— Paris, murmura-t-il.

Rosalie acquiesça en souriant. Le poète tourna l'enveloppe entre ses mains, puis l'examina à la lumière du jour, comme s'il cherchait à en déchiffrer le contenu.

— Qu'est-ce que tu attends pour l'ouvrir ? s'exclama Rosalie.

— Je n'ose pas, admit-il. Si c'était un refus ?

Elle hocha la tête avec indulgence.

— Crois-tu qu'on aurait pris la peine de t'écrire si c'était pour refuser ton manuscrit ? Ces gens-là n'ont pas de temps à perdre !

Rassuré, Lucien se décida à ouvrir l'enveloppe. Il le fit délicatement, afin de ne pas l'abîmer. Il retira ensuite une feuille pliée en trois, un papier vélin de bonne qualité.

— Ma vie tient dans cette lettre, dit-il, la voix chargée d'émotion.

Il la déplia lentement et examina l'en-tête.

— C'est l'éditeur-imprimeur Calmann-Lévy. L'un des plus importants en France. Il a même édité Honoré de Balzac.

Puis il se mit à lire la lettre d'une voix tremblante.

> Monsieur,
> C'est avec intérêt que nous avons pris connaissance de votre manuscrit. Votre écriture dénote un talent certain.

Il leva les yeux vers Rosalie, qui lui fit signe de poursuivre, les joues roses d'excitation.

> Toutefois, la publication de poèmes ne correspondant pas à notre politique d'édition, nous sommes dans l'obligation de refuser votre manuscrit.

La voix de Lucien s'était altérée au point de devenir presque inaudible.

> Nous demeurons convaincus que vous trouverez une maison qui saura répondre à vos attentes.
> Nous vous prions, Monsieur, de bien vouloir agréer…

Lucien fut incapable de terminer sa lecture. Son visage était devenu pâle et ses lèvres remuaient légèrement, comme celles d'un enfant qui se retient de pleurer. La lettre lui tomba des mains sans qu'il s'en rende compte. Rosalie tâcha de trouver les mots pour le consoler.

— La lettre fait mention de ton « talent certain ».

— Ce n'est qu'une formule vide, répliqua Lucien, amer.

— Ton manuscrit n'a pas été refusé comme tel. L'éditeur a pris la peine de préciser qu'il ne publiait pas de poèmes.

— Le résultat est le même.

Elle posa une main compatissante sur l'épaule de son amant.

— Tout espoir est loin d'être perdu, Lucien. Tu as envoyé ton manuscrit à plusieurs maisons d'édition. Je suis convaincue que l'une d'elles...

Il se dégagea d'un mouvement brusque.

— Laisse-moi. J'ai besoin d'être seul.

Blessée par le ton sec du poète, Rosalie fit un effort pour ne pas s'en offenser et mit cette rudesse sur le compte de la déception, mais elle se détourna pour ne pas lui montrer son chagrin.

À son retour, Fanette entendit la voix de sa tante qui l'appelait.

— Finalement, j'ai cédé à la demande de Point final. Hortense épousera son dadais de Napoléon. Que veux-tu, j'ai besoin d'argent, je n'ai pas les moyens de laisser tomber ce feuilleton. Alors, quoi de neuf ?

Fanette expliqua qu'elle avait cru voir son amie au marché Bonsecours, mais qu'elle s'était trompée, puis s'était rendue à la librairie Rolland et chez l'imprimeur Fabre, mais aucun d'eux n'avait entendu parler de Lucien Latourelle. Madeleine, voyant le découragement sur le visage de sa nièce, lui tapota le dos.

— Patience, ma chère. Tu finiras bien par les retrouver.

Fanette hocha la tête. Sa tante avait raison. Il lui faudrait faire montre de patience. Elle ne se doutait pas à quel point.

Sixième partie

La fugue

XLI

Début de juillet 1861

Le *HMS Warrior* appareilla dès le lever du soleil. Le navire avait reçu pour mission de surveiller les eaux territoriales de la côte est américaine. Des rumeurs de plus en plus persistantes faisaient état d'une guerre civile aux États-Unis entre l'Union, dirigée par Abraham Lincoln, et les sept États confédérés esclavagistes qui avaient fait sécession l'année précédente. Le gouvernement britannique craignait que ce conflit n'ait des répercussions fâcheuses sur le commerce entre sa colonie canadienne et les États-Unis, car l'Union avait décrété un blocus sur les côtes atlantiques et le golfe du Mexique pour empêcher le passage d'armes et de marchandises destinées aux États confédérés.

La journée s'annonçait belle et chaude. Le ciel était d'un bleu vif et il n'y avait pas un seul nuage à l'horizon. Comme les vents étaient favorables, le capitaine décida de hisser les voiles. Durant la première heure, le navire fila à vingt nœuds, porté par un bon vent du nord-ouest. Puis le vent tomba soudainement. La mer était lisse et brillait comme un miroir. Puisque le bateau avait considérablement ralenti, le capitaine Cochrane donna ordre d'amener les voiles, qui étaient devenues inutiles, de remonter les cheminées et de remettre le moteur à l'eau. Caldway, son second, veillait à l'exécution des manœuvres, assisté de Noël Picard.

Tandis que les hommes se mettaient à l'ouvrage, un matelot de deuxième classe apparut sur le pont, pâle comme un drap. En entrant dans la cale, il avait découvert le cadavre du chat

Puss'in Boots dans un coin. Il ne restait de l'animal que la peau et les os. La nouvelle fit le tour du bateau à la vitesse de l'éclair. L'hypothèse la plus plausible était qu'un matelot ou un mousse avait enfermé le pauvre chat dans la cale par inadvertance, et que celui-ci avait été attaqué et dévoré par des rats.

La perte de leur mascotte sema la consternation chez les membres de l'équipage. Ils avaient beau avoir l'habitude de la vie rude à bord du navire, les marins s'étaient attachés au chat et voyaient dans sa mort horrible un mauvais présage.

Un souffle de mécontentement se répandit parmi les matelots. Certains refusèrent de continuer les manœuvres jusqu'à ce que le coupable soit trouvé et puni. Le second piqua une crise et leur ordonna de retourner au travail, mais l'équipage refusa d'obéir. Sentant un début de mutinerie dans l'air, Caldway, pour donner à ses hommes une leçon qu'ils n'oublieraient pas de sitôt, avisa un jeune mousse qui était en train de briquer le pont, le souleva par le col et l'attacha à un mât à l'aide de cordages. Il enleva ensuite sa ceinture de cuir et commença à fouetter le garçon, qui n'avait pas plus de douze ans. La chemise du mousse se déchira sous les coups. Du sang se mit à gicler. L'enfant hurlait et tentait de se dégager de ses liens, mais sans y parvenir.

Les matelots assistaient à la scène. Ils bouillaient d'indignation mais restaient cois, de peur de s'attirer la colère du second. L'un d'eux osa s'avancer, mais le regard furieux de Caldway le cloua sur place. Noël Picard, qui n'était pas intervenu jusqu'à présent, fut incapable de supporter cette violence insensée plus longtemps et s'élança vers Caldway, dont il saisit un bras.

— Arrêtez !

Le second se tourna brusquement vers Noël, les traits figés comme ceux d'une statue de marbre. Seul un nerf faisait cligner l'une de ses paupières. Sans lâcher sa ceinture, Caldway s'adressa à Picard. Sa voix était dangereusement calme.

— *What did you just say ?*

Les matelots avaient les yeux rivés sur les deux hommes. Un silence de mort s'était installé. Noël soutint le regard du second sans broncher, bien qu'il sentît sa poitrine emprisonnée dans un étau.

— *Leave this boy alone.*

Le garçon avait cessé de pleurer, mais ses joues pleines de taches de rousseur étaient mouillées de larmes et il tremblait comme une feuille.

— *You fucking Frenchie are giving me an order ?*

— *I just said to leave the boy alone.*

Les hommes d'équipage gardaient toujours le silence, hypnotisés par la scène. Sans quitter Noël des yeux, Caldway détacha soudain l'enfant et l'envoya rouler par terre. Il serrait tellement les poings que ses jointures étaient devenues blanches. Puis sa main droite glissa lentement vers sa ceinture. Noël, aux aguets, suivait chacun des mouvements. La peur lui tordait les entrailles, mais il sentait que s'il faisait un geste, un seul, il serait abattu comme un chien. Le second soutiendrait qu'il avait agi en légitime défense. Qui oserait le contredire ? Il n'y avait pas un marin qui ne fût terrorisé par cet homme cruel et sans pitié, qui avait déjà fait donner vingt coups de fouet à un jeune matelot pour avoir, prétendait-il, fait une mauvaise manœuvre. Noël avait beau être un officier et faire partie de l'état-major, il restait malgré tout un Indien, un sauvage, un *Frenchie*.

La main de Caldway sembla saisir un objet. Noël perçut une lueur bleue de métal dans la lumière crue du soleil. *Un pistolet*. Il retint son souffle comme il le faisait lorsqu'il chassait et percevait soudain un mouvement dans une futaie. Une lueur meurtrière brillait dans les yeux du second qui ressemblait peut-être à son propre regard lorsqu'il s'apprêtait à tuer une proie, les doigts crispés sur l'encoche de la flèche.

— *You will pay for this, Frenchie. You will pay very dearly indeed.*

Contre toute attente, le second lui tourna le dos et s'éloigna à grandes enjambées. Surpris lui-même par la tournure des événements, Noël mit quelques secondes avant de sortir de sa torpeur. En l'absence de Caldway, il ordonna aux hommes de poursuivre leur travail, puis se pencha vers le mousse, qui était recroquevillé dans son coin.

— N'aie pas peur, petit. Tout va bien.

Il avait parlé en français tout naturellement, sans s'en rendre compte. Le garçon ne répondit pas, mais ne refusa pas la main que lui tendait le lieutenant pour l'aider à se relever. Les marins s'étaient remis à leur tâche. La plupart d'entre eux approuvaient le geste courageux de Picard mais n'osaient l'exprimer tout haut, de peur de subir des représailles du second si cela venait à ses oreilles. Un matelot s'avança cependant vers Noël, fit un geste pour lui tendre la main et se ravisa.

— *You're a decent fellow. The poor boy did nothing wrong.*

Puis il retourna à son poste.

Vers la fin de l'après-midi, Noël reçut un message du capitaine. Celui-ci le convoquait dans sa cabine. Il s'y rendit avec une certaine appréhension, se doutant que Caldway était la cause de cette rencontre. Le capitaine le reçut avec sa courtoisie habituelle, mais Noël remarqua une ride de contrariété sur son front. Tout en faisant signe à son lieutenant de s'asseoir, Cochrane parla avec franchise de la visite qu'il avait reçue de John Caldway un peu plus tôt. Ce dernier s'était plaint du fait que Picard avait défié son autorité devant les hommes d'équipage et l'avait menacé de mort. Noël, qui était d'un naturel placide, sortit de ses gonds :

— C'est lui qui m'a menacé ! s'écria-t-il en français.

Le capitaine l'apaisa d'un geste et lui demanda de lui faire part de sa version des faits. Noël expliqua les circonstances de son intervention. Jamais il n'avait proféré de menaces à l'égard du second. Tout au plus l'avait-il saisi par un bras pour qu'il cesse de battre un pauvre *ship's boy* dont il s'était servi comme bouc émissaire afin de donner une leçon à ses hommes. Cochrane écouta attentivement le récit, puis soupira.

— *It's a very delicate matter.*

John Caldway était le neveu de l'honorable John B. Caldway, un ancien capitaine de la marine qui était devenu un ministre bien en vue de la Chambre des communes britannique. C'était d'ailleurs grâce à son oncle que Caldway avait obtenu son poste de second sur le *Warrior*. Il avait un caractère imprévisible et était fort impopulaire auprès de ses subalternes, mais la protection dont il bénéficiait en haut lieu le rendait intouchable. Noël Picard comprit que la justice ne pèserait pas lourd dans la balance contre le poids politique. Il se contenta de demander quel sort l'attendait. Le capitaine lui répondit que Caldway avait exigé que Noël Picard soit renvoyé du *Warrior* et traduit devant le Conseil de la marine pour insubordination. Le visage du lieutenant se rembrunit. Ses yeux noirs ressemblaient à des braises.

— Je n'ai rien fait de mal.

Cochrane, visiblement malheureux, s'empressa de lui dire qu'il accordait le plus grand crédit à sa version des faits et qu'il n'avait pas l'intention de le soumettre à une procédure judiciaire, étant personnellement convaincu que jamais il n'avait proféré de menaces et qu'il avait au contraire agi avec courage et honneur. Mais il ne pouvait se permettre non plus de lui donner entièrement raison sans saper de façon grave la crédibilité et l'autorité de son second. Jusqu'à présent, les hommes s'y étaient pliés sans trop rechigner, mais l'incident du matin avait sans doute semé la révolte chez certains d'entre eux. Il suffisait parfois de peu pour allumer un feu qui couvait, et il savait d'expérience qu'une mutinerie n'était jamais bien loin. C'était la raison pour laquelle il avait pris la décision de le muter sur un autre bateau, le *Neptune*, une frégate de la Royal Navy qui surveillait le littoral du Nouveau-Brunswick. Le capitaine de la frégate venant de prendre sa retraite, Noël le remplacerait donc. Comprenant que son supérieur avait fait du mieux qu'il le pouvait dans les circonstances, le lieutenant n'eut d'autre choix que de se plier à sa décision.

Quelques jours plus tard, Noël Picard prit place à bord d'une embarcation qui devait le conduire au port le plus proche, où un fiacre l'attendrait pour l'amener à sa nouvelle affectation. L'opération se fit à la tombée de la nuit, pour ne pas attirer l'attention de l'équipage. En observant la lune qui était presque pleine, et les étoiles qui scintillaient telles des mouches à feu, Noël ressentit un étrange sentiment de plénitude. Peut-être était-ce le fait d'échapper à l'arbitraire de John Caldway qui le rendait si serein. Mais il y avait autre chose. La lune, sans doute, dont la forme ronde et lumineuse semblait l'appeler vers une vie nouvelle.

XLII

Baie de Chignectou
Début du mois de juillet 1861

Amanda avait fait des progrès rapides sous la supervision bienveillante de Louison, et elle savait maintenant confectionner des ourlets dans lesquels des ralingues de chanvre étaient introduites afin de renforcer les voiles. Elle avait également appris à aménager des cosses à chaque extrémité de la toile pour permettre aux cordages de passer. Ses mains commençaient à devenir rugueuses au contact des tissus de coton rêche, et il lui arrivait encore de se piquer les doigts avec son aiguille, mais elle était contente d'avoir du travail et reconnaissante envers Martin Aubert, le frère de Louison, de l'avoir aidée à l'obtenir.

À la fin de chaque journée, Amanda entendait cependant avec soulagement la cloche qui annonçait la fermeture de la fabrique, car les heures de travail étaient longues et épuisantes. Un jour sur deux, Martin Aubert attendait à la sortie de la manufacture afin de voir sa sœur, mais Amanda s'était rapidement rendu compte, par certains détails, que ces visites étaient surtout un prétexte pour la voir, elle. Par exemple, la soudaine timidité dont il faisait preuve lorsqu'il l'apercevait, ou ses yeux qui brillaient un peu plus que d'habitude quand il lui proposait de la ramener chez elle.

Bien qu'elle eût de l'estime pour le chef de chantier et le trouvât d'agréable compagnie, Amanda craignait que la relation aille plus loin. Sa peur que son identité soit découverte était toujours aussi vive. Pourtant, une voix intérieure tentait de la rassurer. Cet homme semblait enclin à la bonté et, jusqu'à présent, il n'avait pas cherché à en savoir plus long sur elle. Mais que ferait-elle si Martin Aubert lui demandait de l'épouser ? Elle n'osait y penser.

Louison avait elle aussi perçu le changement d'attitude de son frère vis-à-vis d'Amanda et l'accueillait avec indulgence. Car elle s'était prise d'affection pour l'Irlandaise et voyait d'un bon œil le fait que son frère s'intéresse enfin à une autre femme. De son côté, Martin, pressentant la retenue d'Amanda et ne voulant surtout pas la brusquer, ne s'était pas encore déclaré, se contentant de reconduire la jeune femme chez elle de temps en temps, de lui parler de sa passion pour les bateaux, de son enfance comme fils de pêcheur. Il continuait par ailleurs de s'occuper d'Ian, l'initiant graduellement à la fabrication des navires, espérant sans doute, en obtenant l'affection du fils, gagner peu à peu celle de la mère.

Chaque matin, avant de se rendre à la fabrique de voiles, Amanda avait pris l'habitude de passer par le magasin général du village, où se trouvait un comptoir postal. Lorsque le jeune commis, l'un des fils du propriétaire, Théo Doucet, lui tendit deux lettres adressées à Maureen Gallagher et qu'elle reconnut l'écriture de Fanette, elle ne se sentit pas de joie. Il y avait plus de deux mois qu'elle avait écrit à sa sœur. Elle remercia le jeune homme et sortit, les joues roses d'émotion. En examinant les tampons postaux, elle se rendit compte qu'une lettre avait été estampillée en mai et l'autre, en juin. La poste avait sans doute tardé à livrer la première. Elle décida d'ouvrir d'abord la lettre datant du mois de mai. Comme le soleil était déjà brûlant, malgré l'heure matinale, elle se réfugia sous un hêtre pour lire plus à son aise.

Le 14 mai 1861
Mon Amanda bien-aimée,
Quel bonheur de recevoir ta lettre datée du 20 avril dernier et de pouvoir enfin t'écrire ! À Québec, l'hiver a été froid et interminable. Au mois de février, la neige a même entièrement couvert les fenêtres du rez-de-chaussée, à tel point que, même en plein jour, il fallait allumer les lampes dans la maison.

Amanda continua sa lecture, souriant à certains passages, sentant ses yeux se brouiller à d'autres, particulièrement celui où il était question de leurs frères.

> J'ai été bouleversée d'apprendre que notre petit frère Arthur a succombé au typhus. J'ai gardé le souvenir d'un garçon plein de vie, qui ne tenait pas en place et qu'il fallait toujours surveiller pour qu'il ne fasse pas de bêtises. Pauvre petit, enterré si loin des siens... Cette seule pensée me brise le cœur. Quant à Sean, je ne sais pas pourquoi, mais j'ai bon espoir qu'il soit toujours vivant. Je continue à croire qu'un jour ce qui reste de notre famille sera enfin réuni.

Ces mots furent comme un baume sur son chagrin. Si seulement Fanette pouvait dire vrai ! Un autre passage la frappa :

> Pour ma part, j'ai reçu une proposition de mariage d'Alistair Gilmour, en septembre dernier. J'ai accepté de l'épouser. Entre-temps, il a quitté Québec pour se rendre en Irlande afin d'y régler des affaires. Je n'ai toujours pas de ses nouvelles, mais j'ose espérer qu'il ne lui est rien arrivé de fâcheux et qu'il sera de retour sous peu.

Amanda, qui s'était d'abord réjouie d'apprendre que sa sœur avait accepté d'épouser le Lumber Lord, s'inquiéta du fait que celui-ci n'ait pas donné signe de vie depuis son départ. Fanette n'avait pas été très explicite. En espérant qu'il y aurait plus de détails dans la seconde lettre, Amanda l'ouvrit avec empressement.

> Québec, le 10 juin 1861
> Très chère Amanda,
> J'espère que tu as bien reçu ma lettre datant du mois de mai dernier. Je t'y avais annoncé mon projet de mariage avec Alistair Gilmour. Pour des raisons qu'il m'est impossible de t'expliquer dans cette lettre, j'ai dû renoncer à cette union.

Alistair est reparti en Irlande. Je ne sais si nous nous reverrons un jour. Pardonne-moi mon manque de clarté. Lorsque je pourrai enfin te serrer dans mes bras, je t'en dirai plus long.

Amanda interrompit sa lecture, saisie par la nouvelle de cette rupture, à laquelle elle ne s'attendait pas. Qu'avait-il bien pu se produire pour que Fanette prenne une décision aussi grave ? Elle avait l'intuition que la fin de ce mariage n'était pas liée à un différend ou à une incompatibilité de caractères. Il y avait quelque chose d'autre. Un événement, peut-être, qui avait obligé sa sœur à renoncer à cette union. L'inquiétude la gagna. *Et si cette rupture avait un lien avec mon évasion ?* Peut-être que la complicité d'Alistair dans sa fuite de la prison de Québec avait été mise au jour et que c'était la cause de son départ pour l'Irlande. Elle poursuivit sa lecture, se perdant en conjectures.

Je partage mon temps entre le refuge du Bon Samaritain et Marie-Rosalie. Cette enfant est frétillante comme du vif-argent et d'une intelligence au-dessus de la moyenne. Et ce n'est pas parce que je suis sa mère que je lui lance des fleurs... Comment se porte Ian ? Aimes-tu toujours ton nouveau travail ? J'attends de tes nouvelles avec impatience.
Ta Fanette qui t'aime de tout son cœur

Amanda replia la lettre, songeuse. Une sorte de tristesse l'habitait, comme si elle avait perçu, derrière les efforts de sa sœur de ne pas s'épancher, du désarroi et de la solitude. Rangeant soigneusement les lettres dans une poche de son tablier, elle prit le chemin de la fabrique.

Une canicule s'était abattue sur la baie depuis quelques jours et chauffait les bardeaux du toit de la manufacture. Les fenêtres avaient beau être ouvertes, aucune brise n'entrait dans la salle. La chaleur était suffocante, ce qui rendait le travail plus pénible qu'à l'accoutumée. Un après-midi où la température dans l'atelier était si élevée que plusieurs ouvrières avaient perdu connaissance, les portes de la fabrique claquèrent. Un homme fit son entrée. Il portait l'uniforme des officiers britanniques : tunique rouge galonnée d'or, képi noir, pantalon noir liséré de rouge. Il était assez jeune, peut-être au début de la trentaine, et aurait été beau n'eût été la pâleur malsaine de son visage et les cernes bleuâtres sous ses yeux. Il s'avança dans l'atelier, une cravache à la main, avec la mine d'un conquérant faisant la revue des troupes vaincues. Il ne semblait pas incommodé par la chaleur. Des murmures accueillirent son arrivée. Joël Bricard jeta à l'officier un regard contrarié. Il se montra néanmoins poli.

— Que puis-je faire pour vous être utile, monsieur ?

— *Lieutenant. Call me lieutenant,* répondit l'officier d'un ton mordant.

— *Lieutenant,* répéta Bricard, avec une note d'ironie.

L'officier continua à s'avancer sans un regard pour le contremaître, puis s'arrêta devant une jeune ouvrière qui était en train de plonger une grande voile dans un bain de cachoutage, sorte de mixture faite à base de poudre tannique, afin de la rendre plus résistante à l'humidité. Il regarda l'ouvrière longuement, avec une insolence qu'il ne tentait même pas de cacher. La jeune femme baissa les yeux et tâcha de poursuivre son travail malgré la rougeur qui avait envahi son visage. L'officier afficha un sourire de prédateur qui découvrit des dents légèrement gâtées. Puis il continua sa visite. Il fit le même manège devant d'autres ouvrières, choisissant les plus jeunes et les plus jolies.

— Qui est-ce ? demanda Amanda à Louison à voix basse.

Le visage de Louison s'était rembruni.

— Stephen Thompson, le fils du propriétaire. Un voyou qui se croit tout permis parce qu'il porte l'uniforme.

Le lieutenant s'approcha des deux femmes. Il ignora Louison et se mit à regarder Amanda avec insistance. Celle-ci se concentra sur son travail, faisant comme s'il n'était pas là. Louison, visiblement inquiète, la couvait des yeux.

— *What's your name?* demanda soudain l'officier.

— Maureen.

— *Maureen*, répéta-t-il. *Maureen*.

Il se pencha vers elle et lui saisit le menton d'une main.

— *A very pretty name*.

Amanda se dégagea brusquement. Puis elle détourna la tête et se remit à coudre, tâchant de maîtriser le tremblement de ses mains. La peur et la colère lui faisaient battre le cœur. Le fils du propriétaire eut un petit rire, comme si le rejet d'Amanda l'avait amusé, puis il fit tourner sa cravache dans les airs et l'abattit sur le sol, à quelques pouces d'Amanda. La jeune femme recula instinctivement. Le visage de l'officier s'était figé comme de la cire, et un étrange rictus déformait son visage. Puis il partit, avec la même démarche de vainqueur, mais un peu saccadée, comme un soldat qui porterait une armure. Louison le suivit du regard. Elle ne respira que lorsque les portes se furent refermées sur l'officier.

Amanda cousait toujours, mais elle était tendue comme une corde de violon. Elle sursauta lorsque Louison lui mit une main sur le bras et elle se piqua. Un peu de sang perla sur son index.

— Prends garde à lui, murmura Louison. C'est un homme dangereux. Par chance, il ne vient ici que quelques fois par année, quand il est en permission, mais chaque fois il sème le trouble autour de lui.

— Quel genre de trouble ? s'enquit Amanda, tâchant d'éponger le sang avec un mouchoir.

Louison haussa les épaules, le visage sombre.

— Des bagarres de taverne, ou pire. À sa dernière visite, il s'en est pris à l'une des ouvrières.

Louison parlait bas, la tête toujours tournée vers les portes, comme si elle craignait que Stephen Thompson revienne.

— Que lui a-t-il fait ?

— Il l'a battue et violée. La pauvre fille était couverte de bleus. Elle est tombée enceinte. Elle est retournée dans sa famille, dans le village de Bouctouche.

Amanda était devenue pâle.

— Et lui se promène en liberté, comme si de rien n'était ?

— Son père, Douglas Thompson, a le bras long. Le shérif mange dans sa main. Aucune accusation n'a été portée contre lui.

L'indignation noua la gorge d'Amanda. Elle qui avait tellement souffert de l'injustice des hommes en voyait un autre exemple criant. Elle fit un effort pour se remettre au travail, mais le tissu lui sembla encore plus rêche que d'habitude. Ce fut avec soulagement qu'elle entendit la cloche qui annonçait la fin de la journée.

Martin Aubert les attendait devant la fabrique. Amanda fut rassurée d'apercevoir sa silhouette familière. Louison raconta brièvement à son frère la visite du fils du propriétaire, sans omettre l'incident de la cravache. Le chef de chantier, qui était de nature pacifique, sentit toutefois ses mâchoires se serrer de colère.

— Ce voyou devrait être en prison à l'heure qu'il est.

Il tint à accompagner Amanda jusque chez elle et lui demanda la permission de le faire dorénavant tous les jours. Amanda accepta sa proposition avec reconnaissance. Martin était bien bâti, courageux, et elle était convaincue qu'il n'hésiterait pas à la défendre si Thompson tentait de s'en prendre à elle.

Tandis qu'ils marchaient, Aubert lui expliqua que le fils Thompson n'avait pas obtenu son grade de lieutenant grâce à son mérite, mais par son père, qui le lui avait acheté.

— Ça s'achète ? s'exclama Amanda, tombant des nues.

Martin ne put s'empêcher de sourire.

— Il suffit d'y mettre le prix.

Il raconta une anecdote au sujet d'un vieux capitaine de l'armée britannique, pauvre comme Job, qui s'était illustré durant la fameuse bataille de Waterloo, mais n'avait jamais pu obtenir le grade de lieutenant malgré ses quarante-sept années de service. Le pauvre homme avait finalement été mis sous les ordres d'un fils de bonne famille à qui son père avait acheté son titre de lieutenant-colonel, et qui n'était qu'un enfant de deux ans au moment de cette célèbre guerre ! Amanda tenta d'écouter le récit, mais elle n'arrivait pas à chasser son inquiétude. Martin Aubert la quitta à regret, lui recommandant de faire preuve de prudence.

En entrant chez elle, Amanda prit soin de tirer le verrou. Ian n'était pas encore à la maison. Elle fit les préparatifs du souper, certaine que son fils se trouvait au chantier naval, en train d'admirer les bateaux. Cette passion qu'Ian avait pour la navigation confinait à l'obsession, mais en même temps, lorsqu'il en parlait, son enthousiasme faisait plaisir à voir.

Une heure passa. Ian n'était toujours pas revenu. Jetant un coup d'œil par la fenêtre, Amanda se rendit compte que le soleil était déjà bas à l'horizon. L'anxiété la gagna. Il se faisait tard. Le sentier qui menait du chantier jusqu'à la maison était escarpé par endroits, et elle était certaine que son fils n'avait pas de lanterne avec lui. Craignant qu'il ne lui soit arrivé un accident, Amanda alluma un quinquet et sortit. Les dernières lueurs du soleil s'étiolaient dans la baie. Le bruit des vagues parvenait jusqu'à elle, telle une mélopée monotone. Elle songea aux conseils de prudence de Martin Aubert, mais la vue familière de la baie et le son apaisant de la mer la rassurèrent.

Tenant le quinquet devant elle, Amanda s'engagea sur le sentier menant à la baie de Courtenay, en espérant qu'elle croiserait son fils en route. Une silhouette sombre se profila, loin derrière elle. C'était Stephen Thompson.

XLIII

Amanda marchait à pas rapides, les yeux fixés sur le sentier pour ne pas trébucher sur les cailloux. Le son de ses pas résonnait sur le gravier, ponctué par le bruissement de la mer. La lune apparut entre deux rochers, dessinant un rayon blême sur les flots. Le soleil avait complètement disparu, ne laissant qu'une traînée rouge dans le ciel d'un bleu outremer. Un vent léger s'était levé, chassant la chaleur qui avait régné toute la journée.

Amanda continuait d'avancer rapidement. Le bruit de ses pas parut soudain s'amplifier. Elle s'arrêta, tendit l'oreille. Seul le tumulte des vagues se fracassant sur les rochers brisait le silence. Elle repartit. Une angoisse sourde s'empara d'elle. Il lui semblait entendre de nouveau un crissement qui dédoublait son pas. *Clac. Clac. Clac.* Elle se retourna brusquement, mais il faisait maintenant un noir d'encre. De gros nuages couvraient la lune, et la lumière de son quinquet n'éclairait qu'à quelques pieds devant elle. Le bruit avait cessé. Elle attendit, aux aguets, puis secoua la tête, se morigénant intérieurement de ses craintes. C'est alors qu'elle entendit le roulement d'un caillou, à environ une dizaine de pieds de l'endroit où elle se tenait.

— Qui va là ? C'est toi, Ian ?

Sa voix lui parut ténue dans l'immensité de la nuit.

— *A woman should never walk alone at night.*

Elle sut tout de suite de qui il s'agissait. La peur paralysa ses membres. Un son métallique retentit. *Clac. Clac. Clac.* Puis une silhouette apparut dans le halo du quinquet. Le rouge de la tunique faisait une tache vive dans l'ombre ambiante.

Stephen Thompson la dévisageait. Sa peau pâle luisait étrangement dans la lumière diffuse, comme si elle avait été phosphorescente. Amanda retint son souffle. Son premier mouvement fut de fuir, mais elle comprit intuitivement que ce serait une erreur. Un souvenir ressurgit. Elle avait dix ans et revenait du marché avec son père. Un molosse s'était approché d'eux en grognant et en montrant ses crocs. Amanda avait eu très peur et avait voulu s'enfuir, mais son père l'avait tenue très fort par la main, en lui expliquant qu'elle devait rester calme. *Les chiens sentent la peur, Amanda. Ne fais pas un geste. Montre-lui que c'est toi qui mènes.* Elle voyait encore le visage calme de son père, son sourire apaisant. S'efforçant de regarder le fils du propriétaire en face, elle lui dit :

— *I'm looking for my son. He should be close by.*

Thompson continuait de la dévisager, comme s'il cherchait à déceler un maillon faible, une fissure dans son apparente assurance.

— *Is that so ?*

Il fit un pas vers Amanda. Il était maintenant à un pied d'elle. *Ne fais pas un geste. Montre-lui que c'est toi qui mènes.* Elle resta immobile, bien que la peur se fût insinuée dans chaque fibre de son corps. Déconcerté par l'attitude déterminée de la jeune femme, Thompson resta immobile. Il aimait sentir la peur chez une femme, cela excitait sa convoitise, mais celle-ci, contrairement aux autres, n'avait pas l'air de le craindre. Les yeux gris de l'ouvrière ne cillaient pas. Il en ressentit du dépit. Une sorte de rage s'empara de lui. Il approcha une main du visage de la jeune femme et, d'un mouvement brusque, lui arracha le bonnet qui lui couvrait la tête. De beaux cheveux noirs se répandirent sur ses épaules. Cette fois, Amanda recula d'un pas, laissant tomber sa lampe par terre, qui se brisa avec un craquement de verre. La flamme du quinquet crachota et faillit s'éteindre. Amanda chercha de nouveau à évoquer l'image de son père pour se donner du courage, mais elle était seule, bien seule, avec cet homme brutal, dont les yeux, éclairés par la lumière tremblotante de la lampe, brillaient maintenant d'une lueur proche de la folie.

— *A Mammaï!* Maman !

Elle reconnut la voix de son fils. Tout son courage lui revint d'un coup.

— Ian !

La lune apparut, jetant un éclairage blême sur le sentier. Se retournant vers la voix, Amanda aperçut une forme vague qui s'avançait vers elle, à l'opposé de l'endroit où se tenait Thompson. Elle reconnut son garçon à sa démarche et à ses pas allongés.

— Je suis ici ! cria-t-elle pour qu'il l'entende.

La forme s'approcha. Bientôt, Amanda put voir distinctement les traits d'Ian. Ce dernier accusa la surprise en apercevant l'homme à la tunique rouge et au visage d'airain qui se tenait debout au milieu du sentier.

— Ian, je te présente le *lieutenant* Thompson, le fils de monsieur Thompson. Le lieutenant a tenu à m'accompagner. Le sentier peut être dangereux, la nuit tombée. N'est-ce pas, *lieutenant* ?

Amanda avait fait exprès de répéter le mot « lieutenant », voulant rappeler à l'officier que, malgré la protection de son père et du shérif, son grade lui conférait tout de même des devoirs. Grimaçant un sourire, Thompson fit ensuite une brève inclinaison de la tête, tourna les talons et partit. Le son métallique de ses bottes s'éloigna. Amanda attendit que le bruit se soit complètement estompé pour saisir son fils par les épaules. La colère, la peur et le soulagement la faisaient trembler.

— Ne me fais plus jamais un coup pareil, Ian ! Plus jamais !

Sa voix se cassa. Elle s'éloigna à son tour sur le sentier, suivie par l'adolescent, penaud. Sa mère ne lui adressa plus la parole de tout le trajet du retour. Ce n'est que lorsqu'ils furent rentrés chez eux et qu'Amanda eut verrouillé la porte qu'elle se tourna vers lui.

— À partir de maintenant, je t'interdis de te rendre au chantier Thompson.

Ian voulut protester, mais elle le coupa :

— Je ne veux plus jamais que tu me parles de bateaux, m'entends-tu ? Je vis dans la peur que tu chavires et que tu te noies. Je trouverai un acheteur pour la barque. C'est trop dangereux.

Pétrifié par les paroles de sa mère, Ian se mordit la lèvre et alla s'enfermer dans sa chambre. Amanda, épuisée par sa mésaventure et par sa dispute avec son fils, gagna la sienne. Malgré sa fatigue, elle n'arriva pas à fermer l'œil, revoyant l'uniforme rouge de Stephen Thompson, ses étranges yeux vitreux, sa peau pâle qui luisait dans la nuit.

XLIV

Le lendemain matin, la première chose que fit Amanda après s'être éveillée fut de frapper à la porte de la chambre de son fils. Il n'y eut pas de réponse. Un sentiment de culpabilité l'envahit. Elle regrettait de s'être emportée contre lui la veille. Elle ouvrit doucement la porte. Le garçon dormait toujours, enroulé dans sa couverture. Elle n'eut pas le cœur de le réveiller. Ils auraient l'occasion de s'expliquer à son retour de la fabrique.

Ce jour-là, Amanda travailla avec distraction, craignant une autre visite de Stephen Thompson. Heureusement, il ne se montra pas. Observant l'Irlandaise du coin de l'œil, Louison vit bien à quel point sa compagne était nerveuse. Elle se doutait que le fils du propriétaire en était la cause. Profitant d'une pause que venait de décréter le contremaître, elle se pencha vers Amanda et lui chuchota :

— Il paraît que ce chenapan de Thompson repart demain. J'espère qu'on ne le reverra pas de sitôt !

Amanda ne cacha pas son soulagement. Lorsque la cloche sonna la fin du travail, Amanda aperçut Martin qui l'attendait fidèlement à la sortie de la manufacture. Le chef de chantier semblait préoccupé.

— Ian n'est pas venu me voir au chantier, aujourd'hui. J'espère qu'il n'est pas malade.

Embarrassée, Amanda lui avoua qu'elle avait interdit à son fils d'y retourner. Devant la mine blessée de Martin, elle dut lui expliquer ce qui s'était produit la veille : sa décision d'aller à la recherche d'Ian en constatant qu'il n'était pas encore rentré à la tombée de la nuit, sa rencontre inopinée avec Stephen Thompson sur le sentier qui menait au chantier. Martin s'assombrit.

— S'il a touché à un seul cheveu de votre tête…

Amanda s'empressa de le rassurer. Le lieutenant avait sans aucun doute de mauvaises intentions, mais l'arrivée d'Ian avait mis fin à ses plans, quels qu'ils soient. Il avait rebroussé chemin sans oser porter la main sur elle.

— Louison m'a appris qu'il repartait demain. Je n'aurai plus rien à craindre de lui.

Le reste du chemin se fit en silence. Ce n'est que lorsqu'ils furent rendus devant la maison d'Amanda que le chef de chantier reprit la parole. Il se balançait d'un pied sur l'autre et fixait l'horizon, comme pour y puiser du courage.

— Maureen.

C'était la première fois qu'il l'appelait par son prénom.

— Ma sœur vous a peut-être dit que ma femme était morte en couches, il y a trois ans.

Amanda acquiesça en silence. Elle avait appréhendé ce moment et devinait aisément ce qui s'ensuivrait.

— Le temps a passé. J'ai jamais songé à me remarier.

Il inspira et leva les yeux vers elle. Son regard était franc, bien que timide, de cette timidité propre aux gens simples, qui n'ont pas l'habitude d'exprimer leurs sentiments.

— Ça, c'était avant de vous rencontrer.

Il toussa pour chasser un chat dans sa gorge. Amanda ne disait toujours rien.

— J'ai pas le verbe facile. En tout cas, pas pour ces choses-là. En un mot comme en mille, si vous voulez bien de moi, je… je souhaiterais que vous deveniez ma femme.

Il poussa ensuite un gros soupir, comme s'il était soulagé que les mots soient enfin sortis de sa bouche. Constatant qu'Amanda gardait le silence, il ajouta, en parlant un peu trop vite pour masquer son émoi :

— Je bois pas, je sacre pas. D'après Louison, j'ai plutôt bon caractère. J'ai un pécule. Vous et Ian manquerez jamais de rien.

Puis il sourit, se sentant un peu ridicule.

— Je me fais penser à un vendeur ambulant, qui vante sa marchandise.

Un premier sourire se dessina sur les lèvres d'Amanda. Encouragé par ce sourire, qui lui semblait de bon augure, il poursuivit :

— Ian est un bon garçon. Je rêvais d'avoir un fils comme lui. Si vous acceptez de m'épouser, je vous promets de l'aimer comme mon propre fils.

Ces paroles, simples et sincères, touchèrent Amanda. Elle regarda Martin Aubert. Son profil net se découpait dans la lumière ambrée. C'était un homme bon, attentif, qui semblait réellement attaché à son enfant, mais elle avait encore trop de craintes quant à son passé et au fait qu'elle était une fugitive pour envisager de se marier. Et puis, quand bien même elle accepterait d'épouser Martin, il lui faudrait se résigner à vivre dans le mensonge, sous une fausse identité, s'inventer un passé, afin qu'il ne sache jamais rien de sa condamnation, de sa fuite. Elle ne se sentait pas le droit ni le courage de mentir ainsi à un homme qui était si profondément honnête.

— J'ai beaucoup d'estime pour vous, monsieur Aubert. Mais je ne souhaite pas me marier.

Le chef de chantier baissa les yeux, puis les leva de nouveau, contemplant la mer.

— Prenez le temps d'y penser, Maureen. Je ne veux surtout pas vous brusquer. Je suis prêt à attendre le temps qu'il faudra.

Il effleura doucement la main d'Amanda, puis se décida à partir. Elle le suivit des yeux jusqu'à ce qu'elle le perde de vue. Un sentiment de tristesse l'envahit. Une part d'elle aurait voulu accepter la proposition de mariage de Martin. Cet homme méritait d'être heureux, si tant est que le bonheur se mérite, mais elle avait la conviction qu'elle était la dernière personne à pouvoir le lui apporter.

En entrant dans la maison, Amanda fut frappée par le silence qui y régnait. Son premier geste fut de se rendre à la chambre d'Ian, dont la porte était toujours fermée. Saisie d'inquiétude, elle l'ouvrit. La pièce était plongée dans la lumière orangée de la fin de l'après-midi. Ian était toujours enroulé dans sa couverture. Amanda trouva étrange qu'il dorme encore, à une heure aussi avancée de la journée. Elle s'approcha du lit. Quelque chose dans la façon dont l'étoffe était disposée intrigua Amanda, comme si l'adolescent n'avait pas changé de position depuis qu'elle l'avait vu, le matin même. Elle tira soudain sur la couverture. Il n'y avait que des coussins et des oreillers, empilés pour simuler la forme d'un corps. Affolée, elle se précipita vers le coffre dans lequel son fils rangeait ses vêtements et en souleva le couvercle. Le coffre était vide. Même le cygne sculpté que Fanette lui avait donné et qu'il affectionnait tant n'était plus là. Ian s'était enfui.

XLV

Amanda sortit de la maison en flèche, sans prendre la peine de fermer la porte derrière elle, et courut vers le petit débarcadère où la barque de pêche était amarrée. Elle n'était pas à sa place habituelle. Folle d'angoisse, elle courut sur le sentier, tentant de rattraper Martin Aubert. Elle finit par apercevoir sa silhouette à une bonne distance.

— Martin ! cria-t-elle.

L'écho de sa voix se perdit dans le lointain. Amanda ne ralentit pas sa course, dans l'espoir de pouvoir rejoindre le chef de chantier.

— Martin !

Marchant d'un bon pas, Martin entendit une voix qui l'appelait. Il se retourna et aperçut Maureen Gallagher qui courait vers lui. Son premier sentiment fut la joie. Peut-être avait-elle changé d'idée et décidé de l'épouser. Mais lorsque la jeune femme parvint à sa hauteur, son visage plein d'angoisse le détrompa. Elle était à bout de souffle.

— Ian a disparu.

— Il est peut-être au chantier.

Elle secoua la tête.

— Ses vêtements manquent. Son bateau de pêche aussi. Il s'est sauvé. C'est de ma faute. Si je ne lui avais pas interdit d'aller au chantier…

Amanda tomba à genoux sur le sentier et se mit à sangloter. La fugue de son fils était plus qu'elle n'était capable de supporter. Martin se pencha vers elle, la saisit par les épaules.

— Ian ne peut pas être bien loin. On le retrouvera. Je vous le promets.

~

Le cabrouet d'Amanda roulait rapidement sur le chemin. Martin avait proposé de retourner à la maison d'Amanda pour y prendre sa voiture et aller au chantier Thompson.

— On ne sait jamais, Ian s'y est peut-être rendu en barque alors que j'étais déjà parti.

Le chef de chantier tenait les rênes tandis qu'Amanda scrutait anxieusement la baie dans l'espoir d'apercevoir son fils. Le soleil commençait à descendre vers la mer. Plusieurs barques de pêche revenaient vers la rive. Amanda ne reconnut pas l'embarcation d'Ian.

— La nuit va bientôt tomber, dit Amanda, torturée par l'angoisse.

Martin Aubert tenta de la rassurer.

— Il nous reste encore deux bonnes heures de clarté. On va le retrouver d'ici là.

Son ton ferme et confiant parvint à calmer la jeune femme. Le chantier était désert lorsque le cabrouet s'en approcha. La mer était calme, clapotant doucement sur la berge. Il n'y avait pas de bateaux, à part le brigantin, dont la construction achevait. Le grand mât se dressait dans le ciel rougeoyant.

Amanda fut la première à apercevoir une silhouette près de la rive. Elle descendit de la voiture et courut dans cette direction.

— Ian !

La silhouette se tourna vers elle. C'était un jeune homme d'environ vingt ans, qui tenait une ligne à pêche à la main. La déception d'Amanda fut si vive qu'elle sentit un sanglot lui comprimer la gorge.

— Avez-vous vu un garçon de douze ans, assez grand pour son âge, avec des cheveux noirs et bouclés ? Son nom est Ian O'Brennan.

Dans son énervement, Amanda ne s'était même pas rendu compte qu'elle avait prononcé le vrai nom de son fils. Martin, qui s'était approché à son tour, l'entendit avec surprise. *O'Brennan*... Pourtant, il avait toujours cru que le nom de l'enfant était Gallagher. Le jeune pêcheur secoua la tête.

— Je viens d'arriver ici, j'ai vu personne, dit-il.

Amanda se tourna vers le chef de chantier, l'air désespéré.

— Mon Dieu, où est-il ?

Aubert la regarda, songeur. Pourquoi Maureen Gallagher lui avait-elle menti au sujet de l'identité de son fils ?

Après leur visite infructueuse au chantier, Martin proposa à Amanda d'organiser une battue avant que la nuit soit complètement tombée. Elle accepta avec reconnaissance. Il fallait tout mettre en œuvre pour retrouver son fils. Ils remontèrent dans le cabrouet. Cette fois, ce fut Amanda qui saisit les guides. Elle avait besoin de s'occuper pour supporter l'angoisse qui grandissait au fur et à mesure que le temps passait. La crainte qu'elle n'osait formuler était qu'Ian se soit noyé. Le chef de chantier pensait la même chose, mais n'en souffla pas un mot non plus, pour ne pas alourdir davantage le fardeau de la jeune femme. Il dit toutefois, pour la réconforter :

— La mer est calme. Il devrait faire beau temps cette nuit et demain.

Louison terminait la vaisselle avec l'aide de sa fille lorsque son frère arriva chez elle, accompagné d'Amanda. Elle comprit tout de suite à leur mine que quelque chose de grave s'était produit.

— Ian a disparu, dit Martin. Il est probablement parti dans son bateau.

Sans dire un mot, Louison enleva son tablier, puis se tourna vers sa fille.

— Bella, prends soin de ton frère.

Elle s'empara d'une lanterne qui était accrochée près de la porte.

— Il faut alerter le voisinage. Plus on est nombreux, plus on a de chances de le retrouver.

Elle allait franchir la porte d'un pas décidé quand elle s'arrêta à la hauteur d'Amanda.

— Tu vas le revoir, ton petit gars.

Louison était le genre de femme qui ne se laissait jamais abattre par l'adversité. Au contraire, elle semblait y puiser du courage pour affronter chaque jour la déception de ne pas revoir son mari et continuer à espérer son retour.

~

Une kyrielle de lumières scintillait sur le sentier qui faisait le tour de la baie. Une trentaine de villageois s'étaient joints à la battue et marchaient depuis plusieurs heures, tenant une lanterne devant eux pour y voir plus clair. Il y avait un bon moment que le soleil s'était couché. La nuit sans lune était sombre. On n'avait retrouvé aucune trace d'Ian ; pas le moindre indice d'où il pouvait être, pas l'ombre d'un bateau. Le bruit lointain du ressac montait jusqu'aux marcheurs. La marée était basse lorsque la battue avait commencé, mais elle s'était mise à remonter. L'un des voisins de Louison s'arrêta, l'air hésitant.

— Il fait noir comme dans un four. On devrait peut-être reprendre la battue à la première heure demain.

Des murmures d'approbation accueillirent la proposition. Amanda secoua la tête.

— Il n'est pas question que j'abandonne mon fils.

Elle continua à marcher, les yeux fixes et fiévreux. Martin et Louison échangèrent un regard désolé. Martin fit un mouvement vers la jeune femme, mais sa sœur l'arrêta d'un geste.

— Je vais lui parler, murmura-t-elle.

Louison eut du mal à rattraper Amanda, car celle-ci avançait à pas rapides.

— Maureen, dit-elle en lui prenant le bras.

Amanda se dégagea.

— Laisse-moi.

Amanda continua son chemin, la gorge si serrée qu'elle lui faisait mal. Louison se plaça devant elle.

— Écoute-moi, fit-elle d'une voix à la fois douce et empreinte de fermeté. Ça ne sert à rien de chercher Ian à la noirceur. Vaut mieux prendre du repos. On recommencera les recherches dès le lever du soleil.

— Je ne veux pas le laisser tout seul, dans la nuit.

Des sanglots entrecoupaient ses paroles. Louison la prit dans ses bras et la serra contre elle.

— Ton garçon est débrouillard. Je suis certaine qu'il est à l'abri, quelque part.

Un long silence s'ensuivit. Puis Amanda se laissa entraîner par sa compagne de travail, qui fit demi-tour. Les villageois commencèrent à se disperser. Martin, qui fermait la marche, regarda sa sœur et Maureen s'éloigner. *Si par malheur Ian s'est noyé,* songea-t-il, *la marée va ramener son corps*. Il pria pour que le garçon soit encore vivant.

XLVI

Les recherches reprirent le lendemain dès l'aube. La nouvelle de la disparition d'Ian n'avait pas tardé à faire le tour de la baie. D'autres villageois d'Alma et des alentours se joignirent aux volontaires de la veille pour tenter de retrouver l'enfant.

Comme c'était dimanche, la fabrique de voiles était fermée. La plupart des ouvrières, averties par Louison, participaient à la battue. Une centaine de personnes inspectaient le littoral et les sentiers environnants. Amanda, le visage blême, les yeux gonflés par le manque de sommeil, marchait aux côtés de Louison. Les deux femmes gardaient le silence. Les mots étaient inutiles. Tout ce qui importait, c'était de retrouver Ian.

Debout sur un talus, Martin scrutait la baie de Chignectou avec une longue-vue. La mer était calme, le ciel, sans nuages, ce qui le rassura. Le risque qu'Ian se soit noyé n'était pas très élevé, d'autant plus que le garçon avait souvent exploré la baie et ses environs dans sa barque, et qu'il en connaissait les écueils. Martin avait fait apprendre par cœur à l'adolescent les tables des marées et lui avait enseigné les points cardinaux, ainsi que quelques rudiments de navigation. La crainte du chef de chantier était plutôt que le garçon soit déjà trop loin pour qu'il soit possible de le rattraper.

Rangeant sa longue-vue dans un sac à dos où il avait mis quelques provisions et de l'eau, Martin décida de se rendre jusqu'au phare d'Alma pour aller aux nouvelles. Le gardien, un Écossais du nom de Tim Campbell, dont le père et le grand-père avaient été gardiens de phare avant lui, était en train d'alimenter le feu qui devait rester allumé jour et nuit lorsque Martin Aubert entra dans la pièce exiguë. Martin informa le gardien de la disparition d'Ian, et du fait que l'enfant avait sans doute fui dans une barque de pêcheur. Campbell secoua la tête. Jusqu'à présent, il n'avait reçu aucun télégramme indiquant qu'un corps aurait été ramené par la marée. Aucune épave non plus. Lui-même n'avait rien observé d'anormal depuis la veille.

Réconforté par ces nouvelles, Martin regagna le chemin qui menait au littoral. Il fut impressionné par les dizaines de silhouettes qui sillonnaient la rive. Il finit par reconnaître sa sœur et Maureen, qui marchaient à leur tête, et les rejoignit.

— J'ai parlé à Tim Campbell. Il n'a rien observé d'inhabituel.

Louison accueillit ces paroles avec soulagement. Elle savait ce que son frère avait voulu sous-entendre : il n'y avait pas eu de corps ni d'épaves ramenés par la marée. Amanda, enfermée dans une douleur muette, ne dit rien.

~

Des rais de lumière filtraient à travers les planches disjointes d'un hangar à bateaux. Ian se réveilla, les membres endoloris. Il lui fallut quelques secondes pour se rappeler où il était. Se redressant, il fit la grimace. Les muscles de ses bras lui faisaient un mal de chien. En jetant un coup d'œil autour de lui, il se rendit compte qu'il était dans le coin d'un hangar, sur des sacs de jute dont il s'était servi comme d'un matelas de fortune. Son sac de voyage avait fait office d'oreiller. Tournant la tête, il aperçut une vieille barque qui faisait un léger clapotis. *Ma barque*. Les images de son périple lui revinrent. Il avait parcouru plus de soixante milles, de la baie de Chignectou jusqu'à la baie de Fundy, en ramant comme un forcené. Par endroits, il avait dû naviguer à contre-courant, ce qui l'avait obligé à redoubler d'efforts. À certains moments, il avait craint de ne pas avoir la force de continuer, et il lui avait fallu toute sa volonté pour ne pas abandonner. Il s'était arrêté une fois pour chaparder des filets de morue qui séchaient sur des claies, ce qui lui avait permis de calmer sa faim. Puis il avait poursuivi sa route, jusqu'à ce qu'il tombe sur ce hangar abandonné, où il avait pu se mettre à l'abri, ainsi que son bateau. Mais il mourait littéralement de soif. Sa langue collait à son palais.

Ian fouilla dans sa besace et en extirpa la gourde qu'il avait pris soin d'apporter, mais constata qu'il restait à peine un fond d'eau. Il s'efforça de n'en prendre qu'une gorgée, puis remit la gourde dans son sac. Il lui fallait trouver à boire. Ensuite, il se rendrait à pied jusqu'au port de Saint John, qui n'était qu'à environ un mille de là où il était, si ses calculs étaient bons. De là, il trouverait le moyen de se faire engager comme mousse sur un grand voilier. Et son rêve deviendrait réalité. Il eut une pensée pour sa mère, qu'il chassa aussitôt. Si elle ne lui avait pas interdit d'aller au chantier et surtout de naviguer, menaçant de vendre son embarcation, il n'aurait pas eu besoin de se sauver.

XLVII

Port de Saint John

Noël Picard donna ordre d'amener les voiles. La frégate s'approchait du port, suivie par des goélands, qui poussaient des cris perçants. Lorsqu'il avait pris le commandement du *Neptune*, Noël avait eu du mal à s'adapter à sa nouvelle vie. Sa cabine était minuscule. L'équipage était composé d'une soixantaine d'hommes, en incluant le maître cuisinier et la bigaille, alors que le *Warrior* en comptait plus de six cents. Tout était plus petit, de la dunette jusqu'au poste d'équipage. Il y avait bien une demi-douzaine de canons à bord, mais ce n'était rien comparé avec l'artillerie qui se trouvait sur le cuirassé.

Malgré ces inconvénients, Noël avait constaté que sa nouvelle vie comportait un avantage de taille : il n'avait plus John Caldway dans les pattes. Plus d'ordres intempestifs, de crises de rage, de vexations quotidiennes à endurer de la part du second. Pour ce seul bonheur, Noël était prêt à accepter les désavantages d'un commandement plus modeste.

Les voiles claquèrent au vent. Noël surveillait l'accostage de la frégate. Des centaines de navires étaient déjà amarrés le long des nombreux quais. Les navires marchands côtoyaient les bateaux de pêche, dont les couleurs joyeuses miroitaient dans l'eau sombre.

Au moment où la coque du *Neptune* toucha le quai, le choc créa une secousse. Un mousse qui était grimpé au mât de misaine glissa et atterrit rudement sur le quai. Un matelot voulut l'aider à se relever, mais le mousse poussa un cri de douleur en se tenant l'épaule gauche. Une étrange protubérance gonflait sa chemise.

Noël, après s'être assuré que le navire avait été solidement amarré, vit un petit attroupement sur le pont et s'y rendit. Il aperçut le mousse étendu par terre et le matelot qui avait tenté de le relever. Ce dernier tourna la tête vers son capitaine et lui expliqua que le petit s'était fait mal en tombant. En l'examinant, Noël constata que la clavicule gauche s'était probablement brisée. Un bout d'os saillait sous la peau. Il fit appeler le médecin de bord, qui confirma le diagnostic.

Il fallut deux hommes pour remettre la clavicule en place. Le pauvre garçon serrait courageusement les dents, mais il était pâle et la sueur mouillait son front. Le médecin lui fit un bandage pour maintenir l'épaule en place, mais il déconseilla à Noël de garder le mousse à bord du bateau. Celui-ci serait incapable d'accomplir quelque manœuvre que ce soit pendant un bon mois, le temps que l'os se ressoude. Le garçon supplia son capitaine de ne pas le chasser. Il n'avait nulle part où aller et il craignait de se retrouver à l'hospice. Noël réfléchit, puis décida de le garder dans son équipage, mais à ses frais, de sorte qu'il ne serait pas obligé de le faire travailler. Le mousse, éperdu de reconnaissance, fut ramené à bord.

Noël donna congé à son équipage pour la journée. Le *Neptune* resterait quelques jours à Saint John avant de repartir pour Halifax, ce qui donnerait amplement de temps pour réparer les avaries et s'occuper du ravitaillement. En franchissant la passerelle, Noël songea qu'il lui faudrait tout de même trouver un autre membre d'équipage pour remplacer son mousse. Cela ne devrait pas être bien difficile, car il ne manquait pas de jeunes gens pauvres et désœuvrés dans les villes portuaires comme Saint John, qui ne demanderaient pas mieux que de travailler sur un bateau, même pour un salaire de misère.

Il était presque midi. Le soleil tapait dur et la chaleur était devenue intolérable. Une bonne partie des volontaires qui participaient à la battue avait décidé d'interrompre les recherches pour manger un morceau. Amanda, Louison et Martin, ainsi qu'une dizaine d'autres villageois, continuaient à fouiller les sentiers et les berges sans relâche, mais l'espoir de retrouver Ian s'amenuisait au fur et à mesure que le temps passait. Amanda continuait à s'emmurer dans le silence, son visage durci par la culpabilité et la colère. Elle en voulait de toutes ses forces à son fils d'être parti sans avoir cherché à s'expliquer avec elle, mais elle ne se pardonnait pas d'avoir fait preuve de tant de sévérité à son égard.

Martin leva les yeux vers Maureen. Comme il aurait voulu lui ramener son fils ! Il s'approcha d'elle et marcha à ses côtés en silence, puis prit son courage à deux mains et commença à parler :

— Je suis à peu près certain qu'Ian ne s'est pas noyé. La mer est calme, votre fils a le pied marin.

Elle ne répondit pas. Il se racla la gorge et poursuivit :

— Quand Ian venait me voir au chantier, il me parlait souvent de son rêve de devenir marin. C'est pas impossible qu'il ait pensé à se faire engager sur un bateau.

Amanda s'arrêta, stupéfaite.

— Ian n'a que douze ans !

— Il y a des mousses qui travaillent sur des navires et qui n'ont même pas dix ans.

Réfléchissant à ce que le chef de chantier venait de lui dire, Amanda leva les yeux vers lui.

— Si vous dites vrai, ça veut dire qu'il pourrait être déjà à bord d'un bateau, loin d'ici.

— Tôt ou tard, il vous donnera de ses nouvelles. Il ne faut pas perdre espoir.

Il ne faut pas perdre espoir. Amanda se souvint de cette phrase du pêcheur qui les avait emmenés, elle et Ian, à l'île de Partridge. L'espoir ne lui avait causé jusqu'ici que chagrin et désillusion. Elle se détourna et s'éloigna sur le sentier. Martin la suivit des yeux, se sentant impuissant devant sa détresse. Sa sœur le rejoignit et lui prit gentiment le bras.

Après quelques heures de marche, Ian s'arrêta au bord du chemin et fouilla dans sa besace pour y prendre sa gourde. Il avait réussi à la remplir avec de l'eau de pluie d'un tonneau qu'il avait aperçu sur le perron d'une maison de pêcheurs, mais elle était de nouveau presque vide. La chaleur le faisait transpirer, ce qui accentuait sa soif. Heureusement, il approchait de Saint John. De plus en plus de voitures circulaient sur la route de terre, et des charrettes remplies de foin ou de marchandises se rendaient au marché. Levant les yeux vers le ciel, Ian vit des goélands tournoyer autour du mât d'un bateau. Il sourit, malgré la faim et la soif qui le taraudaient.

Lorsqu'il parvint au port, Ian fut étourdi par le bourdonnement d'activités qui y régnait. Il n'avait gardé qu'un vague souvenir de son arrivée à Saint John, à cause de la fatigue du long voyage. Passant devant un étal garni de pains, il sentit son estomac grogner. Il avait une faim de loup. Avant de quitter la maison, il avait trouvé un peu d'argent dans un pot que sa mère laissait dans une armoire, pour les menues dépenses. Il avait eu honte de prendre les sous, mais l'avait fait pour les besoins de son périple.

Après avoir acheté un quignon de pain, Ian le dévora jusqu'à la dernière miette et s'approcha ensuite des quais. Il fut ébloui en voyant les centaines de mâts qui se balançaient doucement au gré des vagues. Scrutant les débarcadères dans l'espoir d'apercevoir un grand voilier, il se rendit compte que la majorité des bateaux accostés étaient des navires marchands ou des chalutiers. À première vue, pas de voilier à trois mâts, comme il en admirait parfois à distance, lorsqu'il passait des heures à contempler la baie de Courtenay.

Continuant à marcher, Ian croisa une rangée d'entrepôts gris qui masquaient la baie, puis un édifice de brique qui abritait les bureaux portuaires. Voyant un gendarme qui faisait le guet devant la porte, Ian sentit son cœur bondir dans sa poitrine et s'éloigna le plus rapidement possible. Comme sa mère, il avait une peur bleue des policiers. Après avoir dépassé l'édifice, Ian leva les yeux et s'arrêta net. Un trois-mâts avait été amarré le long d'un quai réservé aux plus gros bateaux. Il sut tout de suite qu'il s'agissait d'une frégate. Grâce à Martin Aubert, il s'était familiarisé avec tous les genres de navires. Celui-ci n'était pas du plus gros tonnage, mais Ian fut impressionné par la qualité de sa fabrication et la grâce de ses lignes.

En s'approchant de la frégate, Ian distingua le pont, bien briqué, qui luisait au soleil. Un officier, debout sur le quai, haranguait les passants. Intrigué, Ian tendit l'oreille et il entendit les mots « *hire* » et « *ship's boy* ». Comprenant soudain qu'il tenait là sa chance, il s'avança vers l'homme. Avalant nerveusement sa salive, il s'adressa à lui, expliquant qu'il cherchait à s'embarquer sur un navire comme mousse. Le marin, qui portait l'uniforme de la Royal Navy, lui demanda en anglais quel âge il avait. Sachant qu'il était plus grand que son âge, Ian répondit avec aplomb qu'il avait quatorze ans. L'officier l'observa du coin de l'œil, puis voulut savoir s'il avait déjà travaillé comme *ship's boy* sur une frégate. Ian acquiesça. Pour le mettre à l'épreuve, l'officier prit une corde et demanda à Ian de lui faire un nœud de chaise. Ian l'exécuta habilement. Amusé, le marin lui dit ensuite de lui faire la démonstration des nœuds de ris et de grappin. Ian les fit sans l'ombre d'une hésitation. Il avait souvent observé des hommes d'équipage au travail et des pêcheurs lors de ses nombreuses expéditions au chantier Thompson et au petit port d'Alma, et avait ainsi appris à exécuter les principaux nœuds marins, sans oublier les explications dans les livres sur la navigation que Martin Aubert lui prêtait volontiers lorsqu'il venait lui rendre visite.

— *Good, very good*, ne put s'empêcher de dire l'homme, impressionné par le savoir-faire du garçon.

Lui frottant la tête, il lui fit signe d'attendre près du bateau, afin qu'il le présente au capitaine. Ravi, Ian poussa l'audace jusqu'à demander de l'eau. L'officier désigna un baril placé contre un muret, à proximité du quai. Ian put remplir sa gourde et, heureux comme un roi, alla s'asseoir dans un coin pour y attendre le capitaine.

⁂

Après avoir pris un repas au St. James Pub, la même auberge où il avait cru entrevoir Amanda O'Brennan, Noël Picard se promena dans les rues de la ville, qui lui étaient déjà trop familières, puis décida de revenir au port. Il y avait beaucoup à faire à bord du *Neptune*, mais surtout, son retour dans ce pub l'avait plongé dans une profonde nostalgie. Il pensa à sa sœur Lucie, qu'il aimait tant, à ses neveux et nièces, auxquels il était profondément attaché, au bonheur qui l'attendait toujours lorsqu'il revenait à son village et qu'il contemplait la chute de Kabir Kouba se jetant en torrents impétueux entre les rochers moussus. Il se demanda soudain ce qu'il faisait ici, si loin de chez lui, à vivre parmi des hommes loyaux mais qui lui étaient étrangers. Le mal du pays le saisit au cœur. Il eut le sentiment que sa vie était devenue une perpétuelle fuite. Il passait à côté de son existence, telle une ombre. C'est dans cet état d'esprit qu'il revint vers le port. Même la vue des bateaux, qui le rendait habituellement joyeux, n'éveilla en lui que la tristesse.

Lorsqu'il arriva à la hauteur du *Neptune*, il fut accosté par son deuxième lieutenant, à qui il avait confié la tâche de trouver un mousse. L'officier, tout sourire, l'informa qu'il avait déniché la perle rare, un garçon de quatorze ans, très débrouillard, qui connaissait les nœuds de marin comme un vieux loup de mer. Intrigué, Noël le suivit jusqu'à un muret. Un garçon, adossé à la pierre, dormait, la bouche légèrement entrouverte. Il avait de beaux cheveux noirs, fournis et bouclés, des traits fermes, des épaules bien découpées. Noël le regarda, frappé par la physionomie de l'adolescent. Il était certain de l'avoir déjà vu. Soudain, il le replaça. Le garçon avait grandi, mais son visage était resté le même. C'était le fils d'Amanda O'Brennan.

XLVIII

Noël Picard contempla le garçon, stupéfait. *Que fait-il à Saint John ? Mais surtout, où est sa mère, Amanda ?* Lorsque Noël s'était rendu à l'abri Sainte-Madeleine dans l'intention de demander Amanda en mariage, l'année précédente, une jeune femme vêtue de bleu lui avait appris l'arrestation de sa belle et l'accusation de meurtre qui pesait contre elle. Se pouvait-il qu'elle ait été libérée ? Ses yeux se posèrent de nouveau sur le garçon. Celui-ci était sale mais semblait être en bonne santé. Il n'y avait pas de doute dans son esprit que l'enfant s'était enfui, mais dans quelles circonstances cela s'était-il produit ?

Ian commença à remuer, puis ouvrit les yeux. Il vit un homme de taille moyenne, portant un képi et un bel uniforme noir aux boutons dorés. L'homme le regardait avec sollicitude.

— *What's your name ?* Comment t'appelles-tu ? lui demanda l'homme au képi.

Ian hésita. Il se rappela les recommandations de sa mère.

— Kevin Furlong.

L'homme au képi lui jeta un regard songeur, se demandant s'il s'était trompé sur son identité. Puis il se présenta :

— Je suis le capitaine du *Neptune*. Alors, Kevin, il paraît que tu veux devenir mousse ?

Le garçon acquiesça en souriant, rassuré par la gentillesse du capitaine. Ce dernier sourit à son tour.

— Viens avec moi sur le bateau, on sera plus tranquilles pour parler.

Ian se leva d'un bond et ramassa son sac, tout joyeux. Son plan fonctionnait à merveille. Il suivit le capitaine, qui franchissait la passerelle et se dirigeait vers la dunette.

Tout en marchant derrière le capitaine, Ian regardait autour de lui, admirant le grand mât, l'enchevêtrement des drisses et des vergues. Il s'imaginait déjà à la barre, le vent dans les cheveux et la tête dans les étoiles.

Le capitaine entra dans le carré des officiers. C'était une pièce assez grande, lambrissée de bois. Une table, vissée au plancher, prenait presque toute la place. Le capitaine désigna un banc. Le garçon s'y assit, tandis que l'homme s'installa en face de lui.

— Dis-moi, Kevin, où sont tes parents ?

Ian sentit sa gorge se serrer, mais il fit un effort pour regarder son interlocuteur en face.

— Je suis orphelin.

Les yeux pensifs de l'officier se posèrent sur Ian. Celui-ci eut soudain le sentiment qu'il avait déjà vu cet homme quelque part.

— Où habites-tu ?

— Avec ma tante.

— Comment s'appelle ta tante ?

Le ton était calme et cordial.

— Kate. Kate Furlong.

Le capitaine continuait à l'observer de ses yeux noirs. Ian commençait à éprouver une sorte de malaise. Son impression qu'il connaissait cet homme s'accentuait.

— Comment es-tu venu ici ?

— Dans une barque.

Après un silence, le capitaine se pencha vers le garçon.

— Tu ne t'appelles pas Kevin. Ton nom est Ian O'Brennan, pas vrai ?

Ian fit un mouvement pour se lever, mais le capitaine lui saisit les bras d'un mouvement leste.

— N'aie pas peur. Je ne te ferai aucun mal. Nous nous sommes connus à bord du *Queen Victoria*. J'étais lieutenant à bord du navire.

Les souvenirs refluèrent. Les vagues en furie. Le lieutenant qui l'aidait à prendre place dans un canot de sauvetage. Les cris des naufragés.

— Tu m'as dit que tu étais orphelin. Est-ce la vérité ?

La voix du capitaine était ferme mais douce. Le cœur étreint par la panique, Ian ne répondit pas.

— Tu peux me faire confiance. Tout ce que je souhaite, c'est te venir en aide.

Comme s'il désirait prouver ce qu'il venait de dire, l'officier relâcha son étreinte. Ian pensait très vite. Un capitaine de bateau ne pouvait pas être une mauvaise personne.

— Mon père est mort en mer. Mais ma mère est toujours vivante.

Noël ferma les yeux. *Ma mère est toujours vivante*. Une joie indicible l'envahit, comme les torrents indomptés de la chute Kabir Kouba.

~

Il était passé sept heures du soir. Louison avait tenté de convaincre Amanda d'arrêter les recherches pour manger un morceau, mais celle-ci avait refusé. Martin, ne voulant pas laisser la jeune femme seule, avait décidé de rester avec elle. Le désespoir se lisait maintenant sur son visage. Amanda s'assit sur un rocher et mit sa tête dans ses mains. Des sanglots secouèrent ses épaules. Bouleversé, Martin se tenait debout près d'elle, ne sachant que faire pour la consoler. Soudain, il entendit des cris. Tournant la tête, il vit sa sœur Louison qui courait vers eux. Elle était trop loin pour qu'il pût comprendre ses paroles. Une crainte sourde s'insinua en lui. Il pria pour que le petit ne se soit pas noyé.

— On l'a retrouvé ! Il est ici ! Ian est ici !

— Dieu soit loué, murmura Martin.

Amanda, qui s'était redressée en entendant les cris, se tourna vers Louison et la regarda s'approcher, le visage livide. Celle-ci la saisit par les épaules, riant et pleurant à la fois.

— Qu'est-ce que je te disais ! On a retrouvé ton petit. Il est sain et sauf.

Amanda remua les lèvres, mais ne réussit à articuler qu'un mot.

— Comment…

— Il va bien, dit Louison. Pas une seule égratignure. Quelqu'un l'a ramené en canot. Un officier de la marine. Un bien brave homme !

Empoignant sa jupe, Amanda se leva d'un bond.

— Où est Ian ? Je veux le voir.

— Au port du village, à deux pas d'ici.

L'année précédente, le village d'Alma avait fait construire une rade pour faciliter l'accostage des nombreux bateaux de pêche. Amanda se mit à courir dans cette direction, suivie par Martin et sa sœur.

Un attroupement s'était formé près du débarcadère. Amanda, échevelée, les joues encore striées de larmes, s'en approcha. Les gens s'écartèrent pour la laisser passer. Bientôt, Amanda aperçut son fils.

— Ian !

Elle voulut s'élancer vers lui, mais elle se figea en reconnaissant l'homme en uniforme noir qui se tenait debout près d'Ian. *Noël Picard.* La terreur, la joie d'avoir retrouvé son fils et l'épuisement eurent raison d'elle. Sentant un voile lui couvrir les yeux, elle s'écroula sur le sable. Martin fit un mouvement pour aller vers la jeune femme, mais il fut devancé par l'homme en uniforme, qui courut vers elle et la souleva dans ses bras avec délicatesse.

Lorsque Amanda ouvrit les yeux, elle distingua le visage anxieux de son fils penché au-dessus d'elle. Martin et Louison se tenaient debout derrière lui, tout aussi inquiets. Se redressant sur ses coudes, Amanda se rendit compte qu'elle était étendue sur un lit de camp, dans une cabane de pêcheurs. Des filets pendaient à des crochets et des cageots étaient empilés contre un mur. Elle regarda craintivement autour d'elle mais ne vit pas Noël Picard. Prenant Ian dans ses bras, elle l'attira à elle, pleurant de soulagement.

— Tu es revenu... tu es revenu... répétait-elle.

Ian pleurait.

— Pardonne-moi, maman. Pardonne-moi.

— Je n'ai rien à te pardonner, Ian. Seulement, j'ai eu si peur de te perdre.

Après les premières effusions, Louison s'adressa à la jeune femme.

— Le capitaine qui a ramené Ian souhaiterait te parler, dit-elle. Il t'attend près de la jetée.

La peur lui noua les entrailles. *Que me veut-il ?*

Rassemblant son courage, Amanda s'efforça de sourire à son fils, puis sortit.

Un bon vent s'était levé, balayant la chaleur. Amanda s'avança vers la jetée. Elle aperçut à distance un homme en uniforme noir dont les galons aux épaules étincelaient dans la lumière encore vive. Il lui tournait le dos et semblait contempler l'horizon, mais elle reconnut tout de suite sa silhouette élancée. *Noël Picard*. Un canot, à bord duquel se trouvait un marin, était arrimé au quai. Amanda s'avança vers l'officier, cachant ses mains dans les poches de sa jupe pour qu'il ne les voie pas trembler. Noël entendit un crissement de pas sur le sable. Sans même regarder dans cette direction, il sut que c'était elle. *Amanda*. La dame en bleu. Celle qui lui avait brisé le cœur, qui avait hanté ses rêves, celle qu'il n'était jamais parvenu à oublier. Il la regarda. Elle était pâle. Ses traits étaient figés par la peur. Il aurait tout donné pour la tenir de nouveau dans ses bras et chasser ses craintes, tel l'attrapeur de rêves, un cerceau entouré de plumes que sa mère installait au-dessus de son lit lorsqu'il était enfant, pour capturer les cauchemars. Mais il ne le fit pas, par crainte de l'effrayer encore davantage. Ce fut elle qui parla en premier.

— Comment avez-vous retrouvé mon fils ?

Il perçut le tremblement dans sa voix.

— Il voulait s'embarquer comme mousse sur mon bateau. Vous avez eu de la chance qu'il tombe sur moi.

De la chance, se dit-elle avec effroi. Rien n'était moins sûr. Pourtant, il n'y avait aucune trace de malveillance sur les traits fins de Noël Picard. Son regard était au contraire plein de sollicitude. Mais cet homme savait quelle était sa véritable identité. Il pouvait la dénoncer à tout moment. Comme s'il avait deviné ses pensées, Noël chercha à la rassurer.

— Votre fils a grandi, mais je l'ai reconnu presque tout de suite. Après une bonne discussion d'homme à homme, j'ai réussi à le convaincre de me laisser le ramener chez lui.

Le visage d'Amanda se détendit légèrement.

— Je vous en suis très reconnaissante.

Un long silence s'installa, brisé par le ressac des vagues qui se jetaient sur le quai.

— Vous avez changé la couleur de vos cheveux, mais je vous ai reconnue dès que j'ai posé les yeux sur vous.

Les traits de la jeune femme se tendirent de nouveau.

— Je vous en prie, écoutez-moi. Je ne vous veux aucun mal.

Amanda resta immobile, aux aguets. Il poursuivit, avec le sentiment de marcher sur une étroite passerelle.

— J'ai appris par une pénitente de l'abri Sainte-Madeleine que vous aviez été arrêtée pour meurtre.

Amanda recula instinctivement. Il leva les bras vers elle, comme pour l'apaiser.

— J'étais venu au refuge pour vous demander de m'épouser. Quand j'ai appris la nouvelle de votre arrestation, je me suis engagé dans la Royal Navy. J'espérais vous oublier. Mais l'oubli n'est jamais venu. Puis je vous ai revue ici, et j'ai compris que l'oubli ne viendrait jamais.

Amanda l'avait écouté en silence, presque hypnotisée par la douceur de sa voix, par la poésie simple de ses mots.

— Je suis peut-être aveugle, mais mon âme me dit que vous n'avez jamais fait de mal à personne. Ou si vous l'avez fait, c'était pour vous défendre.

— Vous avez raison. Je n'ai jamais fait de mal à personne.

Contre toute attente, il sourit, le sourire qu'ont les enfants, sans retenue, qui creuse des fossettes sur les joues.

— Je vous crois. Je vous ai toujours crue.

Ses mots ressemblaient presque à une prière.

— Je vous aime, Amanda. Je vous ai aimée dès que je vous ai croisée à bord du *Queen Mary* et que je vous ai demandé si vous aviez vos billets de passage.

Un sourire timide éclaira pour la première fois le visage d'Amanda. Il effleura ses cheveux du bout des doigts.

— Voulez-vous devenir ma femme ?

Tout s'était passé si vite, comme dans un rêve. Noël contempla le visage de sa bien-aimée. Elle était bien là, devant lui, en chair et en os. Il avait enfin eu le courage de lui demander sa main. Il saisit son bras et fit quelques pas avec elle sur la rive, s'enivrant des parfums de la mer et du bonheur qui l'habitaient. Il la tutoya pour la première fois, sans même s'en rendre compte.

— Il n'en tient qu'à toi que je quitte la marine. Nous pourrions nous marier à la Jeune Lorette.

Amanda se sentait submergée par un flot d'émotions contradictoires.

— La Jeune Lorette est si près de Québec. Qui sait si…

— Tu y seras en sécurité. Personne ne songera à t'y chercher.

Voyant à quel point la jeune femme était troublée, il ajouta :

— J'ai encore quelques jours de permission à Saint John. Je reviendrai te voir avant mon départ. Si tu acceptes de m'épouser, je serai le plus heureux des hommes.

Il eut de nouveau son sourire d'enfant. Amanda regarda ce visage franc, ces yeux noirs semés d'éclats d'or. Comment avait-elle pu être aveugle si longtemps ? Comment avait-elle pu croire un seul instant que cet homme lui voulait du mal ?

— J'accepte.

Noël resta immobile comme une statue. On aurait dit qu'il n'arrivait pas à y croire. Elle répéta « J'accepte » et se jeta dans ses bras. Ils se soudèrent l'un à l'autre comme des aimants, dans le fracas des vagues et le bleu du ciel.

— Je dois repartir à Saint John pour donner officiellement ma démission à la Royal Navy et régler des affaires. Je reviendrai te chercher d'ici à quelques jours. Où habites-tu ?

Elle lui décrivit sa maison, juchée sur la falaise, non loin du village, blanche, avec des volets verts.

Debout devant la petite fenêtre de la cabane qui donnait sur la jetée, Martin tentait de voir Maureen et le capitaine de bateau qui avait ramené Ian, mais les vitres étaient sales, tout était embrouillé. Depuis qu'il avait été témoin des retrouvailles dramatiques de Maureen avec son fils, et du geste de cet officier qui s'était précipité vers la jeune femme et l'avait soulevée dans ses bras pour la porter dans la cabane de pêcheurs, il ressentait une sorte d'appréhension mêlée à un autre sentiment qu'il n'arrivait pas à identifier. Lorsque Maureen s'était évanouie, il avait cru sur le moment que c'était à cause de l'émotion de revoir son enfant, mais en y repensant, il se rappelait avoir vu une expression de frayeur sur son visage. En suivant son regard, il avait aperçu le capitaine. On aurait dit qu'elle le connaissait et qu'elle avait peur de lui.

N'y tenant plus, Martin sortit à son tour. Il ne comprenait pas lui-même ce qui le poussait à épier Maureen. Ça ne lui ressemblait pas, mais c'était plus fort que lui. Quelque chose lui disait que cet homme était lié au passé de Maureen, d'une façon ou d'une autre. Et il éprouvait un besoin impératif de savoir quel était ce lien. Il marcha vers la jetée. C'est alors qu'il les aperçut, dans les bras l'un de l'autre. Il s'arrêta net, comme si ses pieds avaient soudain été emprisonnés dans du ciment. Maureen, qui avait refusé de l'épouser, était dans les bras de l'inconnu. Un sentiment s'insinua en lui, douloureux, amer, qu'il n'avait jamais éprouvé auparavant. La jalousie.

Noël s'arracha à leur étreinte, puis regarda longuement Amanda, comme pour imprimer à jamais dans sa tête ses traits purs et ses yeux gris, qui reflétaient la lueur déclinante du soleil.

— Je reviendrai te chercher, répéta-t-il. Nous partirons pour mon village. Tu verras, ma sœur Lucie est la femme la plus adorable de la terre. À part toi, bien entendu.

Il eut de nouveau son sourire d'enfant, puis il rejoignit le marin qui l'attendait dans le canot. Il leva l'amarre et sauta dans la barque. Amanda resta debout près de la jetée, regardant le canot s'éloigner dans les flots baignés de lumière, jusqu'à ce qu'il ne soit plus qu'un point à l'horizon. Puis elle retourna vers la cabane de pêcheurs avec l'impression de voler sur les ailes d'un ange tellement elle se sentait légère. C'est alors qu'elle aperçut Martin, debout près de la porte. Elle lui sourit.

— Merci pour tout ce que vous avez fait, Martin. Je ne l'oublierai jamais.

Il la fixa d'un air étrange. Il était pâle et semblait malade.

— Je n'ai rien fait. C'est l'étranger qui a ramené Ian.

Puis il s'éloigna d'une démarche un peu saccadée. Amanda, bien que heurtée par l'attitude hostile du chef de chantier, devina que Noël en était la cause. Elle se mordit les lèvres, un peu honteuse de se sentir si heureuse alors que Martin, qui avait fait preuve de tant de dévouement, était malheureux à cause d'elle. C'est alors qu'elle vit Ian et Louison sortir de la cabane. La vue de son fils dissipa son malaise. Louison courut rejoindre son frère tandis qu'Ian se jetait dans les bras de sa mère. Dès qu'ils furent de retour chez eux, elle lui fit prendre un bain et lui servit un repas chaud tout en lui posant mille et une questions sur son périple, voulant en connaître chaque détail. Elle frémit d'effroi en pensant aux dangers que son fils avait courus, mais sans cette fugue son chemin n'aurait peut-être pas croisé celui de Noël.

— Nous allons quitter Alma dans quelques jours.

— Pour aller où ? avait demandé Ian, tombant des nues.

Elle hésita, cherchant ses mots, puis se décida à parler.

— Noël Picard m'a demandé de l'épouser. Nous allons nous marier dans son village, à la Jeune Lorette.

Ian resta bouche bée, à tel point qu'Amanda ne put s'empêcher de sourire. Puis le visage de son fils devint sérieux.

— Et si papa n'était pas mort ? S'il revenait te chercher ?

Amanda caressa les boucles sombres de son garçon.

— Ton père est mort, Ian. Il ne reviendra pas.

Et c'était la pure vérité. Jacques Cloutier était mort et enterré. Jamais plus son fantôme ne reviendrait la hanter.

XLIX

Depuis que Martin Aubert avait vu Maureen dans les bras de l'étranger, il avait perdu le sommeil et l'appétit. Il se traînait comme une âme en peine, ne trouvant plus goût à rien. Même son travail au chantier Thompson, qu'il aimait pourtant avec passion, lui paraissait dénué d'intérêt. Quand Rose était morte en couches, il avait été dévasté par la peine, mais il avait continué de se lever chaque matin, sans perdre espoir d'une vie meilleure. Les couchers de soleil sur la baie lui avaient semblé aussi beaux qu'avant, et son travail au chantier l'avait aidé peu à peu à surmonter son chagrin. Mais ce qu'il ressentait était bien différent. C'était sombre, amer, tel le sel qui ronge la coque des bateaux.

Louison avait remarqué le brusque changement d'humeur de son frère et s'en inquiétait. Ce changement était survenu au moment où Maureen avait retrouvé son fils, grâce au capitaine de bateau. Bien que Martin ne se soit pas confié sur ce qui le tourmentait, Louison savait que la belle « Gallagué » en était la cause. Durant la messe, elle constata avec un serrement de cœur que Martin ne quittait pas Maureen des yeux. Après l'office, cette dernière les salua poliment, mais Martin serra les dents et partit sans un mot. Louison contint un soupir. Elle avait du mal à reconnaître son frère.

— Il faut pas lui en vouloir, expliqua-t-elle à la jeune femme, embarrassée. Ces temps-ci, il est pas à prendre avec des pincettes.

Le lendemain, à la fabrique de voiles, Louison trouva Maureen à sa place habituelle. La jeune femme se pencha vers elle et lui dit, sur le ton de la confidence :

— Je vais quitter la fabrique. C'est ma dernière journée aujourd'hui.

Louison la regarda, stupéfaite.

— Tu as trouvé un autre travail ? Tu n'étais pas heureuse, ici ?

— Je vais me marier.

Pendant un moment, un espoir fou fit battre le cœur de Louison.

— Martin t'a fait la grande demande ! s'écria-t-elle sans réfléchir.

La jeune femme garda le silence, très mal à l'aise. Comprenant qu'elle avait commis une bourde, Louison rougit jusqu'à la racine des cheveux.

— Noël Picard, le capitaine qui a ramené Ian, m'a demandée en mariage. J'ai accepté. Nous quittons Alma demain.

— Tu connaissais donc cet homme ?

Amanda acquiesça mais ne voulut pas en dire davantage. Louison sentit son estomac se nouer. Elle aurait voulu se réjouir du bonheur de la jeune femme, mais elle en était incapable. Son frère avait tant rêvé de sa belle Irlandaise, et voilà que ce capitaine était survenu, brisant d'un coup ses espérances.

— Il faudrait refaire cet ourlet, dit-elle d'une voix sèche. Il n'est pas assez solide.

Elle regretta aussitôt sa dureté. S'il y avait une chose qu'elle savait de ce bas monde, c'était que l'amour était aussi imprévisible et indomptable qu'un cheval sauvage. C'était injuste de sa part de blâmer Maureen d'avoir préféré quelqu'un d'autre à son frère, mais c'était plus fort qu'elle. Les deux femmes continuèrent à travailler en silence.

Les portes de l'atelier s'ouvrirent brusquement. Un homme s'avança dans l'allée. *Clac. Clac. Clac.* Amanda tourna soudain la tête, alarmée. C'était Stephen Thompson.

❀

L

Mon Dieu, faites que ce ne soit pas lui, se dit Amanda en s'efforçant de se concentrer sur son travail. L'officier continua d'avancer dans l'atelier. *Clac. Clac Clac.* Louison le suivait des yeux avec inquiétude.

— Je pensais qu'il était au diable vert, celui-là, dit-elle entre ses dents.

Joël Bricard surveillait le fils du propriétaire du coin de l'œil, cachant mal son irritation. Ce dernier ne s'arrêta pas en chemin pour importuner les jeunes ouvrières comme il le faisait habituellement. Il se rendit directement au fond de l'atelier et s'immobilisa devant Amanda. Celle-ci continuait à coudre, s'efforçant de ne pas le regarder. Stephen Thompson la dévisagea pendant quelques instants, puis se mit à parler de sa voix métallique.

— Si ma mémoire est bonne, votre prénom est Maureen, n'est-ce pas ?

Il s'était exprimé dans un français impeccable. Amanda ne répondit pas, mettant toute sa volonté à coudre.

— On ne vous a jamais dit que c'était impoli de ne pas répondre lorsque quelqu'un vous adresse la parole ?

Amanda resta muette. *Faites qu'il parte. Faites qu'il ne revienne plus jamais.* L'officier se pencha vers elle. Une odeur de cuir, mêlée à une autre, étrange, qui ressemblait à du camphre, se dégageait de lui.

— Il y a un bal ce soir à Saint John, chez le gouverneur. Me feriez-vous l'honneur de m'y accompagner, mademoiselle ?

Son ton était à la fois déférent et ironique. Amanda cessa de coudre, puis tourna la tête vers l'officier. Ses joues étaient devenues pâles, mais il y avait de la détermination dans son regard. La rancune de Louison fondit d'un coup devant le courage de la jeune femme.

— J'aurais accepté votre invitation avec plaisir, lieutenant, mais c'est impossible, répondit Amanda.

— « Impossible » n'est pas un mot français, mademoiselle, rétorqua-t-il avec un sourire qui découvrit ses dents gâtées.

L'odeur de camphre devint omniprésente.

— Je vais me marier. Vous comprendrez que je ne peux pas vous accompagner à ce bal.

— Vous allez vous marier. Et qui est l'heureux élu ?

L'atelier était devenu complètement silencieux. Même le contremaître avait arrêté de travailler et observait la scène, la mine anxieuse. Amanda jugea plus prudent de ne pas nommer Noël.

— Un officier de la Royal Navy.

Thompson émit un gloussement.

— Vous m'en direz tant. Et quel est son nom, je vous prie ?

— Ça ne vous regarde pas, osa dire Amanda.

Quelques exclamations étouffées accueillirent sa répartie. Le visage de l'officier prit une teinte verdâtre. Une veine saillait à sa tempe droite.

— Eh bien, mes meilleurs vœux de bonheur et de félicité vous accompagnent, mademoiselle.

Il rebroussa chemin et se dirigea vers la sortie. *Clac. Clac. Clac.* Les ouvrières se remirent à travailler. Amanda ne respira que lorsqu'elle entendit la porte se refermer brusquement. Elle éprouvait un soulagement indicible d'avoir réussi à tenir tête à l'officier, mais sa crainte n'avait pas disparu pour autant. Noël lui avait promis d'être de retour de Saint John « d'ici à quelques jours », il serait donc à Alma aujourd'hui ou le lendemain. Sentant l'inquiétude de sa compagne, Louison l'invita à passer la nuit chez elle avec son fils. Ainsi, elle serait en sécurité jusqu'à son départ du village. Amanda accepta avec reconnaissance.

La cloche sonna la fin de la journée. Les ouvrières quittèrent la fabrique. Amanda demanda à Louison de l'attendre et se dirigea vers Joël Bricard. Elle lui expliqua qu'elle devait quitter son emploi et le remercia de l'avoir engagée. Le contremaître hocha la tête.

— Bonne chance, mademoiselle. Vous avez fait du bon travail.

Il lui paya le salaire qu'il lui devait, puis voulut ajouter une mise en garde, mais décida de ne pas le faire. La jeune femme était déjà bien au fait du danger que représentait le fils Thompson. Les pires rumeurs couraient sur son compte. On disait même qu'il avait contracté la syphilis dans l'un des nombreux bordels qu'il fréquentait et qu'il se soignait avec du mercure, ce qui lui donnait son étrange teint verdâtre. Le contremaître ne savait quel crédit accorder à ces ragots, mais rien ne l'aurait étonné chez cet homme dévoyé et sans scrupule.

— Bonne chance, répéta-t-il.

Amanda rejoignit Louison, qui l'attendait devant la porte de l'atelier.

— Merci encore pour ton hospitalité, mais je dois d'abord aller chercher Ian.

Louison acquiesça. Elle proposa même à la jeune femme de l'accompagner, mais celle-ci secoua la tête.

— Il n'osera jamais s'en prendre à moi en plein jour.

Il était passé six heures lorsque Amanda parvint chez elle. Le soleil commençait à peine à décliner. Ian était assis sur un rocher et contemplait la mer. Elle s'approcha de son fils et lui entoura affectueusement les épaules de ses bras.

— Nous passerons la nuit chez Louison.

— Pour quoi faire ? s'étonna Ian.

Amanda ne voulut pas l'inquiéter.

— Je ne la reverrai sans doute plus après notre départ.

Amanda mit quelques objets de toilette et des vêtements de rechange dans un sac de voyage. Le lendemain, elle reviendrait chez elle à la première heure et finirait de préparer leurs bagages. Noël serait sûrement de retour, et ils pourraient enfin quitter le village. Thompson ne serait plus qu'un mauvais souvenir.

Un vent frais s'était levé, apportant le parfum acidulé du large. Amanda se félicita d'avoir pris son châle, car la température avait chuté de quelques degrés. Le chemin qui menait chez Louison longeait une falaise sur laquelle se brisaient des vagues dans un jaillissement d'écume. La mer avait une teinte d'émeraude. *Demain, je te reverrai enfin*. Trop d'heures la séparaient encore de l'homme qu'elle aimait.

Une tache rouge apparut à distance. Avec le soleil dans les yeux, Amanda ne la distinguait pas bien. La forme se précisa peu à peu. Amanda agrippa soudain le bras de son fils. C'était Stephen Thompson. Il portait son uniforme et marchait d'une façon bizarre, oscillant sur ses jambes, une bouteille dans une main. Il était soûl. Elle fit un mouvement pour rebrousser chemin mais se ravisa. Sa maison était isolée. Elle n'avait pas de voisins à moins d'un mille à la ronde. Il était plus sage de continuer à marcher jusque chez Louison. Si le lieutenant s'en prenait à elle, ses cris alerteraient sûrement le voisinage. La main d'Ian s'était raidie dans la sienne. Il avait reconnu l'officier et avait peur. Amanda s'adressa à son fils à mi-voix, les yeux fixés sur la silhouette rouge qui s'approchait.

— Ne crains rien. Ne le regarde pas quand nous le croiserons.

Ian acquiesça bravement. Amanda conserva la main de son fils dans la sienne et poursuivit sa route, la tête droite. Bientôt, elle put distinguer les traits du visage de Thompson, figés dans une sorte de rictus. Il s'arrêta, porta la bouteille à sa bouche et but jusqu'à ce qu'elle soit vide. Puis il la jeta par-dessus son épaule. La bouteille se fracassa contre les rochers en contrebas.

Amanda et Ian étaient maintenant à quelques pieds de l'officier.

— Bonsoir, lieutenant, dit-elle.

Elle tenta de passer, mais il l'en empêcha. Il se tenait au milieu du chemin.

— Pas si vite, mademoiselle. Après tout, vous n'êtes pas encore mariée. On peut s'amuser un peu.

Sa voix était avinée et son haleine, chargée d'alcool. Amanda tourna la tête vers son fils.

— Cours chez Louison, dit-elle à mi-voix.

Ian hésita mais, devant le regard impérieux de sa mère, il obéit. Thompson bloquait le sentier. Le garçon regarda autour de lui. À sa droite se trouvait la falaise escarpée ; à sa gauche, un pré rocailleux serti de fleurs sauvages. Il n'avait d'autre choix que de prendre par le pré. Il se mit à courir, trébucha sur un caillou, tomba sur les genoux, puis se releva et se remit à courir.

Amanda était maintenant seule avec l'officier.

Martin Aubert avait réchauffé un peu de soupe, mais il n'en prit que quelques cuillerées. Il n'avait pas faim. Toutes ses pensées étaient occupées par Maureen Gallagher. Sa sœur Louison lui avait appris la nouvelle. Maureen allait se marier. Elle épouserait l'étranger qui avait ramené son fils. Il la revoyait constamment dans les bras du capitaine, et l'amertume lui broyait le cœur. En même temps, il se détestait d'éprouver autant de ressentiment, cet acide qui le rongeait de l'intérieur.

N'y tenant plus, il décida de se rendre chez Maureen. Il voulait savoir qui était cet homme et pourquoi elle l'avait préféré à lui. Il méritait au moins une explication. Tant pis s'il passait pour fou. Il sella son cheval et se rendit chez la jeune femme.

Le soleil descendait lentement à l'horizon, éclaboussant les nuages de traînées fauves. Martin sauta de sa monture, l'attacha à la clôture qui entourait la maison et frappa à la porte. Personne ne répondit. Il contourna la maison et regarda à travers une fenêtre. Il ne vit personne. Frustré, il remonta sur son cheval et prit le chemin qui menait chez sa sœur. Il n'avait pas le courage de rentrer seul chez lui. Peut-être que la compagnie de Louison et de ses enfants lui ferait du bien. C'est alors qu'il aperçut deux silhouettes qui se détachaient dans le ciel outremer. Il reconnut Maureen avec un coup au cœur. En face d'elle se trouvait un homme en uniforme rouge. Stephen Thompson. La peur lui noua l'estomac. Oubliant sa rancœur, Martin piqua sa monture et galopa dans leur direction. Il connaissait trop la réputation du fils du patron pour ne pas craindre le pire. Soudain, un cavalier apparut sur le chemin, à une vingtaine de pieds derrière l'officier.

~

Amanda regarda Thompson en face, malgré la peur qui l'assaillait.

— Laissez-moi passer.

— *When hell freezes over,* dit l'officier en ricanant.

Il la fixait de ses yeux injectés de sang. Amanda n'avait rien oublié du récit terrifiant que Louison lui avait fait du viol de la jeune ouvrière et comprit qu'il lui faudrait vendre chèrement sa peau. Elle fit un geste pour contourner Thompson, mais il lui saisit brusquement un bras.

— Pas si vite, ma belle.

Amanda tenta de se dégager, mais il resserra son étau. Il avait beau être soûl, sa poigne était encore solide. Un bruit de sabots retentit soudain, suivi d'un hennissement. Le lieutenant tourna la tête. Il vit un homme de taille moyenne, portant un manteau de daim à franges et un chapeau à large bord, qui tenait un cheval par la bride.

— Laissez-la, dit l'homme.

La voix était claire et résonnait dans l'air cristallin. Amanda laissa échapper un cri. Elle avait reconnu Noël. Le visage de Thompson se crispa.

— *Mind your own business,* dit-il entre ses dents.

Noël Picard lâcha la bride et fit quelques pas vers l'officier. Il avait une main posée sur sa ceinture, du côté droit.

— Laissez-la, ou je vous abats comme un chien.

Stephen Thompson fit une volte-face rapide et entraîna Amanda dans son mouvement. Son front pâle luisait de sueur. Tout en maintenant Amanda emprisonnée dans son étau, il sortit un pistolet de sa ceinture et le braqua sur la tempe de la jeune femme.

— *You piss off or I' ll kill her.*

Son élocution était laborieuse et il vacillait sur ses jambes. Noël se rendit compte que son adversaire était ivre. Cela le rendait d'autant plus dangereux. Lui-même n'avait qu'un couteau de chasse accroché à sa ceinture.

— Je suis capitaine dans la Royal Navy. Si vous touchez à un cheveu de la tête de cette femme, je vous fais traduire en cour martiale et exécuter.

— Ha, c'est vous, le futur époux de cette donzelle ! s'esclaffa Thompson.

Il avait une lueur étrange dans les yeux. *Il est fou,* comprit Noël. Il entendit un déclic. Thompson venait d'armer son pistolet. Ne quittant pas l'officier des yeux, Noël glissa une main vers l'étui où se trouvait son couteau. Le fracas des vagues semblait suivre les battements de son cœur. Soudain, le cheval de Noël hennit et fit une ruade. Un cavalier fonçait vers eux. Noël profita de la diversion et bondit comme une flèche sur l'officier. Amanda réussit à se dégager de l'étreinte de Thompson. Un coup de pistolet éclata, faisant une flammèche orange. Noël recula sous l'impact et mit une main sur sa poitrine. Thompson tenta d'armer de nouveau son arme, mais Amanda, galvanisée par la peur et la colère, se jeta sur lui et le repoussa de toutes ses forces. Il perdit l'équilibre et roula sur lui-même. Son arme fut projetée à quelques pieds de lui, non loin du ravin. Fou de rage, Thompson se remit debout et tituba vers le pistolet. Il se pencha pour s'en emparer, mais il trébucha sur des cailloux et tomba dans le vide.

∽

Tout s'était passé aussi rapidement qu'un éclair. Lorsque Martin parvint au chemin, il vit Maureen penchée au-dessus de l'étranger, dont la poitrine était rougie par le sang. Elle sanglotait en murmurant des mots sans suite. Il descendit de sa monture, s'avança jusqu'au bord du ravin. Une forme rouge gisait sur les rochers en contrebas, tel un pantin disloqué.

LI

Accroupi près de l'étranger, qui gémissait doucement, Martin ouvrit les pans du manteau à franges et déboutonna délicatement la chemise imbibée de sang afin d'examiner la blessure de plus près. Il n'était pas médecin, mais des accidents se produisaient régulièrement sur le chantier, et il avait appris comment soigner les foulures et les blessures légères. La balle avait pénétré dans la chair, mais il lui était impossible de savoir si elle avait atteint un organe. Il s'adressa à Maureen :

— Restez ici avec lui. Je vais chercher de l'aide. Ne soyez pas inquiète. Je suis certain qu'il s'en sortira.

Il retourna à sa monture et l'enfourcha. Tout lui semblait légèrement irréel, et en même temps le fait d'agir, d'accomplir des gestes concrets l'aidait à garder un pied dans la réalité. Sa colère avait fait place à une profonde fatigue, comme s'il avait été battu par une armée. Il avait l'impression d'être sorti d'un mauvais rêve. Sa jalousie et son ressentiment lui apparaissaient maintenant comme des fantômes sans consistance.

Amanda entendit à peine le son des sabots qui s'éloignait. Elle tenait une main de Noël dans la sienne, rassurée par les paroles de Martin, mais encore sous le choc des derniers événements. Noël battit des paupières et ouvrit les yeux. Le beau visage d'Amanda était penché au-dessus du sien, auréolé par les derniers rayons du soleil.

⁂

Lorsque Louison entendit le galop d'un cheval et vit son frère surgir dans la maison, pâle et en sueur, ses vêtements en désordre, elle craignit que Martin, dans un geste de folie, s'en fût pris au soupirant de Maureen. Sa crainte redoubla quand il lui demanda d'aller chercher le médecin du village au plus vite en lui disant qu'il ramènerait un homme qui avait été blessé. Se rendant compte de l'effroi de sa sœur, il lui expliqua en quelques mots que Thompson avait tenté de molester Maureen et que l'étranger, comme il persistait à l'appeler, avait reçu une balle en voulant la secourir.

— Il y a eu mort d'homme. Contente-toi de dire au docteur que l'étranger s'est blessé en nettoyant son arme.

Comprenant la gravité de la situation, Louison partit en flèche. Heureusement, le docteur Fleury habitait à une quinzaine de minutes de marche. Pendant ce temps, Martin attela la charrette de sa sœur, puis se hissa sur le siège du conducteur et fouetta le cheval.

⁂

Le docteur Fleury examina la plaie, qu'il venait de nettoyer avec des linges que Louison avait apportés. Une bassine remplie d'eau rougie avait été déposée près du lit où reposait Noël Picard. Amanda était à son chevet, pâle d'angoisse.

— La blessure est assez profonde mais semble sans gravité. Elle n'a atteint aucun organe. Il me faudra toutefois extirper la balle, dit le médecin. Comment cela est-ce arrivé ?

Un silence embarrassé accueillit la question du docteur, puis Noël répondit d'une voix affaiblie par la perte de sang :

— En nettoyant mon arme. Je ne m'étais pas rendu compte qu'elle était chargée.

Pendant le trajet en charrette qui l'avait mené jusqu'à la maison de sa sœur, Martin s'était entendu avec Noël pour concocter une histoire qui parût vraisemblable. Le médecin garda un silence circonspect, puis sortit une paire de pinces de son sac.

— La prochaine fois, soyez plus prudent.

Noël supporta stoïquement l'extraction de la balle, puisant son courage dans les yeux d'Amanda. Celle-ci n'en menait pas large, mais elle tint la main de Noël serrée dans la sienne. Puis le médecin pansa solidement la blessure, recommandant au patient de bouger le moins possible et, surtout, de ne pas soulever d'objets lourds. Il lui versa quelques gouttes de laudanum dans un verre d'eau pour atténuer la douleur et partit, promettant de revenir le lendemain. Amanda veilla Noël toute la nuit, refusant de prendre du repos.

⁂

À l'aube, le corps de Stephen Thompson fut retrouvé au pied de la falaise par un pêcheur. Celui-ci, tirant une charrette à bras dans laquelle des nasses s'empilaient, s'apprêtait à lancer ses filets lorsqu'il aperçut un homme portant un uniforme rouge, étendu sur des rochers. En s'en approchant, il entrevit du sang qui s'était répandu autour du crâne éclaté, se confondant avec la couleur écarlate de l'uniforme.

⁂

Le shérif de Saint John, Donald Cardiff, se pencha au-dessus du corps. Il portait un pistolet à sa ceinture. Ses bottes cirées luisaient dans la clarté matinale. Il n'eut aucun mal à reconnaître Stephen Thompson, bien que son crâne fût transformé en bouillie.

— *He's dead alright,* marmonna-t-il.

Il ne put s'empêcher de penser : *Good riddance*. Le fils de Douglas Thompson n'avait laissé que des ennuis dans son sillage, et le fait que son père lui ait acheté un titre de lieutenant ne l'avait pas assagi, au contraire. On aurait dit que d'être officier lui avait donné une sorte d'impunité pour commettre ses méfaits. Sans compter que Douglas Thompson était riche comme Crésus et avait le bras long. Le nombre de fois qu'il était intervenu pour réparer les pots cassés par son voyou de fils, allongeant des billets quand celui-ci commettait une bêtise… La pire fois, c'était lorsqu'une ouvrière avait été violée et abandonnée dans un fossé. Stephen avait été vu en train de rôder autour de la pauvre fille, mais il n'y avait pas eu de témoin de l'agression. Le fils avait protesté de son innocence, son père avait grassement payé sa caution, et le salaud s'en était sorti sans l'ombre d'une accusation.

Se tournant vers les deux hommes qui l'accompagnaient, le shérif leur ordonna d'emmener le cadavre à l'hôpital de Saint John. Ensuite, il leur faudrait avertir Douglas Thompson de la mort de son fils et le conduire à l'hôpital afin qu'il procède à l'identification. Les hommes obtempérèrent.

Le shérif Cardiff observa de nouveau le corps. Il remarqua des fragments qui scintillaient tout près et s'en approcha. C'étaient des morceaux de verre. En les regardant de plus près, il distingua le goulot d'une bouteille. Il se pencha et le prit entre ses doigts, puis le sentit. Une légère odeur d'alcool s'en dégageait. Il sortit un mouchoir de sa poche et y plaça soigneusement le morceau de verre. L'hypothèse la plus plausible était que Stephen s'était soûlé, comme il le faisait toujours lorsqu'il était en permission, et qu'il était tombé dans le ravin par accident. Satisfait, le shérif rangea le mouchoir dans sa poche et s'éloigna en sifflotant.

❧

La mort de Stephen Thompson fit beaucoup de bruit dans la communauté, mais personne ne pleura sur son sort. Pendant quelques jours, Amanda vécut dans la crainte que la police ait eu vent de quelque chose et interroge Noël, mais rien ne se produisit. Le « capitaine », comme le surnommait désormais Martin, se remettait plus rapidement que prévu, et pouvait même se lever et marcher sans aide. Louison avait insisté pour le garder chez elle jusqu'à ce qu'il soit complètement rétabli ; elle-même partageait la chambre de sa fille. Son dévouement avait beaucoup touché Amanda, et les deux femmes avaient retrouvé leur complicité d'autrefois. Quant à Martin, il venait aux nouvelles de temps en temps et avait recouvré sa bonne humeur coutumière. Ses sentiments pour la belle « Gallagué » n'avaient pas changé, mais il s'était résigné à la perdre.

Un matin, sans même se parler, Noël et Amanda surent que le moment était venu de partir. Amanda envoya un télégramme au propriétaire de la maison qu'elle louait pour l'avertir de son départ imminent, puis elle entreprit les préparatifs avec l'aide d'Ian. Il ne fallut que quelques heures pour placer leurs possessions dans le cabrouet. Lorsque Ian eut chargé la dernière malle, il se rendit à un promontoire derrière la maison et contempla la mer, qui chatoyait dans la lumière estivale. Il s'était habitué à ce beau coin de pays, et il le quittait à regret. Il entendit la voix de sa mère.

— Ian, on est prêts à partir.

Il regarda une dernière fois la mer, qui se confondait avec le ciel, et les bateaux qui la sillonnaient, puis respira les effluves marins qui embaumaient l'air et gagna la voiture.

Amanda se gara devant la maison de Louison afin d'y prendre Noël. En apercevant le cabrouet chargé de bagages, Louison comprit que le moment des adieux était arrivé. Elle embrassa Amanda avec effusion, contenant à grand-peine ses larmes.

— Tu étais la meilleure ouvrière, à part moi, comme de raison. Reviens nous visiter, si le cœur t'en dit.

Noël embrassa Louison à son tour, la remerciant de sa généreuse hospitalité, puis prit place dans le véhicule avec l'aide d'Amanda. Celle-ci craignait que la blessure, qui n'était pas encore cicatrisée, ne s'ouvre. La voiture s'ébranla. Louison, debout sur le seuil de sa porte, les regarda s'éloigner, le cœur gros.

Amanda et Noël s'arrêtèrent au magasin général pour y acheter des provisions en prévision du voyage. Il fallait compter une dizaine de jours pour se rendre jusqu'au village huron de la Jeune Lorette, qui était situé près du lac Saint-Charles, à une quinzaine de milles au nord de Québec. En roulant dans la rue Principale d'Alma, la voiture croisa Martin. Perdu dans ses pensées, les mains dans les poches, l'homme se dirigeait vers le chantier naval. Ce fut Ian qui l'aperçut le premier.

— Monsieur Aubert ! Monsieur Aubert !

La voix du garçon tira Martin de sa rêverie. Il s'arrêta en apercevant Maureen assise dans sa voiture, avec le « capitaine » à ses côtés. Ian sauta à terre et courut vers lui.

— Vous partez ? dit Martin, la gorge nouée par l'émotion.

— Oui. Je vous remercie pour tout ce que vous avez fait pour moi, dit l'adolescent. Si un jour je deviens un grand capitaine de navire, ça sera grâce à vous.

Martin sourit en lui frottant les cheveux.

— Tu deviendras peut-être un grand constructeur de bateaux, qui sait ?

Les yeux du garçon brillèrent. L'homme et l'enfant restèrent debout l'un devant l'autre, soudain intimidés. Martin aperçut Amanda qui s'approchait d'eux.

— Prends bien soin de ta mère.

— J'y manquerai pas, répondit Ian.

Ian regagna la voiture. Amanda s'arrêta à la hauteur de Martin.

— Ian était très attaché à vous. Vous lui manquerez beaucoup.

Martin eut un sourire teinté de tristesse.

— J'aurais aimé que sa mère en dise autant.

— Vous méritez d'être heureux, Martin.

Elle se pencha vers lui, l'embrassa sur la joue, puis reprit sa place dans le cabrouet, qui s'ébranla. Ian, installé derrière, envoya la main à Martin, qui lui répondit. Le chef de chantier suivit la voiture des yeux jusqu'à ce qu'il la perde de vue.

— Adieu, Ian. Adieu, la belle « Gallagué », murmura-t-il.

LII

Portant sa petite dernière dans un sac à dos, Lucie était en train de sarcler le potager lorsqu'elle entendit des cris s'élever non loin de la maison. Inquiète, elle s'appuya sur son sarcloir et mit sa main en visière pour tenter de distinguer le chemin, se demandant si son fils André s'était encore mis dans le pétrin. C'était un enfant adorable, mais il avait le diable au corps, et il fallait toujours garder un œil sur lui.

Elle fut étonnée de voir son fils aîné, Aurélien, courir vers elle.

— Il est revenu ! cria-t-il, sa crinière noire emmêlée et les yeux scintillants.

— De qui parles-tu ?

— Mon oncle. Il est revenu, dit-il en montrant le chemin du doigt.

Lucie regarda dans cette direction. Une vieille voiture s'était arrêtée près de la maison. La lumière était si vive qu'elle ne voyait que des formes indistinctes, irisées par les rayons du soleil. Puis un homme s'avança vers elle. Il portait le chapeau à large bord et le manteau à franges qu'elle avait confectionnés pour lui avant son départ. Le petit André était accroché à ses basques et criait de joie.

— Noël ! s'écria-t-elle en s'élançant vers son frère.

Ils s'étreignirent. Il y avait plus d'un an qu'elle l'avait vu. Depuis qu'il s'était engagé dans la Royal Navy, sans donner d'explications. Une fois les premières effusions passées, Noël retourna vers la voiture et ramena à son bras une jeune femme, qui était accompagnée d'un garçon aux cheveux noirs et bouclés.

— Je te présente Amanda et son fils, Ian. Amanda a accepté de m'épouser.

Lucie observa la nouvelle venue. Son frère lui avait souvent parlé de la femme de ses rêves, aux cheveux de feu et aux yeux luisants comme des étoiles. Celle-ci avait des cheveux noirs et des yeux gris.

Son mari, Bertrand, arriva sur les entrefaites, du gibier plein sa besace. Il accueillit son beau-frère avec sa bonhomie habituelle : sans se surprendre de sa présence, mais heureux qu'il soit là. Pendant le souper qui suivit, Lucie remarqua des repousses rousses aux racines des cheveux. *Après tout, c'est peut-être la même femme*, songea-t-elle.

Lorsque les enfants furent couchés, Amanda se retira à son tour, épuisée par le long voyage. Lucie lui avait préparé une chambre, à l'étage. Quand sa sœur redescendit, Noël était en train de faire du thé. Bertrand était allé poser ses pièges, comme il le faisait chaque soir.

— C'est elle ? dit Lucie.

Noël la regarda du coin de l'œil, puis se remit à sa tâche en silence.

— La femme dont tu me parlais si souvent, c'est elle ? répéta patiemment sa sœur.

Le canard qu'il avait déposé sur le poêle se mit à siffler. Noël versa de l'eau bouillante sur les feuilles de thé.

— Oui.

Elle garda le silence un moment. Elle n'avait rien oublié de leur conversation, la veille de son départ, lorsqu'il lui avait confié qu'il s'apprêtait à faire la grande demande.

— Pourquoi ça lui a pris autant de temps à te donner sa réponse ?

Noël reconnaissait bien là la méthode à la fois douce et résolue de Lucie, qui n'abandonnait jamais avant de savoir la vérité sur toute chose.

— Parce qu'elle a été arrêtée pour un meurtre qu'elle n'a pas commis.

Il avait dit cette phrase avec calme, comme s'il s'agissait d'une chose ordinaire. Même Lucie, qui ne perdait pourtant pas facilement sa contenance, parut éberluée. Noël versa du thé dans deux tasses et en tendit une à sa sœur. Il lui raconta alors les circonstances de ses retrouvailles avec Amanda, sans omettre le fait qu'elle était toujours une fugitive. C'était par amour qu'il souhaitait la marier, mais aussi pour qu'elle puisse vivre à l'abri dans leur village, le seul endroit au monde où elle pourrait enfin mener une vie normale, avec son fils.

— Qu'est-ce que tu vas dire à Conrad ?

Conrad Vincent était le curé de la paroisse Notre-Dame-de-Lorette. C'était lui qui les avait baptisés, leur avait donné la première communion et la confirmation, avait célébré le mariage de leurs parents ; c'était également lui qui était aux côtés de ceux-ci lorsqu'ils avaient poussé leur dernier souffle. C'était un homme bon, qui ne jugeait jamais personne, et qui était toujours là quand un paroissien avait besoin de lui.

— La vérité.

~

Le lendemain, Noël se rendit au presbytère en compagnie d'Amanda. Le curé Vincent était en train de couper du bois lorsqu'il vit le couple arriver. Il avait toujours eu beaucoup d'affection pour Noël, dont il aimait la droiture et la loyauté à sa communauté. Il leur proposa d'entrer dans le presbytère pour y jaser plus tranquille. Comme il refusait d'avoir une ménagère, considérant qu'il était assez vieux pour s'occuper lui-même de ses affaires, il leur fit du thé et trouva des biscuits secs dans une armoire.

Noël aborda le sujet de sa visite avec la même franchise dont il avait usé avec sa sœur Lucie. Le curé Vincent écouta attentivement son récit, hochant la tête de temps en temps. Lorsque

Noël eut terminé, il garda un silence songeur. Puis il expliqua que, pour les marier, il faudrait qu'il ait l'acte de baptême de la jeune femme.

— Je ne l'ai pas, expliqua Amanda. J'ai tout perdu durant le naufrage du *Queen Mary*.

Le curé Vincent prit une gorgée de thé, puis déposa sa tasse sur la table.

— Dans ce cas-là, on s'en passera. Dieu ne nous juge pas sur un bout de papier, mais sur notre foi et la sincérité de nos sentiments.

À son retour chez Lucie, Amanda s'empressa d'écrire une lettre à sa sœur afin de lui faire part de la nouvelle de son mariage. Elle aurait souhaité de tout son cœur l'inviter à la cérémonie, mais le risque était trop grand. *Un jour, nous nous reverrons, et il n'y aura plus d'ombre sur le chemin de nos retrouvailles.*

~

Le mariage fut célébré à Notre-Dame-de-Lorette, dans une charmante église blanche au clocher argenté, qui avait été érigée en 1730 par un jésuite sur le modèle d'une église italienne. La nef était pleine à craquer. Les enfants comme les adultes avaient revêtu leur tenue du dimanche, agrémentée de broderies et de sequins colorés. Bertrand et Lucie étaient les témoins. Leurs enfants, Aurélien, André et la plus jeune, Mathilde, étaient cordés sur le premier banc. Le petit André échappa à la surveillance de son frère et se mit à gambader dans l'allée, provoquant des sourires indulgents. Noël, vêtu d'un costume d'apparat huron, attendait la mariée. Ses yeux noirs brillaient comme les étincelles d'un feu de camp.

Les portes de l'église s'ouvrirent. Amanda s'avança dans l'allée, un bouquet de myosotis du Caucase à la main, qu'elle avait cueillis dans le jardin de Lucie. Elle portait une robe blanche sertie de perles d'eau douce que Lucie avait cousues elle-même. Un voile de mousseline blanche, entouré d'une couronne de marguerites, couvrait ses cheveux, qui avaient repris leur magnifique éclat roux. Pour son mariage, elle avait décidé de ne pas les teindre avec le brou de noix dont elle se servait d'habitude, une façon pour elle de revendiquer sa liberté, même si cela ne durerait que le temps d'une cérémonie.

En s'approchant de Noël, si beau dans son costume, Amanda éprouva une joie vive comme un ruisseau de montagne. La lumière douce des lustres, les rayons de soleil qui entraient à flots par les fenêtres en ogive, les sourires des gens à son passage effaçaient ses peines, la délestaient de son passé, la faisaient renaître.

Septième partie

Sean

LIII

Washington (D.C.)
Un mois auparavant
Mi-juin 1861

Après un entraînement de quelques semaines dans un camp situé près de Boston pendant lequel il apprit les rudiments du maniement des armes, Sean fut ensuite intégré à l'infanterie. On lui remit un uniforme, un sac à dos, une couverture, une gamelle, une gourde et un fusil à répétition muni d'une baïonnette, puis on le conduisit jusqu'à la gare où un train devait le transporter jusqu'à Washington (D.C.), où il devait rejoindre les troupes de l'Union. Jusqu'à présent, les promesses du recruteur Tom Connelly avaient été remplies : Sean mangeait à sa faim, il avait reçu sa première solde et portait son bel uniforme tout neuf, dont la couleur d'un bleu azur lui seyait parfaitement. À bord du train, il fit connaissance avec plusieurs compatriotes irlandais qui avaient pris la décision, tout comme lui, de s'engager comme volontaires dans l'armée du Nord contre les États esclavagistes. Le plus enthousiaste était un jeune Irlandais aux joues roses et aux yeux verts qui venait tout juste de fêter ses dix-huit ans et ne rêvait que de participer à une première bataille et de tuer son premier homme. Le voyage jusqu'à Washington fut joyeux. Les chants et les rires couvraient le grincement des roues sur les rails et le sifflement de la cheminée.

Lorsque le train entra en gare, une foule en liesse attendait le convoi, malgré la chaleur accablante, et accueillit les soldats avec des acclamations de joie. De jeunes filles secouaient des mouchoirs du même bleu ciel que l'uniforme des Nordistes et leur jetaient des fleurs. Des enfants brandissaient des drapeaux miniatures de l'Union. Une fanfare locale avait entamé le *Glory Hallelujah* ponctué par les cris des marchands vendant drapeaux, fleurs et confiseries. Sean se sentit porté par l'allégresse de l'assemblée. Son cœur se mit à battre plus vite lorsqu'une jeune fille s'approcha de lui et lui tendit une rose. D'un geste spontané, il porta la rose à sa bouche et l'embrassa.

Des diligences conduisirent les soldats au lieu de rassemblement des forces de l'Union, situé dans un vaste champ, à quelques milles de la ville. Sean eut le vertige en apercevant les dizaines de milliers d'hommes attroupés autour de bivouacs dont la fumée montait en volutes grises dans le ciel. Beaucoup de soldats portaient la tunique bleue de l'Union, mais d'autres étaient en civil ou arboraient l'habit bigarré des zouaves. Des tentes blanches avaient été dressées pour les officiers. La plus imposante abritait le haut commandement de l'armée sous les ordres du brigadier général Irvin McDowell.

Sean et son nouveau compagnon furent conduits au campement de la brigade du commandant Daniel Tyler, à laquelle ils appartenaient. Une odeur de fumée, de soupe et de crottin de cheval se mêlait aux parfums suaves des champs, qui s'étendaient à perte de vue. Après avoir fait la queue avec leur gamelle à la cantine, les deux jeunes hommes s'installèrent sur un talus et commencèrent à manger. Sean se présenta. Son compagnon se présenta à son tour. Son nom était Adrian Cortland. Il était né dans le comté de Cork et n'avait que quatre ans lorsqu'il avait émigré aux États-Unis avec ses parents, à cause de la famine. Il avait grandi à New York. Son père, qui était débardeur, était mort dans une bagarre l'opposant à un chef irlandais mafieux qui tenait les travailleurs sous sa coupe. Sa mère était restée avec six enfants sur les bras et avait gagné la vie de la famille dans une manufacture de chaussures. Elle avait succombé à une pneumonie peu de temps après. Adrian avait été placé dans un orphelinat avec ses frères et sœurs, n'emportant avec lui qu'un souvenir de sa mère, une médaille de sainte Brigitte qu'elle lui avait remise avant de mourir. Tout en parlant, le jeune homme montra à Sean la médaille qu'il portait à son cou. Il avait raconté sa vie difficile avec légèreté, comme s'il s'était agi d'événements sans importance. Sean comprit que c'était une façon de se protéger pour survivre et ressentit une sympathie immédiate pour son jeune compagnon, dont le regard doux ne laissait rien transparaître de ses malheurs. Lui-même s'était bâti une carapace pour surmonter la misère de l'exil, la maladie, le deuil. L'image de son frère passa comme un fantôme devant les flammes du feu de camp. *Arthur*. Son petit visage rousselé et pâle, sa toux graveleuse, son sourire brave tandis que la vie quittait doucement son corps amaigri... Sean ferma brièvement les yeux, comme il le faisait toujours pour chasser, non pas le souvenir de son frère, mais la douleur de l'avoir perdu. Lorsqu'il les ouvrit de nouveau, il vit qu'Adrian le regardait avec un sourire teinté d'inquiétude. Sean s'efforça de sourire à son tour et donna une tape amicale dans le dos de son compagnon.

Un mouvement se fit parmi les soldats. Un officier monté annonça que le brigadier général Irvin McDowell s'apprêtait à s'adresser à ses hommes. Toutes les têtes se tournèrent vers la grande tente blanche. McDowell en sortit, accompagné du commandant Tyler et d'un aide de camp dont les cheveux roux tombaient sur ses épaules. Le général portait une tunique bleue à double boutonnage, dont les boutons dorés et les épaulettes brodées d'or scintillaient dans les dernières lueurs du soleil. Il éleva un porte-voix et se mit à parler. Sa voix métallique semblait s'adresser à chacun des hommes, qui l'écoutaient dans un silence religieux. Son discours fut bref. Les troupes partiraient le lendemain, à l'aube, en direction de Manassas Junction, où se rejoignaient les lignes de trains qui menaient à l'ouest de la vallée de Shenandoah. Une fois les chemins de fer sous le contrôle des forces de l'Union, les soldats marcheraient droit sur Richmond, la capitale de la Virginie. Ce serait la fin de la sécession sudiste et le triomphe de l'Union !

Des clameurs de joie éclatèrent comme des salves. Les hommes avaient hâte d'en découdre avec l'ennemi. Après son discours, le brigadier général retourna dans sa tente. Le soir commençait à tomber, apportant enfin un peu de fraîcheur. Des lanternes s'allumèrent un peu partout dans le camp, tel un reflet des étoiles qui brillaient une à une dans le ciel. Sean et Adrian s'installèrent près du bivouac, s'enroulèrent dans la couverture qu'on leur avait remise et s'endormirent aussitôt.

Le son des trompettes déchira l'air. Sean se réveilla en sursaut. Des filets de brume flottaient au-dessus des bivouacs, transpercés par la lumière grise de l'aurore. Après un déjeuner composé de soupane et de thé chaud, l'ordre fut donné de lever le camp. Les soldats nettoyèrent leur gamelle et éteignirent les feux. Les tentes des officiers furent démontées et pliées, puis empilées dans des charrettes avec les meubles et les coffres de l'état-major. Une immense rangée de soldats se forma, faisant des taches bleues sur la terre ocre. L'avant-garde, sous le commandement de Tyler, fut la première à partir, accompagnée par une dizaine de charrettes couvertes d'une bâche qui transportaient des vivres et des barils d'eau. Plusieurs unités d'artillerie fermaient la marche.

Sean et Adrian, qui faisaient partie de l'avant-garde, se mirent à marcher sur la route de terre avec une bonne cadence. Ils étaient reposés, repus, et avaient le cœur léger.

L'un des fantassins se mit à entonner *Glory Hallelujah,* bientôt imité par d'autres soldats. La brume s'était complètement dissipée, laissant un ciel sans nuage. Il n'était que sept heures du matin, mais la chaleur était revenue, encore plus accablante que la veille.

Après une journée de marche, les troupes n'avaient pas franchi plus de cinq milles. Les fantassins, suant abondamment sous leur tunique, s'arrêtaient constamment pour se désaltérer ou pour cueillir des mûres dans des bosquets qui bordaient le chemin. Les officiers tentaient de ramener les hommes à l'ordre, mais ceux-ci étaient aussi nombreux qu'indisciplinés et n'en faisaient qu'à leur tête.

Les chants avaient cessé. On n'entendait plus que les stridulations des cigales. Sean continuait à marcher vaillamment. Le poids de son sac à dos lui semblait bien léger à côté des tonneaux et des caisses qu'il transportait à longueur de journée quand il était débardeur. Même les rayons impitoyables du soleil ne le dérangeaient pas. Il jeta un coup d'œil à Adrian. Celui-ci avait les joues rouges et le souffle court. Sean s'arrêta, lui offrit de le délester un peu, mais Adrian secoua la tête en souriant. Il n'avait pas l'habitude de marcher dans la chaleur, mais il n'était pas une « chiffe molle ». Sean ressentit de nouveau une bouffée d'affection pour le jeune homme. *Mon petit frère.* Ces mots avaient jailli dans sa tête sans qu'il le veuille. Il sut, dès cet instant, qu'il avait adopté Adrian dans son cœur, et il se remit à marcher avec une énergie renouvelée.

LIV

Près de Manassas Junction

La brigade du commandant Tyler parvint à Centreville, une bourgade à proximité de Manassas Junction, vers la fin de l'après-midi du 21 juillet. Sean et Adrian déposèrent leur sac à dos. Ils étaient hébétés de fatigue, et leurs pieds, couverts d'ampoules, étaient si douloureux qu'il leur semblait que des aiguilles les transperçaient. Pendant que ses hommes s'étaient arrêtés pour manger un morceau et se désaltérer, le commandant Tyler envoya un éclaireur aux abords de la rivière Bull Run. Celui-ci revint après une heure, à bout de souffle, mais les yeux brillants d'excitation. Il avait vu des soldats confédérés en train de bivouaquer, de l'autre côté de la rivière. Il estimait leur nombre à environ huit mille, mais c'était difficile à évaluer avec précision. Chose certaine, la plupart des hommes étaient en train de finir leur repas, d'autres jouaient aux cartes. L'ennemi ne semblait pas avoir détecté leur présence et serait totalement pris par surprise s'il était attaqué.

Le commandant Tyler consulta son aide de camp, le capitaine Andrew Beggs, dont l'intelligence et le courage le démarquaient des autres officiers. Il l'avait remarqué au camp Curtin, à Harrisburg, en Pennsylvanie, et avait décidé d'en faire son officier adjoint. Beggs réfléchit, puis secoua la tête. Rien ne les assurait que d'autres troupes ne se trouvaient pas en amont de la rivière. À son avis, l'opération était trop risquée. Il valait mieux attendre l'arrivée des autres brigades et de l'artillerie avant de se lancer dans une attaque. Le commandant Tyler parut contrarié. Ses instructions étaient d'observer les abords de la Bull Run et de faire ensuite un rapport au brigadier général McDowell, mais après ces deux journées de marche pendant lesquelles du temps précieux avait été gaspillé, il brûlait de se lancer dans l'action et, surtout, de récolter la gloire que ne manquerait pas de lui apporter une première victoire contre les confédérés. Il donna ordre à ses troupes de se préparer au combat.

Sean et Adrian rejoignirent leur unité, le regard fiévreux et le cœur battant, comme des enfants qui attendent avec impatience un événement annoncé depuis longtemps, mais dont ils ne savent pas au juste comment il se déroulera.

Le soleil déclinait, tachetant la rivière et les saules qui la bordaient de lueurs orangées. Marchant deux par deux, les soldats commencèrent à franchir le cours d'eau, en son endroit le moins profond. L'eau glacée s'infiltrait dans leurs bottes, mais ils ne sentaient rien, attentifs qu'ils étaient à ne pas glisser sur les cailloux qui tapissaient le gué. Sean jeta un coup d'œil à Adrian. Celui-ci s'efforça de lui sourire, comme si, en cherchant à le rassurer, il tentait de se rassurer lui-même. La vue de ce sourire sur ce visage aux joues rondes qui évoquaient encore l'enfance émut Sean, lui qui avait perdu depuis longtemps la capacité d'éprouver d'autres sentiments que la peur et la haine.

Tout à coup, une déflagration retentit, suivie par des rafales qui sifflaient et éclataient comme un feu d'artifice. La peur au ventre, Sean se courba d'instinct et se mit à courir. D'autres rafales giclèrent, faisant des ricochets dans l'eau. Des cris de douleur et d'effroi s'élevèrent. Sean tourna la tête par-dessus son épaule, tâchant de distinguer la silhouette d'Adrian. Des soldats, atteints de plein fouet, s'écroulaient au milieu du gué. D'autres, pris de panique, couraient pour se mettre à l'abri tandis que des balles continuaient à pleuvoir dans l'eau.

La voix du commandant Tyler s'éleva, donnant ordre aux soldats de traverser le gué au plus vite et de se replier derrière le talus qui surplombait la rivière. Sans écouter son supérieur, Sean entreprit de revenir sur ses pas, gardant le dos courbé pour tenter d'échapper aux balles qui sifflaient autour de lui. Des corps gisaient partout, disloqués comme des pantins. Sean dut les enjamber. Un homme roux, de grande taille, lui hurla de se mettre à l'abri. Sean reconnut l'aide de camp du commandant Tyler, mais il poursuivit son chemin, complètement absorbé par sa quête.

Après avoir parcouru quelques pieds, Sean buta sur un corps et le retourna. C'était un jeune homme d'à peine vingt ans, dont la moitié de la tête avait été emportée par une décharge. Ce n'était pas Adrian. Une nausée lui monta dans la gorge, mais Sean continua à patauger dans la rivière, aveuglé par les derniers rayons du soleil. Soudain, il glissa sur une roche et tomba dans l'eau, se heurtant les genoux. La douleur le pénétra comme un poignard. La souffrance était telle qu'il ne put bouger pendant quelques instants. Les hurlements, le claquement des balles et le piétinement sourd des soldats lui parvenaient à distance. *Adrian. Je dois me lever, je dois continuer à marcher.* Ces seuls mots lui donnèrent le courage de se redresser.

Déjà, la douleur s'estompait. La rivière était teintée de rouge. Sean ne savait pas si c'était à cause du sang ou du soleil couchant. Une odeur âcre de poudre le fit tousser. C'est alors qu'il le vit. Il était étendu sur le dos. Son visage aux joues rondes était tourné vers le ciel. Ses yeux bleus étaient encore remplis d'effroi. Une tache rouge en forme d'étoile s'élargissait sur sa poitrine. *Adrian.* Sean se précipita vers le corps et rapprocha son visage de celui du jeune homme, tâchant de déceler une respiration, indifférent aux fantassins qui continuaient à traverser la rivière et les bousculaient sur leur passage. Puis il déchira la tunique de son compagnon. Un trou béant marquait la poitrine du côté du cœur. Le sang s'en écoulait lentement, formant une rigole qui coulait jusque dans l'eau rougeoyante. Un sanglot déchira la gorge de Sean. Il n'entendait plus rien; il était devenu sourd aux hurlements des hommes et au sifflement des balles. Puis il vit un objet rond qui luisait doucement sur la poitrine d'Adrian. La médaille de sainte Brigitte. Sans réfléchir, il l'arracha du cou de son compagnon, l'embrassa et la glissa dans une poche de sa tunique. Au même moment, quelqu'un poussa un cri et s'écroula juste à côté de lui. Du sang gicla sur son uniforme. Sean se résigna à abandonner Adrian et entreprit de traverser à nouveau la rivière. Il aperçut un homme qui haranguait une centaine de fantassins. Il s'approcha d'eux et reconnu l'aide de camp, dont les cheveux roux flambaient au soleil couchant. Avec la pointe de son fusil, le capitaine désigna un promontoire situé à l'est de la rivière et leur expliqua en hurlant, pour couvrir le cliquetis des détonations, que les tirs ennemis provenaient de cette direction. Ils devaient donc contourner la rivière par l'ouest et attaquer l'ennemi sur son flanc gauche.

Faisant un geste impératif du bras, le capitaine enjoignit aux soldats de le suivre et s'engagea dans un sentier étroit qui longeait la rivière. Galvanisés par l'autorité qui se dégageait de l'officier, les hommes le suivirent. Sean leur emboîta le pas, les dents serrées, les mains rivées sur son fusil en bandoulière. Une rage sourde l'habitait. Les confédérés avaient tué Adrian. Le pauvre petit n'avait pas eu de chance. Le sang de l'ennemi ne le ferait pas revivre, mais Sean vengerait au moins sa mort.

Menés par le capitaine, les fantassins, après avoir marché pendant un quart de mille sur le sentier, franchirent un tertre au signal de l'officier et parvinrent à une clairière entourée d'une épaisse futaie. Le bruit des tirs leur parvenait à distance. Le capitaine attendit que ses hommes se soient rapprochés de lui en rangs serrés puis, se faufilant entre deux arbres, sortit une longue-vue télescopique de sa tunique, qu'il braqua sur le promontoire.

— *There's about three hundred men, posted at five hundred feet. Surely an isolated unit.*

Trois cents hommes ! pensa Sean. Et eux étaient à peine plus de cent fantassins. C'était de la folie ! Rangeant son instrument, le capitaine se tourna vers ses hommes. Une lueur féroce animait ses yeux verts. Il leur expliqua qu'il fallait prendre l'ennemi par surprise, mais comme les soldats confédérés étaient encore trop loin pour être à portée de leurs fusils, il faudrait d'abord les charger avant de faire feu.

— *Shoot only on my signal, is that clear ?*

Il y eut des murmures d'assentiment.

— *Arm your rifles. Now !*

Le cliquetis des armes retentit à l'unisson. Sean arma la sienne, le cœur battant comme un tambour. L'officier leva le bras, le visage tendu. Puis il l'abaissa soudain.

— *Charge !* hurla-t-il.

Le capitaine fonça devant lui en poussant un cri sauvage, suivi par ses hommes. Sean s'élança avec eux. Ils débouchèrent sur une autre clairière, au fond de laquelle se trouvaient les soldats ennemis. Ces derniers, ne s'attendant pas à être chargés, furent pris de panique et s'éparpillèrent. Sean hurlait à l'instar de ses compagnons, son sang battait dans ses tempes, la peur avait fait place à une sorte de joie brute, il ne faisait qu'un avec les autres. Soudain, leur capitaine cria :

— *Fire !*

Sean épaula son fusil et fit feu, prenant à peine le temps de viser. Il recula sous l'impact et sentit une douleur à l'épaule. Une salve assourdissante éclata en même temps autour de lui. À travers la fumée, Sean vit une quinzaine de soldats ennemis s'écrouler comme un château de cartes.

— *Reload your arms !* hurla le capitaine.

Sans même réfléchir, animé par une volonté qui le dépassait lui-même, Sean arma de nouveau son fusil.

— *Fire !*

Une deuxième salve retentit. D'autres soldats sudistes tombèrent, mais le gros des troupes ennemies s'était réfugié derrière des arbres. Sean entendit une balle siffler à son oreille. Des éclats firent voler des mottes de terre à ses pieds. La voix de son capitaine lui parvint dans le bruit de la mitraille.

— *Retreat !*

Les oreilles bourdonnantes, Sean courut vers une rangée d'arbres à sa gauche. Une odeur de soufre et de fumée emplissait l'air. Il glissa une main dans sa cartouchière et mit des balles dans son chargeur. Il vit son capitaine à quelques pieds de lui. Celui-ci se tourna vers ses hommes.

— *Be prepared to charge again !*

Il leva un bras, puis l'abaissa en s'écriant, en français :

— Pas de quartier !

Le capitaine sortit de son abri en hurlant comme un forcené. Sean s'élança à son tour, électrisé par le cri de l'officier. Un homme à côté de lui tomba. Sean continua à courir sans s'arrêter. Sa gorge et ses poumons étaient en feu. Soudain, il se trouva devant un soldat ennemi. C'était un jeune homme d'environ dix-huit ans. Il portait une tunique grise, un képi jaune et un pantalon bleu. Sean fut surpris d'enregistrer ces détails, comme si tout se déroulait au ralenti. Le jeune soldat avait les yeux agrandis par la terreur. Sean épaula son arme. Il remarqua que le garçon avait des taches de rousseur sur les joues, comme Adrian. Son désarroi fut tel qu'il fut incapable d'appuyer sur la détente. Les deux soldats se dévisagèrent, immobiles comme des statues.

— *Kill him !*

Sean reconnut la voix de son capitaine. Il eut un moment d'hésitation, puis fit feu. Une flamme bleue et orange sortit du canon de son fusil. Le jeune soldat sudiste reçut la décharge en pleine poitrine. Il regarda Sean, l'air incrédule, puis il s'affaissa lentement sur le sol, les deux mains plaquées sur sa poitrine, le visage enfoui dans la terre noire. *Je viens de tuer un être humain*, se dit Sean. Il en avait sûrement tué d'autres, depuis que la bataille avait été engagée, mais il ne les avait pas vus mourir là, à quelques pieds de lui, il n'avait pas vu la terreur et la souffrance dans leurs yeux. Soudain, un éclair jaillit devant lui. Une main vigoureuse le saisit par le bras et le projeta sur le sol. Une balle siffla juste au-dessus de sa tête.

Après l'avoir aidé à se relever, le capitaine l'entraîna derrière un arbre. Tout s'était déroulé si vite que Sean n'avait pas vraiment compris ce qui s'était produit.

— *An inch more, and you were dead,* lui dit le capitaine en rechargeant son fusil.

Sean hoquetait sans s'en rendre compte, à cause de la fumée et des sanglots.

Le capitaine se lança de nouveau dans la mêlée. Sean le vit tirer à bout portant sur un confédéré, puis en tuer un autre avec sa baïonnette. Son képi tomba par terre. Il avait l'air d'un lion, avec sa tignasse de cheveux roux soulevée par ses mouvements vifs. Enflammé par le courage de son supérieur, Sean arma son fusil et fonça devant lui, porté par une vague de colère et de chagrin. Des larmes mouillaient ses joues, laissant des traînées blanches sur son visage noirci par la poussière.

LV

Sean fut réveillé par un bruit de galopade. Il se redressa péniblement sur un coude, transi. Une brume épaisse couvrait les champs autour de lui. Quelques feux de camp avaient été allumés et perçaient à peine le brouillard. Des tentes se dressaient ici et là, l'air fantomatique. Les souvenirs des derniers événements revinrent peu à peu à sa mémoire. *Adrian. La fumée. Le sang. Les cris. Le sifflement des balles.* Il se rappela ensuite le jeune soldat confédéré qui ressemblait à Adrian, avec ses taches de rousseur et ses yeux terrifiés. Le garçon était sûrement plus jeune que lui, il devait avoir des parents, des frères et des sœurs, une fiancée qui l'attendait peut-être, des rêves plein la tête, et lui, Sean, avait anéanti ces rêves à jamais. Lors de leur entraînement rudimentaire près de Boston, un officier leur avait dit que c'était le premier mort qui était le plus difficile. Après, on s'y habituait. Sean se demanda s'il s'y habituerait jamais.

Une grande silhouette se dressa devant lui. Il leva les yeux, reconnut le capitaine aux cheveux roux. Celui-ci était rasé de près et semblait frais et dispos, comme s'il se rendait à une réunion mondaine. Seules des éraflures à son uniforme attestaient la rude bataille qu'il avait menée la veille.

— *You slept like a log,* lui dit l'officier avec un demi-sourire.

Sean s'assit en grimaçant de douleur. Il voulut se lever et se mettre au garde-à-vous, mais le capitaine l'en empêcha d'un geste et prit place à côté de lui, sans façon.

— *My name is Andrew Beggs. What's yours ?*

— *Sean O'Brennan.*

Andrew Beggs regarda le jeune homme, les traits figés par la surprise. *O'Brennan.* Il décida de le faire parler, sans toutefois lui révéler sa véritable identité, ni ses liens passés avec les sœurs O'Brennan.

— *That was your first time in battle ?* poursuivit l'officier.

Sean acquiesça.

Le capitaine le félicita de sa bravoure. Sean ne répondit pas tout de suite. Il n'arrivait pas à comprendre comment tuer son prochain pouvait être brave. Il finit par dire, la gorge serrée :

— J'ai tué un enfant.

Il avait parlé spontanément en français, et le capitaine le remarqua.

— Tu parles français ?

Sean regarda l'officier, surpris à son tour que ce dernier s'exprime dans cette langue.

— J'ai vécu longtemps au Nouveau-Brunswick.

— Tu es né là-bas ?

Sean secoua la tête.

— Je suis né à Skibbereen, en Irlande. J'ai quitté mon pays avec le reste de ma famille à cause de la famine. On a pris un bateau pour Québec. Le navire s'est arrêté à la Grosse Isle. Tous les passagers ont été mis en quarantaine.

Le capitaine écoutait Sean avec la plus grande attention.

— Comment t'es-tu retrouvé au Nouveau-Brunswick ?

— Mes parents sont morts. Notre famille a été séparée. On nous a envoyés à Saint John, mon petit frère Arthur et moi. Une fois arrivés là-bas, nous avons été conduits sur l'île de Partridge. Arthur est mort du typhus.

Sean avait prononcé les derniers mots avec difficulté. Il reprit, le visage assombri :

— J'ai été recueilli par une famille acadienne. C'est là que j'ai appris le français.

Il garda bien sûr le silence sur sa maladie et son séjour forcé au lazaret de Tracadie. Andrew Beggs regarda le jeune homme pensivement. Amanda lui avait souvent parlé de sa famille dispersée, de ses deux jeunes frères, Arthur et Sean, qui avaient été envoyés au Nouveau-Brunswick à son insu, et du fait qu'elle n'avait jamais eu de nouvelles d'eux depuis leur séparation. Beggs n'avait aucun doute que ce Sean O'Brennan était bel et bien le frère d'Amanda et de Fanette, mais il ne put résister à la tentation d'en apprendre davantage sur le jeune homme, comme s'il cherchait à se rapprocher de celle qu'il aimait encore, bien qu'il n'eût plus aucun espoir de la reconquérir.

— Tu m'as parlé de ton frère, Arthur. J'imagine que tu avais également des sœurs.

— J'avais quatre sœurs, fit Sean, qui commençait à être intrigué par les questions du capitaine.

— Que sont-elles devenues ?

— Les deux plus jeunes sont mortes. Quant aux deux autres, je ne sais pas si elles sont encore vivantes.

— Quel est leur prénom ?

— Amanda et Fionnualá.

Andrew Beggs s'attendait à cette réponse, mais ses traits s'altérèrent malgré lui. Cette fois, Sean l'agrippa par le bras.

— Vous les connaissez ? Où sont-elles ? Comment vont-elles ? dit-il en bredouillant, tellement il était bouleversé.

Andrew Beggs regretta d'avoir poussé sa curiosité aussi loin et réfléchit à ce qu'il allait révéler au jeune homme.

— J'ai connu ta sœur Amanda à Québec. Aux dernières nouvelles, elle vivait à Portland, aux États-Unis, avec son fils Ian, mais je n'en sais pas plus.

— Ian, murmura Sean, ému. C'était le prénom de notre père.

Des larmes lui piquèrent les yeux. Il les essuya du revers de la main.

— Et Fionnualá ? ajouta-t-il, la gorge étranglée par l'émotion.

Andrew Beggs songea à sa dernière rencontre avec Fanette, au jugement sans merci qu'il avait lu dans ses yeux lorsqu'il avait admis avoir tué Jean Labrie. La voix de Sean le ramena à la réalité.

— Vous connaissez Fionnualá ? Qu'est-elle devenue ? Vit-elle encore ?

Andrew Beggs se leva.

— Je ne l'ai jamais rencontrée. Adieu, Sean. Bon courage.

Il s'éloigna à grandes enjambées. Sean fit un mouvement pour le suivre, mais le capitaine avait déjà disparu dans la brume. Plein de questions se pressaient dans sa tête. Son intuition lui disait que Beggs ne lui avait pas tout dit. Peut-être connaissait-il sa sœur Fionnualá, que celle-ci était morte et qu'il avait voulu lui épargner la vérité… Il se jura de lui reparler dès que l'occasion s'en présenterait.

Andrew Beggs se dirigea vers le quartier général où la tente du commandant Tyler avait été dressée. Sa conversation avec Sean O'Brennan l'avait profondément troublé. Il s'en voulait d'avoir quitté le jeune homme aussi abruptement, coupant court à ses questions bien légitimes, mais il n'avait pas eu le choix. S'il lui avait révélé le fait qu'il connaissait Fanette, il lui aurait été difficile, voire impossible, de ne pas lui parler des liens qui le rattachaient à elle, ainsi que du mariage avorté, alors qu'il avait tout fait pour enterrer son passé pour de bon. Son premier geste avait été d'abandonner son pseudonyme, Alistair Gilmour, et de reprendre son vrai nom, Andrew Beggs. C'est sous ce nom qu'il avait entrepris le long voyage en bateau jusqu'à Dublin. Dès son arrivée en Irlande, il avait pris contact avec James Stephens, le fondateur de la confrérie des Fenians, et s'était dévoué corps et âme afin de lever des troupes pour combattre les Britanniques. Puis Stephens lui avait donné l'ordre de partir pour les États-Unis et de se joindre à l'armée nordiste afin de s'y faire des contacts et de recruter des vétérans irlandais dans la branche américaine des Fenians. Il avait accepté, espérant que la vie austère dans l'armée et les rudes combats l'aideraient à mettre une croix sur son passé, mais le souvenir de Fanette l'avait poursuivi sans relâche. Même la mort, l'ultime oubli, n'avait pas voulu de lui. Et voilà que le hasard, ou pire, le destin lui avait fait rencontrer Sean O'Brennan, le frère de Fanette...

Lorsque Andrew parvint à la tente du commandant, sa décision était prise. Son contrat avec l'armée américaine tirant à sa fin, il ne le renouvellerait pas et partirait pour New York, où le bras américain des Fenians avait établi son quartier général. Il espéra qu'alors la page serait définitivement tournée et que plus rien ne rappellerait Fanette à son souvenir.

Le son des trompettes retentit. Sean entendit des cris, des ordres hurlés par des officiers. Il s'adressa à un fantassin qui passait près de lui et lui demanda la raison de ce remue-ménage. Celui-ci lui apprit que les troupes commandées par le brigadier général McDowell venaient d'arriver. On les convoquait à un rassemblement dans une heure. Sean, constatant qu'il mourait de faim, se rendit à une cantine et se fit servir du gruau et du café. Il ignorait alors qu'il ne reverrait plus le capitaine Andrew Beggs avant de longs mois.

Huitième partie

Auguste Lenoir

LVI

Montréal
Début du mois d'août 1861

Fanette habitait chez sa tante Madeleine depuis un peu plus d'un mois. Elle avait continué à se rendre tous les jours à l'étal de la boulangère, au marché Bonsecours, au cas où elle y apercevrait Rosalie, mais elle ne l'avait pas vue. Son espoir de retrouver son amie rétrécissait comme une peau de chagrin. Elle songeait de plus en plus à renoncer à ses recherches et à rentrer à Québec. Bien qu'elle se soit peu à peu attachée à sa tante Madeleine, sa mère lui manquait beaucoup. L'autre raison qui la poussait à retourner chez elle était Amanda. Celle-ci lui avait écrit une lettre afin de lui annoncer son mariage, lettre que sa mère lui avait fait parvenir. Sans préciser le lieu où elle habitait désormais, sa sœur lui avait laissé entendre que ce n'était pas très éloigné de Québec. L'espérance de revoir Amanda lui était de nouveau permise.

La journée s'annonçait grise. Fanette décida de se rendre au marché Bonsecours pour une dernière fois. Elle gara son Phaéton à proximité de l'étal de la boulangère et fit le guet pendant plusieurs heures, mais n'aperçut pas Rosalie. En revenant vers sa voiture, Fanette résolut d'accomplir une ultime mission et de rendre visite encore une fois aux éditeurs-imprimeurs dont sa tante lui avait donné l'adresse. Ce serait sans doute une perte de temps, mais c'était sa dernière chance de trouver un indice qui pourrait la mener à sa meilleure amie. Comme ces établissements étaient dans le voisinage, elle décida d'y aller à pied. Elle se rendit d'abord à la librairie Rolland, située dans la rue Saint-Vincent. Personne n'avait entendu parler de Lucien Latourelle ni n'avait reçu de manuscrit de lui.

Fanette sortit du commerce et se dirigea vers l'imprimerie-librairie Fabre, qui était à deux pas, dans la même rue. Un grand panneau de bois était placé au-dessus de la porte du magasin, avec le nom « Fabre & Fils, imprimeur-libraire » peint en caractères gothiques. Chose curieuse, le nom avait été rayé et quelqu'un avait ajouté, à la main, en lettres maladroites : « Victor Lemoyne, éditeur en chef ». Lorsqu'elle ouvrit la lourde porte de chêne, une clochette tinta. Un homme d'une soixantaine d'années, portant de larges favoris poivre et sel ainsi qu'un tablier par-dessus sa redingote, s'activait à tourner la manivelle d'une petite presse. L'air était saturé par l'odeur d'encre et de papier. Des piles de journaux, de livres et de papiers s'entassaient un peu partout dans la pièce, dans un désordre indescriptible.

— Monsieur, dit Fanette, élevant la voix pour couvrir le cliquetis de la presse.

L'homme continuait à tourner la manivelle. De toute évidence, il n'avait pas entendu la voix de la jeune femme.

— Monsieur ! cria-t-elle.

Il se tourna brusquement vers elle, la main sur le cœur.

— Sapristi, vous m'avez fait une de ces peurs ! C'est pas la peine de crier comme un goret, mademoiselle. Je ne suis pas sourd.

— Je suis désolée de vous avoir effrayé, monsieur. Êtes-vous le nouveau propriétaire de cet établissement ?

Abandonnant la manivelle, l'homme au tablier regarda Fanette par-dessus ses bésicles.

— Victor Lemoyne, pour vous servir. En quoi puis-je vous être utile, mademoiselle ?

Apercevant une pile de manuscrits sur une table, Fanette improvisa une réponse.

— J'écris de la poésie, que je souhaite faire publier.

L'éditeur la toisa, la mine sévère.

— De la poésie. Vous m'en direz tant.

Déconcertée par l'attitude désagréable du propriétaire de l'imprimerie, Fanette poursuivit néanmoins avec un aplomb qui la surprit elle-même :

— J'avais entendu dire grand bien de votre commerce. Mais peut-être m'a-t-on mal renseignée. J'irai voir ailleurs.

Elle fit mine de partir, mais il la retint.

— On a dit grand bien de moi ? J'aimerais bien savoir qui, par exemple !

Fanette resta interdite un instant, puis lança :

— Ma tante, Madeleine Portelance.

Contre toute attente, l'homme au tablier éclata de rire.

— Madeleine Portelance ! Une femme intelligente, qui a son franc-parler, et une excellente plume de surcroît. Comment se porte-t-elle, cette chère dame ?

Décidément, cet homme était imprévisible.

— Très bien, balbutia Fanette.

— Écrit-elle toujours sous un pseudonyme pour cette feuille de chou au nom prétentieux, *L'Époque* ?

Ne laissant pas Fanette répondre, il poursuivit sur sa lancée :

— Un tel talent, se mettre au service d'un *minus habens* comme Prosper Laflèche, quelle perte pour l'humanité ! Enfin, il faut bien gagner sa croûte. Mais revenons à nos moutons. Ainsi, vous écrivez de la poésie.

— Pour vous dire toute la vérité, il s'agit de quelqu'un d'autre. Un jeune poète, qui souhaite publier son œuvre. Il a envoyé son manuscrit à plusieurs éditeurs. Je me demandais s'il vous l'avait fait parvenir.

— Je vois. Quel est son nom ?

— Lucien Latourelle.

L'imprimeur fronça ses sourcils broussailleux.

— Lucien Latourelle... Ce nom me dit quelque chose...

Fanette retint son souffle.

— Il y a quelques jours, une jeune femme est venue porter un manuscrit. Attendez…

Victor Lemoyne se dirigea vers une pile de textes et y jeta un coup d'œil. Déplaçant les manuscrits sur le dessus de la pile, il finit par trouver ce qu'il cherchait.

— Nous y voilà ! *Petite fleur et autres poèmes*, de Lucien Latourelle, dit-il, triomphant.

N'en revenant pas de sa chance, Fanette fit un effort pour ne pas montrer sa fébrilité.

— Avez-vous eu le temps d'en prendre connaissance ?

— J'ai lu quelques poèmes, dit l'imprimeur en feuilletant le manuscrit. Pardonnez-moi ma franchise, mademoïselle, mais ces vers ne valent pas le papier sur lequel ils ont été écrits.

Fanette n'avait pas de sympathie pour le jeune auteur, mais la dureté du jugement de l'imprimeur la révolta.

— Vous êtes bien sévère.

— J'aime trop les belles-lettres pour faire preuve de complaisance, répliqua l'imprimeur.

Croyant avoir blessé la jeune femme, il se radoucit.

— Vous avez raison, je n'y suis pas allé avec le dos de la cuillère. Il y a quelques vers ici et là qui ne sont pas mal tournés, mais ce Lucien Latourelle a beaucoup de pain sur la planche s'il souhaite vraiment devenir un poète digne de ce nom. Après *Les Fleurs du Mal* de Baudelaire, on n'a plus le droit d'écrire de ce genre de sornettes. Tenez, je vous donne un exemple.

Il feuilleta le manuscrit, en lut un passage.

Petite fleur, frêle prodige,
De la terre chaste ornement,
Que tu me plais, que de ta tige
J'aime le doux balancement !

Il regarda Fanette dans les yeux.

— Entre vous et moi, mademoiselle, ces vers méritent-ils d'être publiés ?

Fanette ne dit rien, mais il lui fallait bien admettre en son for intérieur que l'imprimeur avait raison. Celui-ci referma le manuscrit. Fanette remarqua que quelques mots avaient été griffonnés en bas de la page de garde. Elle n'eut que le temps de déchiffrer le mot « Dame » avant que Victor Lemoyne ne remette le texte sur la pile.

— Si vous avez de l'affection pour ce poète en herbe, ne le bercez pas d'illusions, conclut l'imprimeur en se remettant au travail.

Le bruit de la manivelle emplit de nouveau la pièce. Fanette profita du fait que l'homme lui tournait le dos pour faire quelques pas vers la pile de manuscrits. Elle se pencha et jeta un coup d'œil furtif au recueil de poèmes de Lucien Latourelle, qui se trouvait sur le dessus. Elle comprit que l'inscription au bas de la page était une adresse : « 401, rue Notre-Dame E, Montréal ».

Fanette se redressa, remercia l'imprimeur et sortit à pas rapides. Son premier mouvement fut de marcher en direction de la rue Notre-Dame, puis elle se ravisa. Il ne fallait surtout pas précipiter les choses. Elle devait réfléchir à la façon dont elle aborderait Rosalie, en admettant que l'adresse qui figurait sur le manuscrit fût la sienne. De toute manière, il serait plus prudent de retourner au marché Bonsecours et d'y reprendre le Phaéton. Une fois sur place, elle aviserait.

Lorsque Fanette parvint au marché, elle fut soulagée de constater que la voiture s'y trouvait toujours. Elle se hissa sur la banquette, fouilla dans sa bourse, en sortit la carte de Montréal que sa tante lui avait remise et la consulta. La ville était divisée en deux par la rue Saint-Laurent, qui traversait la ville du sud au nord. Sa tante lui avait expliqué que les numéros allaient en croissant à partir de Saint-Laurent, d'est en ouest, et vice versa. Le « E » inscrit à côté du nom de la rue était sans doute une abréviation du mot « Est ». En toute logique, le 401, Notre-Dame se trouvait donc à l'est de la rue Saint-Laurent.

Rangeant la carte, Fanette se mit en route dans cette direction. Il ne lui fallut que quelques minutes pour parvenir à la rue Notre-Dame, qui bourdonnait d'activité. Le 401 se trouvait du côté nord de la rue, à quelques pâtés de maisons de la rue Bonsecours. C'était un édifice de pierre de cinq étages, aux fenêtres longues et étroites. Elle réussit à se garer à proximité. De là, elle pouvait observer la rue discrètement, ainsi que la façade de l'immeuble.

Un omnibus passa avec un grincement de roues. Une cloche sonna l'angélus. Fanette se rendit compte qu'elle attendait depuis quelques heures. Elle avait vu des gens qui entraient et sortaient de l'immeuble, mais personne qui ressemblât de près ou de loin à Rosalie ou à Lucien. Poussant un soupir, elle se résignait à rentrer chez sa tante lorsqu'elle aperçut la silhouette d'une jeune femme qui marchait sur le trottoir de bois, tenant un cabas dans une main. Elle portait un bonnet blanc qui cachait une partie de son visage, mais boitait légèrement en marchant. Fanette sut d'instinct qu'il s'agissait de Rosalie. Le cœur battant, elle attendit que la jeune femme s'approche, puis descendit de la voiture et vint à sa rencontre.

— Rosalie !

La jeune femme leva les yeux et aperçut Fanette. Pendant un bref instant, les deux amies se regardèrent, comme si le temps s'était arrêté. Puis Rosalie parvint à articuler quelques mots.

— Comment m'as-tu retrouvée ? Personne ne pouvait savoir…

Fanette lui prit le bras.

— Je t'expliquerai. Trouvons d'abord un endroit tranquille.

Elle entraîna Rosalie vers le Phaéton.

Les deux amies étaient assises côte à côte, sur un banc près de la fontaine qui avait été inaugurée dans le square Viger, l'automne précédent. Quelques flâneurs déambulaient dans les allées. Une jeune mère de famille poussait un landau. On entendait le son lointain des trompettes d'un défilé militaire dans le champ de Mars. Fanette avait choisi ce parc, qui était calme à cette heure de la journée. Elle avait laissé le Phaéton à proximité, dans la petite rue Saint-Louis.

— Comment as-tu fait pour me retrouver ? demanda à nouveau Rosalie, le visage fermé.

— Quelques indices dans ta lettre, mais surtout j'ai eu beaucoup de chance.

Rosalie la regarda dans les yeux.

— C'est ma mère qui t'a envoyée ?

Fanette répondit sans faux-fuyant.

— Elle se fait beaucoup de soucis pour toi. Et moi aussi. Son souhait le plus cher serait que tu reviennes à Québec.

— Vous faites toutes les deux fausse route. Lucien m'épousera.

Rosalie avait parlé sans acrimonie, mais avec une fermeté, une assurance que Fanette ne lui connaissait pas. Elle semblait tout ignorer des sentiments de sa mère pour le jeune poète, et du fait qu'ils avaient été amants. Se méprenant sur l'embarras de son amie, Rosalie défendit Lucien avec vivacité.

— Tu le juges sans le connaître. Sous ses dehors un peu superficiels, Lucien est un homme très bon, très loyal. Il tiendra ses promesses. Si tu savais les attentions qu'il a pour moi…

Fanette fut médusée par l'aveuglement de Rosalie. S'il y avait une qualité que Lucien Latourelle ne semblait pas posséder, c'était bien la loyauté.

— Je ne doute pas que Lucien ait des qualités, mais je ne crois pas qu'il soit digne de ta confiance.

— Qu'est-ce qui te permet de dire une chose pareille ? lança Rosalie, sur la défensive.

Fanette songea à lui apprendre ce qu'elle savait au sujet de la liaison que Marguerite avait entretenue avec le jeune homme, mais, sachant à quel point cette révélation la blesserait, elle n'en eut pas le courage.

— Il n'est peut-être pas l'homme que tu penses.

— Je ne te demande pas de le comprendre. Je l'aime, il m'aime, cela suffit à mon bonheur. Tant pis si tu ne m'approuves pas.

Cette fois, le ton de Rosalie était devenu carrément hostile. Cela peina Fanette, mais elle fut incapable d'en vouloir à la jeune femme. Elle aurait sans doute eu la même réaction à sa place.

— Que je t'approuve ou non n'a aucune importance, répondit-elle. Tu es mon amie, et je t'aimerai toujours, quoi que tu fasses.

Le regard de Rosalie s'adoucit. D'un geste spontané, elle s'empara de la main de Fanette, la serra dans la sienne.

— Si tu es vraiment mon amie, ne révèle jamais à ma mère où j'habite.

Fanette ne dit rien, déchirée entre sa loyauté envers Rosalie et l'engagement qu'elle avait pris auprès de Marguerite. Rosalie revint à la charge :

— Jure-le.

Après un long moment, Fanette céda.

— Je le jure.

Un sourire éclaira le visage de Rosalie.

— Cesse de t'inquiéter pour moi. Lucien est un homme de parole. Il m'épousera. Mais il veut d'abord se faire un nom. Il croit que ce serait injuste pour moi de marier un homme sans réputation, sans argent.

Cet argument parut si fallacieux à Fanette qu'elle ne put s'empêcher de dire le fond de sa pensée.

— Si Lucien était sincère, je crois qu'il n'attendrait pas d'être connu avant de t'épouser.

Piquée au vif, Rosalie retira sa main.

— Moi, je crois en lui. C'est tout ce qui importe.

Fanette se sentit soudain très loin de son amie, comme si un océan les séparait. Ce sentiment d'éloignement lui était encore plus pénible que tout le reste. Elle fit néanmoins un effort pour briser le silence qui se prolongeait.

— J'habite chez ma tante, Madeleine Portelance.

Prenant un bout de papier et un crayon dans sa bourse, elle griffonna rapidement l'adresse.

— Je resterai à Montréal encore quelques jours. Si tu changes d'avis et si tu souhaites revenir à Québec avec moi, tu sauras où me trouver.

Rosalie hésita, puis prit le morceau de papier, qu'elle glissa dans une poche de sa jupe. Encouragée par ce geste, Fanette lui mit timidement une main sur le bras.

— J'espère de tout mon cœur que tu seras heureuse.

Ses paroles sonnaient faux, bien qu'elle soit parfaitement sincère. Les yeux de Rosalie se mirent à briller.

— Je le suis, Fanette.

Elle tourna la tête vers la promeneuse au landau, qui s'était arrêtée près de la fontaine et s'amusait à faire gicler de l'eau avec ses doigts, ce qui faisait rire son bambin.

— Je suis heureuse comme je ne l'ai jamais été de ma vie entière. Lucien compense le mal que mon père adoptif m'a fait. Sa seule présence efface toutes mes blessures, tous mes doutes. Avec lui, je me sens belle, désirable. Et même si ce n'était qu'un rêve, même si je me réveillais un matin et que Lucien n'était plus à mes côtés, au moins, j'aurais su ce que c'est, d'être aimée. Et cela n'a pas de prix.

Rosalie se leva et s'éloigna dans l'allée du parc. Fanette la suivit du regard, espérant que son amie se retournerait au moins une fois pour lui faire signe. Rosalie poursuivit son chemin sans se retourner, la démarche entravée par son pied bot.

LVII

Après le départ de Rosalie, Fanette resta assise sur le banc, incapable de bouger, comme si chaque membre de son corps lui faisait mal. Jamais les deux amies n'avaient eu la moindre dispute depuis qu'elles s'étaient rencontrées au pensionnat des Ursulines, à l'âge de dix ans. Certes, il y avait eu des moments difficiles au cours de leur longue amitié. Lorsque Rosalie avait cédé aux pressions du notaire Grandmont et avait décidé d'entrer au couvent des Ursulines comme postulante, Fanette avait tout tenté pour la convaincre de n'en rien faire, mais jamais Rosalie ne lui en avait tenu rigueur. Et puis il y avait eu la mort de Philippe, mais cette disparition si douloureuse les avait rapprochées encore davantage, si c'était possible. Même lorsque Rosalie avait pris la décision de devenir enseignante et était partie pour les Trois-Rivières, les deux jeunes femmes avaient correspondu avec fidélité. C'était leur première confrontation, mais Fanette avait le sentiment qu'elle scellerait peut-être la fin de leur amitié.

Regagnant le Phaéton, Fanette songea avec appréhension à la lettre qu'il lui faudrait écrire à Marguerite pour la mettre au courant des derniers événements. Elle avait beau savoir que les regrets étaient inutiles, elle ne pouvait s'empêcher de les éprouver avec force. Elle regrettait la peine qu'elle avait causée à Rosalie, son échec à la convaincre que Lucien n'était peut-être pas l'homme qu'elle croyait connaître. Enfin, elle regrettait de s'être prêtée à ce rôle de messagère qui lui seyait si mal pour une situation qui avait fini en queue de poisson.

Il était environ trois heures de l'après-midi lorsque Fanette rentra chez sa tante. Celle-ci était installée à son secrétaire et écrivait tandis que Berthe était occupée à préparer le souper. Fanette monta directement à sa chambre. Elle n'avait pas le cœur de parler. Marie-Rosalie faisait sa sieste. Le moment était propice pour s'acquitter de sa tâche. Elle s'assit devant son pupitre, monta légèrement la mèche de la lampe, trempa sa plume dans l'encrier et commença à rédiger la lettre. Durant le trajet du retour, elle avait eu le temps de réfléchir à ce qu'elle écrirait. Elle tâcherait de s'en tenir à l'essentiel : elle avait retrouvé Rosalie, celle-ci était heureuse avec Lucien Latourelle, convaincue qu'il l'épouserait, et ne voulait à aucun prix revenir à Québec.

Une fois la lettre terminée, Fanette la glissa dans une enveloppe, la cacheta et sortit de sa chambre pour aller la poster. À son retour, elle entendit la voix de sa tante qui l'appelait du fond de son bureau.

— Fanette !

Madeleine lui fit signe d'approcher. Elle tenait sa plume à la main et avait une tache d'encre sur une joue. La chienne George, assise à ses pieds, agita la queue lorsqu'elle aperçut la jeune femme.

— Je travaille au dernier chapitre de mon feuilleton, le mariage de la pauvre Hortense avec son dadais de médecin. Alors, quoi de neuf ?

Fanette lui raconta sa rencontre avec Victor Lemoyne, le nouveau propriétaire de l'imprimerie Fabre, qui semblait la connaître et avait très bonne opinion d'elle.

— Victor ! Ce vieil excentrique ! s'exclama Madeleine. Aux dernières nouvelles, son journal avait été saisi pour cause d'écrits séditieux et il avait pris la fuite. Je suis heureuse pour lui qu'il ait réussi à rétablir ses affaires.

Remarquant que sa nièce l'écoutait distraitement, Madeleine lui demanda :

— Et ton amie ?

— Je l'ai retrouvée.

Fanette lui confia sa rencontre avec Rosalie et leur douloureux face-à-face. Sa tante prit une mine dubitative.

— Crois-tu vraiment que son séducteur l'épousera ?

— Je n'en sais rien, avoua Fanette.

Madeleine constata que sa nièce avait les yeux embués. Elle pouvait manier habilement les sentiments lorsqu'elle écrivait, mais elle ne savait pas comment s'y prendre lorsqu'une personne en chair et en os les éprouvait. Elle fouilla dans une poche de sa jupe, en extirpa un mouchoir et le tendit à Fanette.

— Il est propre, déclara-t-elle, ne sachant que dire d'autre.

Fanette le prit et le porta à ses yeux. Madeleine se racla la gorge.

— Quand retournes-tu à Québec ?

— Dans quelques jours. Plus rien ne me retient ici.

Le visage de Madeleine se rembrunit. Fanette se rendit compte de son manque de tact.

— Je vous suis très reconnaissante de votre hospitalité.

— Pas de simulacre avec moi, ma chère nièce. Je sais que j'ai un sale caractère. Il n'y a que la pauvre George qui me supporte, et encore...

Pour la première fois, Fanette mesura l'étendue de la solitude de sa tante et sa sensibilité d'écorchée vive, sous ses dehors brouillons. Elle voulut dire quelque chose, mais Madeleine se hâta de poursuivre, refusant de s'épancher davantage :

— Je te souhaite une bonne fin d'après-midi, ma chère nièce. Pour ma part, je dois me remettre au travail.

Madeleine recommença à écrire, faisant comprendre à Fanette que l'entretien était terminé. Lorsque cette dernière fut partie, elle continua d'écrire pendant un moment, puis ratura impatiemment sa phrase. Mais qu'avait-elle donc ? Déposant sa plume, elle caressa distraitement la tête de George. Au fond, force lui était de reconnaître qu'elle s'était habituée à la présence de Fanette et de Marie-Rosalie dans sa maison, et qu'elle trouverait la demeure bien vide en leur absence.

LVIII

Chaque matin, madame Régine apportait à madame Grandmont un déjeuner accompagné du courrier. Sans toucher à la nourriture, Marguerite s'emparait des lettres et les examinait une à une, espérant reconnaître l'écriture de Fanette. Puis, dans un geste de dépit et de désespoir, elle les jetait par terre sans les ouvrir et retournait au lit. La servante se penchait, ramassait les lettres en silence et les déposait sur un guéridon. Une heure plus tard, elle revenait et trouvait Marguerite toujours étendue sur son lit, le plateau du déjeuner intact.

— Vous devriez manger un morceau, madame Grandmont.

— À quoi bon ? Je n'ai pas faim.

Inquiète, la servante reprenait le plateau. Sa maîtresse avait retrouvé sa mine des mauvais jours, du temps où elle était si malheureuse et prenait du laudanum.

Ce matin-là, réveillée depuis l'aube, Marguerite descendit elle-même à la cuisine. D'un geste las, elle prit le courrier des mains de sa domestique et remonta dans sa chambre sans prononcer une parole. Une fois la porte refermée, elle tria le courrier, le regard éteint. Il y avait des comptes, ainsi qu'une lettre de son avoué, maître Levasseur. Sentant le désespoir la gagner, elle avisa soudain une lettre dont elle reconnut l'écriture. C'était celle de Fanette. Examinant l'enveloppe, elle constata qu'une adresse avait été inscrite au verso. Il s'agissait sans doute de l'endroit où séjournait sa bru à Montréal. Les mains moites, Marguerite ouvrit l'enveloppe et parcourut avidement l'unique feuillet qui y avait été glissé.

Montréal, le 3 août 1861
Chère madame Grandmont,
Veuillez me pardonner pour le temps que j'ai mis à vous écrire. Voici les dernières nouvelles. J'ai finalement retrouvé Rosalie. Nous avons longuement parlé. Malgré tous mes efforts, je n'ai pas réussi à la convaincre de revenir à Québec. Elle m'a semblé heureuse et certaine que Lucien Latourelle l'épouserait.

Je crois qu'il ne nous reste plus qu'à espérer de tout notre cœur que Lucien Latourelle tiendra ses promesses.

Veuillez croire à mes sentiments respectueux,
Fanette

À la joie d'apprendre que sa fille avait été retrouvée succéda un sentiment de vive colère. Ainsi, Rosalie refusait d'entendre raison. Et la pauvre sotte qui s'imaginait que Lucien allait l'épouser ! En relisant la lettre, Marguerite tâcha de mettre un peu d'ordre dans ses pensées. Sa belle-fille ne lui avait rien révélé sur la façon dont elle avait retrouvé Rosalie, ni sur l'endroit où celle-ci habitait. Une phrase en particulier la fit réfléchir : « Je crois qu'il ne nous reste plus qu'à espérer de tout notre cœur que Lucien Latourelle tiendra ses promesses. » En d'autres mots, Fanette lui conseillait d'abandonner tout espoir de convaincre sa fille de quitter son poète et de revenir à Québec. Pire, elle semblait avoir pris le parti de Rosalie et de Lucien contre elle. L'amitié l'avait emporté sur le sens du devoir. *Eh bien ! ça ne se passera pas ainsi. Je ne laisserai pas ma fille entre les mains de cet aventurier sans scrupule.* Ragaillardie par sa nouvelle résolution, elle rangea soigneusement la lettre de Fanette dans sa bourse, puis tira sur le cordon de la sonnette. Sans attendre madame Régine, elle ouvrit son armoire et jeta des vêtements pêle-mêle sur le lit, oubliant commodément que sa volonté de protéger sa fille du déshonneur était une excuse pour sauver ses propres amours avec Lucien. Lorsque la servante entra dans la chambre, Marguerite lui dit :

— Préparez ma malle. Je pars pour quelques jours, peut-être davantage. Demandez à monsieur Joseph d'atteler la Rockaway. Une voiture fermée sera plus confortable pour un long voyage.

Déconcertée de voir sa maîtresse si pétulante, alors qu'à peine quelques minutes auparavant elle était abattue et se traînait comme une âme en peine, la servante n'en obéit pas moins. Dieu seul savait ce que madame Marguerite avait en tête…

LIX

Marguerite était si impatiente d'arriver à Montréal que le voyage lui sembla interminable. Elle dormit et mangea à peine durant les pauses dans les relais. La nourriture y était infecte et les chambres, inconfortables et bruyantes. À tout instant, elle relisait la lettre de Fanette, bien qu'elle la connût par cœur, en soupesait chaque mot, tentant d'y détecter un sens caché. Puis elle imaginait la scène où elle affronterait Lucien et sa fille, drapée dans sa dignité et sa douleur de mère. Rosalie tomberait à ses pieds, lui demanderait une grâce. Marguerite lui pardonnerait sa fugue avec magnanimité, à la condition que sa fille rompe avec Lucien et revienne à Québec avec elle. Quant à son amant, elle le traiterait de haut, avec une indifférence glacée, comme s'il n'était plus rien pour elle. Il tenterait de s'emparer de ses mains, de les couvrir de baisers comme il le faisait dans la demi-pénombre de son boudoir, à l'abri des regards indiscrets. Peut-être alors consentirait-elle à se montrer clémente.

Une secousse de la voiture la ramena à la réalité. En jetant un coup d'œil par la fenêtre, elle aperçut avec soulagement les confins de la ville, derrière laquelle se découpait le mont Royal.

— Enfin, soupira-t-elle.

La Rockaway s'immobilisa devant l'hôtel Rasco, rue Saint-Paul. D'élégantes arcades de pierre de style néo-classique ornaient la façade de l'immeuble, édifié en 1836 sous l'égide de Francisco Rasco, un homme d'affaires d'origine italienne. L'hôtel était fréquenté par une clientèle aisée. Le grand écrivain Charles

Dickens y avait séjourné en mai 1842, lorsqu'il avait mis en scène ses propres œuvres au théâtre Royal, situé en face, en recrutant ses comédiens parmi les officiers du 23e Régiment. C'était dans ce même hôtel que Marguerite et son mari avaient fait leur voyage de noces, un an après sa construction.

Un chasseur accourut vers la voiture, ouvrit la portière et tendit la main à Marguerite en inclinant la tête avec politesse tandis que des valets d'écurie tenaient le cheval par la bride.

Lorsqu'elle eut gagné sa chambre, accompagnée du même chasseur qui l'avait accueillie et qui apportait maintenant ses bagages, Marguerite fut réconfortée en voyant un bon feu flamber dans l'âtre. Un grand lit à baldaquin, dont les rideaux de mousseline blanche avaient été tirés, semblait si invitant qu'elle fut tentée de s'y étendre sans prendre le temps de se déshabiller, mais elle s'installa plutôt dans un fauteuil de brocart pour se reposer un peu. La tête appuyée contre le dossier, elle somnola quelques minutes, puis fut réveillée par le bruit d'une porte qui claquait dans le couloir. Consultant une horloge de bronze qui trônait sur le manteau de la cheminée, elle constata qu'il était presque dix heures du soir. Bien qu'il fût tard pour rendre visite à Fanette et que son voyage l'eût épuisée, Marguerite brûlait d'impatience d'en savoir plus sur le sort de sa fille et de Lucien. S'extirpant du fauteuil, elle sonna la femme de chambre et se fit apporter un broc d'eau chaude. Sans prendre le temps de se changer, elle se contenta de s'asperger le visage, se poudra le nez, refit rapidement son chignon et mit un chapeau.

Regardant son reflet dans la glace, Marguerite vit une femme au visage pâle, amaigri, dont les yeux sombres, illuminés d'un éclat fiévreux, étaient cernés d'ombres bleuâtres. Elle se détourna brusquement et fit quelques pas vers le secrétaire, où elle avait laissé la dernière lettre de Fanette. Elle jeta un coup d'œil à l'adresse inscrite au dos de l'enveloppe pour la garder en mémoire, puis se rendit à la réception de l'hôtel, d'où elle fit appeler un fiacre afin de ne pas réveiller Monsieur Joseph, qui avait pris ses quartiers dans les chambres réservées aux domestiques, situées à proximité des écuries. Un jeune chasseur courut à la recherche d'une voiture.

⁂

Les rues étant à peu près désertes à cette heure tardive, le fiacre ne mit qu'une vingtaine de minutes à traverser une partie de la ville. Des lampadaires jetaient un éclairage diffus sur les trottoirs de bois longeant la rue Saint-Denis. Rivée à la fenêtre de la voiture, Marguerite surveillait chaque maison, tentant de déchiffrer le numéro de la porte.

— C'est ici ! s'écria-t-elle soudain. Arrêtez la voiture.

Le cocher tira sur les rênes. Sans attendre qu'il lui ouvrît, Marguerite descendit du véhicule et leva les yeux vers la maison de brique. Celle-ci était plongée dans le noir, hormis un peu de lumière aux fenêtres du rez-de-chaussée. Tout était silencieux. Marguerite se tourna vers le cocher.

— Attendez-moi ici.

Elle frappa à la porte sans hésiter, se servant du heurtoir de bronze. Les coups résonnèrent, amplifiés par le silence ambiant. Soudain, des jappements retentirent à l'intérieur. Une lumière se fit, éclairant l'interstice sous la porte. Marguerite entendit le cliquetis d'un verrou. La porte s'ouvrit. Un chien se précipita vers elle en aboyant. Une voix autoritaire s'éleva derrière lui.

— George, cesse ce raffut ! Assis !

L'animal cessa immédiatement de japper et s'assit docilement, ses pattes de devant bien droites, au garde-à-vous. Madeleine apparut sur le seuil, en robe de chambre, les cheveux en bataille et les doigts tachés d'encre.

— Qui êtes-vous ? Comment osez-vous me déranger en pleine écriture ?

Nullement intimidée par le ton rogue de la maîtresse de maison, Marguerite répondit avec hauteur :

— Je suis Marguerite Grandmont. Je souhaite voir ma belle-fille. J'ai cru comprendre qu'elle habitait chez vous.

— Ma nièce dort.

— Réveillez-la. Il faut que je lui parle.

— Vous seriez la reine d'Angleterre que je ne la dérangerais pas. Revenez demain.

Madeleine fit un mouvement pour fermer la porte, mais Marguerite s'avança résolument sur le seuil.

— J'ai fait le voyage de Québec jusqu'à Montréal expressément pour voir ma belle-fille. C'est une affaire des plus urgentes.

Observant le visage de la belle-mère de Fanette qui se découpait dans la lumière du vestibule, Madeleine ne put s'empêcher d'en admirer le dessin délicat, les ombres qui creusaient les joues, les yeux sombres aux paupières mauves, lui donnant l'aspect d'un masque de tragédie. *Quel personnage !* se dit Madeleine, qui n'avait rien oublié de ce que Fanette lui avait raconté au sujet de la fugue de Rosalie et du beau Lucien. La curiosité de l'écrivain l'emporta sur son désir de préserver le sommeil de sa nièce.

— Entrez.

Installant sa visiteuse dans le salon, Madeleine s'engagea dans l'escalier et cogna à la porte de la chambre de Fanette. Celle-ci vint répondre après quelques instants, les yeux ensommeillés, la mine inquiète. Ses cheveux sombres tombaient en cascades sur ses épaules tandis qu'elle nouait la ceinture de sa robe de chambre.

— Que se passe-t-il, ma tante ?

— Ta belle-mère est ici. Elle veut absolument te voir, chuchota Madeleine.

Fanette en déduisit que Marguerite avait reçu sa lettre. Elle eut un serrement au cœur en imaginant la détresse de la pauvre femme.

— Je descends tout de suite.

Retournant dans la chambre, Fanette jeta un coup d'œil à sa fille pour s'assurer que le bruit ne l'avait pas réveillée, puis sortit en refermant doucement la porte. Tout en suivant sa tante dans l'escalier, elle se préparait mentalement à sa rencontre inopinée avec sa belle-mère. Que lui dire qu'elle ne lui avait déjà écrit ?

Lorsqu'elle atteignit le hall, sa tante la prit par le bras et lui chuchota à l'oreille :

— Elle est ici...

D'un mouvement discret de la tête, Madeleine désigna le salon. Regardant dans cette direction, Fanette aperçut la silhouette de sa belle-mère assise dans un fauteuil, le dos droit. Son profil ressemblait à ces camées sculptés dans l'ivoire qui faisaient fureur à la cour de la reine Victoria, quoique ses traits trahissaient un cruel manque de sommeil. Constatant que sa tante s'attardait, Fanette lui fit comprendre d'un regard qu'elle voulait rester seule. Madeleine pinça légèrement les lèvres et sortit à regret.

Comme si elle avait deviné une présence, Marguerite tourna la tête et aperçut Fanette. Elle se leva d'un bond et vint à sa rencontre.

— Ah, Fanette ! Ta lettre m'a mise dans tous mes états. Grâce à Dieu, tu as retrouvé Rosalie. Dis-moi où elle habite.

Fanette hésita. Le visage blême de sa belle-mère lui faisait pitié, mais elle avait fait le serment à son amie de ne rien dire.

— Je n'en sais rien.

Le visage de Marguerite se durcit.

— Dans ta lettre, tu as pourtant affirmé que tu lui avais parlé.

— J'ai effectivement parlé à Rosalie, mais j'ignore où elle habite.

— Dans ce cas, où l'as-tu rencontrée ?

Fanette se résigna à poursuivre.

— Je l'ai rencontrée par hasard, dans la rue Saint-Paul, au marché Bonsecours.

Le récit de Fanette semblait crédible, mais Marguerite continuait de se méfier.

— Tu me jures que tu ne me caches rien ?

Une profonde lassitude envahit la jeune femme. Elle en avait assez de mettre son doigt entre l'arbre et l'écorce, mais pour rien au monde elle n'aurait trahi sa parole donnée.

— Je vous ai dit tout ce que je savais.

Un silence s'ensuivit, ponctué par le tic-tac de l'horloge. Sentant qu'elle ne lui tirerait pas un mot de plus, Marguerite décida de s'en aller. Fanette la retint d'un geste.

— Attendez. J'ai quelque chose pour vous.

Quittant la pièce, Fanette se dirigea vers l'escalier sans voir sa tante qui, dissimulée derrière une porte, avait épié l'échange. Madeleine s'enfonça dans l'encoignure de la porte avec un vague sentiment de culpabilité, mais elle avait été incapable de résister à la curiosité. Pourquoi inventer des histoires, alors que la vie les lui offrait sur un plateau d'argent ? Elle n'avait qu'une hâte : se remettre à l'écriture afin de noter cette scène, comme les écureuils qui ramassent des noix et les mettent à l'abri pour avoir des provisions durant la saison froide. Fanette revint au bout de quelques minutes avec les esquisses de Rosalie et de Lucien, qu'elle tendit à sa belle-mère. Celle-ci les regarda longuement, puis les glissa dans son corsage et sortit. Fanette entendit la porte claquer. Le lendemain, à la première heure, elle se rendrait chez Rosalie pour l'avertir que sa mère était à Montréal.

Marguerite regagna le fiacre et fit signe au cocher de partir. Tout en appuyant sa tête sur la banquette, elle songea qu'elle n'avait pas appris grand-chose. *Tout ce voyage pour rien !* Fanette était son dernier espoir de retrouver sa fille, et il venait de s'évanouir. Elle contempla les dessins que sa belle-fille lui avait remis, s'attardant sur celui de son ancien amant. Ce front pur, ce regard lumineux, cette bouche tendre, elle aurait donné sa vie pour les revoir. Elle le froissa dans son poing, envahie par la colère et le chagrin.

LX

S'étant levée tôt, Fanette fit atteler le Phaéton par Alcidor et se rendit rue Notre-Dame. Il était environ sept heures trente du matin lorsqu'elle parvint à l'immeuble où habitaient Rosalie et Lucien. Elle gara sa voiture de l'autre côté de la rue, traversa et entra dans le bâtiment.

Une loge se trouvait au fond d'un hall sombre. Fanette frappa à la porte. Après une longue attente, une femme sans âge finit par ouvrir.

— Qu'est-ce que vous voulez ? dit brusquement la logeuse.

— Je voudrais parler à une jeune femme. Son nom est Rosalie Grandmont.

La logeuse lui jeta un regard méfiant.

— Y a pas de Rosalie Grandmont icitte.

Puis elle lui ferma la porte au nez. Furieuse, Fanette s'apprêta à frapper de nouveau, mais se ravisa. Elle trouverait Rosalie, quand bien même il lui faudrait cogner à chaque porte de la maison de chambres.

Après avoir réveillé à peu près tous les locataires de l'immeuble, s'attirant des injures et des invectives, Fanette se rendit jusqu'au cinquième et dernier étage, essoufflée et accablée par ses démarches infructueuses. Était-il possible que Rosalie ait changé d'adresse ? Tâchant de reprendre haleine, elle avisa une porte au fond d'un couloir plongé dans la pénombre. Elle s'y rendit à tâtons, puis frappa à la porte, espérant que cette fois serait la bonne. À son grand soulagement, ce fut Rosalie qui lui ouvrit.

— Que fais-tu ici ? murmura-t-elle, stupéfaite.

— Ta mère est à Montréal. Elle te cherche.

Le visage de Rosalie tomba.

— Mon Dieu…

Puis elle leva les yeux vers Fanette.

— Lui as-tu dit où j'habitais ?

— Bien sûr que non ! répondit vivement Fanette, blessée par le manque de confiance de son amie. Je lui ai raconté que je t'avais vue par hasard dans la rue Saint-Paul, au marché Bonsecours.

Rosalie regretta sa méfiance.

— Merci de m'avoir avertie.

Elle tourna la tête vers l'intérieur de la chambre.

— Je t'aurais bien laissée entrer, mais Lucien dort. Une autre fois, peut-être.

Touchée par l'attitude plus confiante de la jeune femme, Fanette l'embrassa.

— Prends soin de toi, Rosalie.

Fanette, le cœur gros, s'éloigna. La misère dans laquelle vivait son amie la bouleversait. Un sentiment de désarroi et d'impuissance la saisit tandis qu'elle descendait les marches bancales de l'escalier.

∾

Un jour morne et gris s'insinuait dans la chambre. Le feu dans l'âtre s'était éteint, ne laissant que des bouts de bois calcinés. Marguerite, étendue tout habillée dans son lit, contemplait le plafond, perdue dans de sombres pensées. Occupée à ressasser son chagrin, elle avait à peine dormi malgré son épuisement. Elle aimait toujours Lucien, bien qu'il l'eût trahie. Et cet amour la consumait à petit feu. Des cloches sonnèrent, lointaines. *Déjà dix heures,* se dit Marguerite, qui avait compté machinalement les coups. Elle se redressa avec effort. Sa tête était lourde et ses membres, endoloris. Elle se mira dans la glace qui surmontait le chiffonnier en face du lit et eut l'impression de voir un fantôme.

Jamais elle n'aurait le courage de descendre à la salle à manger dans cet état. Elle fit venir une femme de chambre et lui demanda d'apporter un déjeuner.

Une demi-heure plus tard, un valet se présenta, poussant une table munie de roulettes sur laquelle des plats en étain avaient été disposés, puis il se retira discrètement, non sans avoir jeté un coup d'œil furtif à cette étrange cliente, dont les vêtements froissés et la mine exsangue juraient avec le luxe de la chambre. Marguerite s'efforça de manger une bouchée, mais la seule vue de la nourriture lui levait le cœur. Elle but quelques gorgées de café au lait, ce qui la réconforta un peu, mais elle se rendit compte qu'elle avait froid. En jetant un coup d'œil à l'âtre, elle constata qu'il n'y avait plus de feu. Elle se leva, prit un vieux journal qui avait été déposé dans un plat de fonte parmi quelques bûchettes et s'apprêtait à le jeter dans le foyer lorsqu'un encart attira son attention. Il s'agissait d'une annonce. On y voyait un œil entouré d'un triangle, et la silhouette d'un homme tenant un monocle dans une main. Quelques lignes apparaissaient sous le dessin :

Agence de renseignement Œil de Lynx. Effectue toute espèce de recherches, surveillance, recouvrement de rentes, disparitions. Discrétion assurée. Prière de vous adresser à A. Lenoir, 313, rue Saint-Laurent, 2e étage, première porte à droite.

Le mot « disparitions » frappa Marguerite. Elle relut l'annonce à plusieurs reprises, puis la déchira soigneusement pour ne rien perdre du texte et la glissa dans sa bourse. Toute trace de fatigue avait disparu de son visage. Appelant de nouveau la femme de chambre, elle réclama de l'eau chaude et prit un bain dans la salle d'eau attenante à sa chambre, équipée d'une cuve et d'un lavabo de grès. Elle revêtit ensuite une robe simple mais élégante, dont le gris lui seyait à merveille, et prit un soin méticuleux à sa coiffure et à son maquillage. Un regard dans la glace la rassura. Ses traits étaient encore un peu tirés, mais elle avait réussi à se rendre tout à fait présentable.

Après avoir mis son mantelet, son chapeau et ses gants, elle prit sa bourse qu'elle avait laissée sur la table et s'assura que l'annonce y était bien. Se dirigeant vers la porte, elle s'avisa soudain d'apporter les dessins de Rosalie et de Lucien, ainsi que la lettre de sa fille et celle de Fanette, qui lui seraient sûrement utiles dans ce qu'elle s'apprêtait à accomplir. Elle les rangea dans son sac, puis quitta la chambre d'un pas plus assuré.

Descendant en hâte l'escalier de chêne qui menait à la réception, Marguerite fit venir son cocher. Celui-ci, qui avait l'habitude des fréquentes sautes d'humeur de sa maîtresse, prit docilement place sur son siège.

— Conduisez-moi au 313, rue Saint-Laurent.

Le renversement d'une cargaison de foin ayant causé la fermeture temporaire de la rue Saint-Vincent, monsieur Joseph dut emprunter une autre rue, plus étroite. La circulation était dense, ralentie par des charrettes qui se rendaient au marché. Il était presque midi lorsque la Rockaway s'engagea enfin dans la rue Saint-Laurent. De nombreuses voitures roulaient sur la chaussée qui venait d'être pavée. Des auvents multicolores égayaient les devantures des magasins, et des badauds se pressaient sur les trottoirs de bois.

Sans s'attarder au spectacle bigarré de la rue, Marguerite examinait attentivement chaque immeuble. Bientôt, elle aperçut un édifice étroit coincé entre deux commerces. L'un d'eux était une mercerie et l'autre, une boucherie. Le numéro 313, peint en doré au-dessus de la porte, commençait à s'effacer. Comme il n'y avait aucun espace pour garer la voiture, Marguerite, brûlant d'impatience, décida de descendre et donna instruction à monsieur Joseph de revenir la prendre une heure plus tard. Évitant de regarder les carcasses de bœuf qui pendaient à des crochets dans la devanture de la boucherie, Marguerite se hâta d'entrer dans l'immeuble.

L'intérieur, chichement éclairé par une lanterne, ne payait pas de mine. L'humidité suintait des murs, faisant des taches noirâtres sur la vieille tapisserie qui décollait par endroits. Une odeur de moisissure et de chou imprégnait l'air. Un escalier de bois menait à l'étage. Portant un mouchoir à son nez, Marguerite entreprit de monter les marches, évitant de toucher la rampe, qui était noire de crasse. Lorsqu'elle parvint au premier palier, elle dut prendre un moment pour s'orienter tellement il faisait sombre. Ses yeux s'habituant peu à peu à l'obscurité, elle aperçut les contours de la cage de l'escalier. Elle continua à tâtons, forcée cette fois de se tenir à la main courante pour ne pas trébucher. Heureusement, un quinquet accroché au plafond du deuxième étage prodiguait un filet de lumière qui lui permit de s'orienter. Se souvenant du texte de l'annonce, elle repéra une porte à droite et s'en approcha. Le nom de l'agence avait été tracé maladroitement sur une vitre dépolie :

Œil de Lynx
Agence de renseignement

Marguerite jeta un coup d'œil à travers la vitre mais ne vit que des formes indistinctes. Elle hésita un instant sur le seuil, puis frappa. N'obtenant pas de réponse, elle tourna la poignée de la porte, qui s'ouvrit, traçant un rectangle de lumière sur le plancher. Elle fit quelques pas dans une pièce sombre dominée par un large pupitre. Des classeurs de bois tapissaient un mur entier. De lourds rideaux obturaient les fenêtres. Soudain, la porte claqua derrière elle. Se retournant vivement, elle eut à peine le temps de distinguer une silhouette sombre qui se jeta sur elle et lui saisit les poignets. Elle sentit un souffle tout près de son cou.

— Pas un geste.

C'était une voix d'homme, au timbre rauque. Marguerite resta immobile, le souffle court. Quand bien même elle aurait voulu bouger, elle en aurait été incapable tellement l'étau qui emprisonnait ses mains était solide. L'homme se déplaça vers le pupitre, entraînant Marguerite avec lui. Puis une lumière l'aveugla. La même voix rauque se fit entendre.

— Veuillez me pardonner, madame. Je vous ai prise pour quelqu'un d'autre.

L'étreinte se relâcha. Marguerite aurait voulu s'enfuir, mais la peur lui avait enlevé tous ses moyens. Elle entrevit un homme vêtu de noir, dont le visage était dissimulé en partie par les rebords d'un haut-de-forme. L'homme enleva son chapeau et s'inclina poliment. Ses cheveux, d'un noir de jais, luisaient dans la clarté d'une lampe au kérosène déposée sur le bureau.

— Je me présente : Auguste Lenoir, président de l'agence Œil de Lynx, pour vous servir. Navré de vous avoir causé ce petit désagrément.

En relevant la tête, il révéla des yeux sombres, un nez aquilin, une bouche fine soulignée par une moustache légèrement tombante. Une cicatrice marquait sa joue droite.

— Je travaille en ce moment sur une affaire délicate et j'attendais un malandrin dont j'ai révélé les pratiques malhonnêtes. Au lieu de cela, j'ai le plaisir de recevoir votre charmante visite. Que puis-je faire pour vous être utile ?

La volubilité cordiale de celui qui s'était présenté comme Auguste Lenoir s'accordait si mal avec son accueil brutal que Marguerite en resta coite. Il désigna une chaise au tissu élimé par l'usage.

— Je vous en prie, madame, assoyez-vous et racontez-moi en toute confiance le but de votre visite.

Il parlait avec une aisance déconcertante, comme si rien d'inhabituel ne s'était produit. Marguerite hésita. L'homme sourit. Il avait des dents blanches et bien rangées, sauf une canine qui avançait légèrement et accentuait son air félin.

— Depuis que j'exerce l'honorable profession d'agent de renseignement, je n'ai jamais essuyé un seul échec. Résultats indéniables, preuves irréfutables : telle est ma devise.

Marguerite l'observa un moment. Il ne faisait pas de doute dans son esprit que ce Lenoir trempait dans des affaires louches et qu'il pouvait être dangereux, mais son éloquence et son assurance un brin arrogante la convainquirent qu'il était l'homme de la situation. Elle s'assit sur la chaise, lissant les plis de sa jupe.

— C'est une affaire délicate.

— Tous mes clients me consultent pour une affaire délicate, chère madame, répondit Lenoir en prenant place derrière son pupitre, ses longues mains croisées devant lui, son visage plongé dans une demi-pénombre. Je vous écoute.

— Cela concerne… ma fille. Elle se croit amoureuse d'un jeune homme, et…

Elle s'interrompit, étouffée par l'émotion. L'agent de renseignement poursuivit à sa place.

— Votre fille s'est enfuie avec ce jeune homme et vous souhaitez la retrouver afin de la convaincre de renoncer à ce malheureux coup de tête.

Marguerite soupira, soulagée que cet homme ait compris tout de suite la situation sans qu'elle ait besoin de s'expliquer. Auguste Lenoir la regarda avec gravité.

— Croyez-moi, vous n'êtes pas la première mère éplorée qui me confie le destin de sa fille.

L'espoir illumina le visage de Marguerite. L'agent l'observa de plus près. Il estima que sa cliente devait être âgée de quarante-deux à quarante-huit ans, bien qu'elle fût encore belle, avec son regard humide, sa peau blanche et sa bouche pulpeuse. Elle portait des vêtements de la meilleure qualité. Son parfum capiteux, qu'il avait respiré lorsqu'il la tenait contre lui, sentait la femme riche. Il pourrait sûrement en tirer une somme rondelette.

— Mais d'abord, voici mon tarif. Deux dollars l'heure. Minimum d'une journée de huit heures, payée à l'avance, comprenant l'enquête et un rapport détaillé. Les dépenses sont en sus. Je vous en fournirai une liste avec la note de frais.

— C'est cher, ne put s'empêcher de dire Marguerite.

Lenoir se leva, piqué.

— Si vous préférez aller voir ailleurs, libre à vous. Des dizaines d'escrocs qui se font passer pour des agents de renseignement vous feront un bon prix, mais ne trouveront pas votre fille.

Marguerite baissa la tête, honteuse.

— Le sort de Rosalie n'a pas de prix.

— À la bonne heure.

Lenoir reprit sa place, un mince sourire aux lèvres. Sa stratégie avait bien fonctionné, comme toujours. Les gens qui venaient le consulter étaient nécessairement aux abois, et donc aisément manipulables. Puis il s'empara d'une plume, qu'il trempa dans un encrier.

— Commençons par le commencement. Quel est votre nom, madame ?

— Marguerite Grandmont.

— Le prénom de votre fille ?

— Rosalie.

Lenoir griffonnait des notes dans un calepin écorné.

— Le nom de son amant ?

Marguerite hésita.

— Lucien. Lucien Latourelle.

Frappé par le ton avec lequel sa cliente avait prononcé ces derniers mots, l'agent cessa d'écrire, leva les yeux et remarqua de la rougeur aux joues de la femme. Il était normal que le nom de l'amant suscite une telle émotion chez une mère éplorée, mais son intuition lui dit qu'il y avait autre chose. Il continua à poser des questions précises sur les circonstances de la fugue de Rosalie Grandmont, les raisons pour lesquelles sa cliente croyait que sa fille et l'amant de celle-ci avaient fui à Montréal. Marguerite répondit du mieux qu'elle le put, évitant toutefois de faire allusion à sa liaison avec Lucien Latourelle.

— La dernière personne à avoir vu Rosalie est ma belle-fille, Fanette Grandmont.

Lenoir redressa la tête, une lueur d'intérêt dans les yeux.

— Que vient faire votre belle-fille dans cette histoire ?

Marguerite sortit de sa bourse les lettres de Rosalie et de Fanette qu'elle y avait rangées et les remit à Lenoir, qui les lut avec attention.

— Ainsi, cette Fanette Grandmont a réussi à retrouver votre fille, mais prétend ne pas savoir où celle-ci habite, dit l'agent, pensif.

— Je suis convaincue que Fanette ment pour la couvrir ! s'exclama Marguerite.

Regrettant sa véhémence, elle reprit, plus calmement :

— Ma belle-fille affirme qu'elle a revu Rosalie par hasard, et que ma fille a refusé de lui donner son adresse. C'est la raison pour laquelle je fais appel à vos services.

Le hasard... Quel paravent pratique pour ne pas dire la vérité, pensa l'agent.

— Vous a-t-elle dit au moins à quel endroit elles se sont rencontrées ?

— Dans la rue Saint-Paul, au marché Bonsecours.

Lenoir nota ce renseignement dans son calepin en faisant la moue.

— C'est vague.

— Elle a refusé de m'en dire davantage.

Il referma son calepin et se pencha vers sa cliente.

— J'ai peur que cette enquête ne s'annonce des plus difficiles.

C'était sa tactique favorite : annoncer le pire à ses clients pour ensuite les ébahir avec ses découvertes. Observant le visage de Marguerite, qui s'était assombri, il ajouta avec empressement :

— Mais je la retrouverai. Aussi vrai que je m'appelle Auguste Lenoir.

D'un geste spontané, Marguerite lui saisit les mains.

— Je ne sais comment vous remercier, monsieur Lenoir.

Il eut un frisson en sentant la peau douce de madame Grandmont sur la sienne, et huma de nouveau son parfum délicat. Son travail comportait rarement de tels moments de grâce, aussi attendit-il quelques instants avant de retirer ses mains.

— Vous me remercierez lorsque j'aurai retrouvé votre fille. Pendant que nous y sommes, il me faudrait une description détaillée d'elle et de Lucien Latourelle.

— J'ai quelque chose qui vous sera sans doute utile.

Marguerite fouilla de nouveau dans son sac et en sortit les esquisses de Rosalie et de Lucien, qu'elle tendit à l'agent. Ce dernier les examina avec intérêt. Il remarqua que l'un des dessins avait été froissé : celui du jeune homme. Ce détail l'intéressa.

— Ces esquisses sont-elles ressemblantes ? demanda-t-il.

— À s'y méprendre.

— Elles sont remarquables. Qui est l'artiste qui les a exécutées ?

— Ma belle-fille.

Décidément, cette mystérieuse Fanette Grandmont l'intriguait de plus en plus. Il brûlait d'envie de faire sa connaissance, mais pour le moment, il avait d'autres chats à fouetter.

— J'aimerais en savoir un peu plus sur votre fille. Est-elle petite, de taille moyenne, plutôt grande ?

— De taille moyenne.

— D'autres caractéristiques ?

Marguerite hésita.

— Vous devez tout me dire, madame Grandmont. N'omettez rien. Chaque détail est important.

— Rosalie a un pied bot, qui la fait boiter légèrement.

L'agent nota ce détail, qui lui serait sans doute utile.

— Maintenant, décrivez-moi l'amant de votre fille.

Au mot « amant », Marguerite pâlit, ce que l'agent de renseignement, qui l'observait discrètement, ne fut pas sans remarquer. Elle baissa les yeux et dit, d'une voix blanche :

— Il est de taille moyenne. Des traits réguliers. Cheveux blonds, bouclés. Yeux bleus. Il… il est d'une grande beauté.

Lenoir regarda les mains de sa cliente, qu'elle gardait croisées sur ses genoux, et constata qu'elles s'étaient crispées tandis qu'elle parlait. *Elle est amoureuse de l'amant de sa fille*, comprit-il. *Décidément, cette affaire devient de plus en plus intéressante.*

— Revenez dans une heure avec l'argent, madame Grandmont. Je commencerai alors mes recherches, toutes affaires cessantes. Où logez-vous ?

— À l'hôtel Rasco.

L'agent réprima un sourire satisfait. Le Rasco était l'un des hôtels les plus luxueux de Montréal. Il ne s'était pas trompé en pensant que sa cliente était riche. Marguerite s'attardait, mal à l'aise.

— Ces dessins... j'y tiens beaucoup.

— Je vous les remettrai sans faute, une fois l'enquête terminée.

Marguerite sourit ; son premier sourire depuis le début de l'entretien. *Jolies dents*, se dit l'agent en la suivant des yeux tandis qu'elle quittait le bureau, admirant la courbe de ses hanches, l'élégance de sa démarche. Depuis sa fuite de Paris, après l'échec du complot d'assassinat de Napoléon III auquel il avait participé, Lenoir avait été trop occupé à survivre pour avoir du temps à consacrer à la bagatelle. Cette femme lui semblait une proie facile. Il se promit de l'attirer dans son lit une fois que son enquête serait terminée. L'une de ses règles était de ne jamais mêler les affaires aux histoires galantes.

Lenoir rangea soigneusement les lettres et les portraits dans un dossier, puis fouilla dans sa redingote et en retira un pistolet, qu'il déposa sur son pupitre, à portée de main, tout en surveillant l'entrée du coin de l'œil. Il avait la certitude d'être suivi depuis quelque temps. Il pouvait s'agir de l'homme d'affaires dont il avait révélé les pratiques douteuses, ou pire, d'un sbire au service de l'empereur qui aurait retrouvé sa trace. D'une façon ou d'une autre, il devait rester vigilant.

Une heure plus tard, Marguerite Grandmont revint comme il avait été convenu et déposa une enveloppe sur le pupitre. L'agent en compta le contenu, approuva de la tête puis escorta sa cliente vers la porte, impatient de se consacrer à sa nouvelle enquête. Lorsque la dame fut partie, il ouvrit le dossier, examina longuement les dessins représentant Rosalie

Grandmont et Lucien Latourelle, comme pour en imprimer chaque trait dans son cerveau. Puis il relut à plusieurs reprises les lettres que madame Grandmont lui avait remises. Il n'aimait rien autant que les débuts d'une enquête, ces éléments disparates qui semblaient n'avoir qu'un lien ténu entre eux et qu'il fallait assembler, ces indices masqués par une multitude de détails qu'il fallait écarter un à un pour découvrir la vérité. Ses années comme chef adjoint à la Sûreté de Paris lui étaient évidemment fort utiles, mais c'était surtout sa vie de bagnard qui lui avait appris à ne croire en rien ni en personne et à déchiffrer les âmes d'un seul regard. À cette évocation du bagne, une haine sourde s'insinua dans ses veines. C'est cette haine, plus que n'importe quel sentiment, qui le gardait en vie.

LXI

Trois jours plus tard

Son panier au bras, Rosalie se rendit au marché Bonsecours pour y faire ses emplettes. Après la visite de Fanette, qui l'avait avertie de la présence de sa mère à Montréal, elle avait évité d'y aller durant quelques jours, faisant plutôt ses achats au marché Saint-Antoine, à l'angle des rues Saint-Jacques et de la Montagne. Mais comme le marché Saint-Antoine était trop loin de la maison de chambres pour qu'elle puisse s'y rendre à pied, il lui avait fallu prendre un fiacre, et ses maigres économies en avaient souffert. Elle avait donc décidé de retourner à Bonsecours, se disant que les risques que sa mère la retrouve dans cet endroit immense, aux nombreux étals et magasins, où il y avait presque toujours foule, étaient minimes. Et quand bien même une telle situation se produirait, se raisonnait-elle, sa mère ne pourrait pas la forcer à revenir à Québec.

Passant devant le bureau de poste, Rosalie décida de s'y arrêter. Depuis la lettre de refus envoyée par la maison d'édition parisienne, il n'y en avait pas eu d'autres. Pas de nouvelles non plus du côté des imprimeurs où elle avait déposé des exemplaires du recueil de poésie de Lucien, qu'elle avait pris la peine de recopier entièrement à la main. Elle n'avait pas le courage d'y retourner, craignant une réponse négative. Lucien commençait à montrer des signes d'impatience et de découragement, et était même parfois désobligeant avec elle, comme s'il la tenait responsable de ses propres échecs. Il avait presque cessé d'écrire, jetant au panier les quelques phrases qu'il réussissait à pondre de peine et de misère. À son insu, Rosalie récupérait les feuillets un à un, les dépliait soigneusement et les cachait sous le matelas, convaincue que tout ce qu'écrivait Lucien valait de l'or et qu'un jour il lui serait reconnaissant d'avoir ainsi conservé ses brouillons.

Heureusement, il n'y avait presque personne devant le comptoir postal. Lorsque ce fut son tour, le postier, qui commençait à la connaître, à force de la voir presque chaque jour, secoua la tête. Rosalie ravala sa déception et sortit. Un étourdissement l'obligea à s'arrêter. Elle s'appuya contre un lampadaire, attendant que son malaise passe. La veille, en gravissant l'escalier qui menait à leur chambre, elle avait ressenti le même trouble, accompagné d'une légère nausée. La fatigue et l'anxiété en étaient sans doute la cause. La situation financière du jeune couple était de plus en plus précaire. Avec son diplôme de l'École normale et son expérience d'enseignante, Rosalie espérait trouver un poste de préceptrice ou de gouvernante dans une famille aisée de l'ouest de la ville. Elle consultait de temps en temps les annonces dans les journaux qu'elle achetait pour Lucien, espérant y voir un emploi qui lui conviendrait, mais jusqu'à présent ses recherches étaient demeurées vaines.

Après avoir pris une grande inspiration, Rosalie poursuivit son chemin et s'arrêta à l'étal de la boulangerie, rue Saint-Paul, où elle avait l'habitude d'acheter son pain. Elle choisit la miche la plus petite. Elle extirpa de sa bourse quelques sous qu'elle donna à la boulangère, puis plaça le pain dans son panier. S'éloignant sur le trottoir, elle sentit le regard de la marchande dans son dos et tâcha de masquer sa claudication. Rien ne la blessait davantage que ce regard plein de compassion que lui jetaient la plupart des gens. Elle avait envie de leur crier : « Je suis infirme, j'ai un pied bot, et cela ne m'empêche pas d'être aimée par le plus beau poète de la terre ! »

Elle croisa un mendiant qui était adossé au mur d'un immeuble et tendait la main. Bien qu'elle fût probablement presque aussi pauvre que lui, elle lui donna une pièce de cinq sous. Il lui fit un sourire qui ressemblait davantage à une grimace, dévoilant des dents noirâtres. Réprimant un frisson, elle tâcha de marcher plus vite, malgré son pied bot qui commençait à l'élancer.

~

Le mendiant glissa la piécette dans sa poche, puis attendit quelques secondes et se redressa, ne perdant pas de vue la passante qui lui avait fait l'aumône. Depuis trois jours, Auguste Lenoir, déguisé en vagabond, arpentait la rue Saint-Paul, passant des heures à observer les badauds. Parfois, il s'arrêtait à un coin de rue pour quêter, choisissant un endroit d'où il avait une bonne perspective du marché. Sa patience avait enfin été récompensée. Cette jeune femme était bien celle qu'il cherchait. Lorsqu'elle s'était penchée vers lui pour lui donner la pièce, il avait pu examiner son visage de près. C'était celui du dessin, trait pour trait. Le fait qu'elle boite avait achevé de le convaincre qu'il s'agissait bien de Rosalie Grandmont.

Lenoir se mit à marcher dans la même direction que la jeune femme, prenant soin de maintenir une bonne distance afin qu'elle ne se rende pas compte qu'elle était suivie. Il la perdit de vue pendant quelques secondes. Anxieux, il pressa le pas, puis l'entrevit dans la foule qui déambulait sur le trottoir. *Je la tiens,* se dit-il. Ses muscles étaient tendus, comme ceux d'un félin s'apprêtant à sauter sur sa proie. Il la vit soudain traverser la rue Saint-Paul. Bousculant une ménagère qui transportait un panier rempli de provisions, il franchit la rue à son tour. Une calèche dut s'arrêter brusquement pour l'éviter. Le cocher agonit Auguste Lenoir d'injures, mais celui-ci continua sa course, indifférent aux insultes, les yeux rivés sur celle qu'il poursuivait.

Une fois parvenu de l'autre côté, l'agent de renseignement chercha la jeune femme des yeux et la vit s'éloigner dans la rue Bonsecours, en direction de Notre-Dame. Il marcha un peu plus rapidement pour la rattraper. Rosalie Grandmont se retourna soudain. Il lui sembla qu'elle regardait dans sa direction. Craignant qu'elle ne l'ait repéré, Lenoir n'eut que le temps de se dissimuler derrière une porte cochère. Le rythme de son cœur s'était accéléré, à cause de sa course autant que de l'excitation de la poursuite. La jeune femme s'était remise à marcher. Il attendit un moment et lui emboîta le pas, s'efforçant de ralentir lorsqu'il s'approchait un peu trop d'elle.

Une fois parvenue à la rue Notre-Dame, Rosalie la traversa et marcha vers l'est. L'agent la suivit, prenant soin toutefois de rester de l'autre côté de la rue. La jeune femme s'arrêta devant un immeuble de pierre, à quelques pas de l'intersection. Elle y entra. Lenoir fit un effort pour ne pas l'y rejoindre en courant. Ce n'était surtout pas le moment de se faire repérer. Il attendit cinq minutes puis, constatant que la jeune femme ne ressortait pas, traversa la rue à son tour et s'approcha de l'édifice. La porte s'ouvrit soudain. Lenoir recula et s'appuya contre un mur, tenant son vieux chapeau devant lui pour jouer de nouveau son rôle de mendiant. Une femme sortit. Son maquillage voyant et sa tenue provocante ne lui laissèrent aucun doute sur le fait qu'elle pratiquait le plus vieux métier du monde. Il attendit qu'elle s'éloigne et pénétra dans l'immeuble.

Une loge se trouvait au fond d'un hall crasseux, dont la porte était entrouverte. En y jetant un coup d'œil, Lenoir vit une femme sans âge rencognée dans un vieux fauteuil. Elle somnolait.

— Madame, dit-il d'une voix forte.

La femme se réveilla en sursaut et jeta un regard furibond au mendiant.

— Allez-vous-en ! glapit-elle. Vous savez pas lire ?

Elle indiqua une pancarte collée sur le mur sur laquelle était inscrit, en lettres tracées avec négligence : *Pas de solicitation*.

— Le mot « sollicitation » s'écrit avec deux *l*, répondit Lenoir d'un ton sarcastique.

La logeuse voulut répliquer, mais il la coupa durement :

— Je suis de la police. Je viens de voir une prostituée sortir de chez vous. Si vous ne collaborez pas, je vous arrête pour atteinte aux bonnes mœurs.

Muette de terreur, la femme balbutia.

— J'ai toujours respecté la loi, m'sieur l'agent.

Lenoir sortit de son sac informe le dessin que Marguerite lui avait remis et le montra à la logeuse, qui le prit, les mains tremblantes.

— Reconnaissez-vous cette jeune femme ? dit-il d'un ton brusque.

La logeuse acquiesça.

— Elle a loué une chambre, au cinquième étage.

— Sous quel nom ?

— Attendez que je vérifie...

Fouillant dans un vieux cahier couvert de taches, la logeuse trouva la réponse.

— Marie Bernier.

Ce n'était pas le nom de la personne qu'il cherchait, mais une jeune femme en fugue n'allait pas donner sa véritable identité...

— Habite-t-elle seule ?

Devenant encore plus nerveuse, la femme se tut. L'agent de renseignement devint plus menaçant.

— Parlez, où je vous embarque.

— Elle habite avec un jeune homme. Moi, j'étais sûre qu'ils étaient mariés, la jeune dame semblait si bien élevée.

— À quoi ressemble-t-il ?

— Un très joli garçon. De beaux cheveux blonds, bouclés, comme ceux d'un ange.

Lenoir acquiesça. Cette description correspondait en tout point à celle que lui avait faite Marguerite. La logeuse ajouta, comme pour faire bonne mesure :

— À se demander ce que ce beau jeune homme fait avec une pauvre infirme, car elle boite, vous savez. Mais que voulez-vous, tous les goûts sont dans la nature.

Car elle boite, vous savez... Il n'avait plus aucun doute que cette Marie Bernier était bel et bien Rosalie Grandmont.

— Depuis combien de temps sont-ils ici ?

— Une couple de semaines.

Lenoir reprit le dessin, le remit dans son sac et partit avant d'éveiller la méfiance de la logeuse. Une fois dehors, il s'éloigna à pas rapides, content de lui. Cette enquête avait finalement été un jeu d'enfant. Quelques jours de surveillance, sous un déguisement rudimentaire, et voilà que Rosalie Grandmont s'était présentée à lui comme une fleur.

De retour à son bureau, il décida d'attendre encore un jour ou deux avant de convoquer Marguerite Grandmont pour lui annoncer la bonne nouvelle. Il augmenterait ainsi substantiellement sa note de frais, tout en gardant sa cliente dans un état d'anxiété qui la rendrait encore plus vulnérable. Elle tomberait dans ses bras comme un fruit mûr. Un frisson d'expectative lui parcourut l'échine. Il lui semblait qu'un peu de son parfum capiteux flottait encore dans la pièce.

LXII

Fanette finissait de boucler ses valises lorsqu'elle entendit la cloche qui annonçait le souper. Elle descendit à la salle à manger. Marie-Rosalie y était déjà, jouant avec la chienne George. La chaise de tante Madeleine était vide. Cette dernière arriva, le teint gris et l'air maussade. Le souper fut morne. Madeleine, qui d'habitude n'avait pas la langue dans sa poche, parla par monosyllabes durant tout le repas, malgré les efforts de Fanette pour relancer la conversation. Seul le bavardage de Marie-Rosalie mettait un peu d'animation. Berthe, se désolant que sa maîtresse eût à peine touché à son repas, retourna à la cuisine en maugréant. Même la chienne George alla se coucher dans un coin, le museau entre ses pattes, comme si elle sentait l'humeur sombre de sa maîtresse et se mettait au diapason.

Quand la table fut débarrassée, Fanette donna un bain à Marie-Rosalie dans une grosse cuve de bois qui se trouvait dans une salle d'eau, à l'arrière de la cuisine, puis la mit au lit. Elle-même n'allait pas tarder à faire sa toilette et à se coucher. Le départ du *Montréal* était prévu pour huit heures le lendemain. Elle souhaitait se lever tôt et arriver au quai Albert à l'avance, comme elle l'avait fait au départ de Québec. Elle s'apprêtait à se déshabiller lorsqu'elle entendit frapper à la porte, qui s'entrouvrit. Berthe était debout sur le seuil, le visage aussi pâle que son bonnet.

— Pardon de vous déranger. Ma'me Portelance est au plus mal.

Le ton et la mine affolés de la servante faisaient un vif contraste avec sa bonhomie coutumière. Inquiète, Fanette la suivit jusqu'à la chambre de sa tante. Celle-ci était étendue dans son lit et se tordait de douleur.

— Qu'avez-vous, ma tante ? s'écria Fanette, inquiète.

— Un mal de chien.

— Où avez-vous mal ?

Madeleine plaça ses mains sur ses joues.

— Aux dents. C'est horrible. Comme si mes gencives étaient transpercées d'aiguilles.

Son visage ruisselait de sueur. De larges cernes creusaient ses yeux.

— Y a-t-il un médecin dans le voisinage ?

— Je ne veux pas de médecin, gémit Madeleine.

— Ma tante, vous avez très mal, il faut vous faire soigner.

— Plutôt crever que d'être entre les mains d'un médecin. Laisse-moi mourir en paix, ma chère nièce. Adieu. Que Dieu te bénisse. Je doute qu'Il existe pour me faire souffrir ainsi, mais qu'Il te bénisse tout de même au cas où.

Fanette se tourna vers la servante, la prit à part.

— Madame Berthe, connaissez-vous un médecin ?

La servante secoua la tête.

— Il y en a sûrement un dans le quartier. Je sors le trouver, dit Fanette à mi-voix. Ma fille dort. Si jamais elle se réveille, prenez soin d'elle.

Mettant en hâte un chapeau et des gants, Fanette se munit d'une lanterne et sortit. La rue Saint-Denis était déserte. Le ciel était couvert. Des lampadaires au gaz jetaient une lumière oblique sur les trottoirs de bois. Le vent se leva et fit tourbillonner de la poussière. Fanette parcourut une partie de la rue, s'arrêtant devant chaque maison en levant sa lanterne dans l'espoir de voir le nom d'un médecin gravé sur une plaque. Jusqu'à présent, elle n'avait pas vu âme qui vive. Elle remarqua qu'il y avait de plus en plus de commerces, tous fermés à cette heure tardive. Le découragement commençait à la gagner lorsqu'elle aperçut un passant qui marchait de l'autre côté de la rue, dans la même direction, tenant son haut-de-forme d'une main pour qu'il ne parte pas au vent. Elle traversa la rue et l'interpella.

— Pardon, monsieur, savez-vous où je pourrais trouver un médecin près d'ici ? Ma tante est très souffrante.

L'homme se tourna vers elle. Il portait de larges favoris poivre et sel et avait une mine affable.

— Mon voisin est médecin. Le docteur Brissette. Il habite à quelques pâtés de maisons. Je retournais justement chez moi. Je vous y conduis, si vous voulez.

Reconnaissante, Fanette suivit l'homme aux favoris jusqu'à une maison de briques d'allure bourgeoise.

— Le docteur Brissette est au deuxième. Je vois de la lumière, il devrait être chez lui.

— Je ne sais comment vous remercier, monsieur...

— Hubert Trottier. J'espère que votre tante se rétablira au plus tôt.

Il la salua poliment et se dirigea vers l'immeuble voisin, dont le rez-de-chaussée était la devanture d'un magasin de tissus. Franchissant l'escalier de la maison de briques, Fanette se rendit jusqu'au deuxième palier, éclairé par une lampe murale. Une plaque de cuivre avait été vissée à côté de la porte.

Dr Armand Brissette, MD

Elle frappa à l'aide du heurtoir. Après un moment, on ouvrit. Un homme dont les manches étaient roulées jusqu'aux coudes, la lavallière défaite, se tenait sur le seuil. Il avait un visage poupin, et une fossette au menton accentuait son air juvénile.

— Vous êtes le docteur Brissette ? demanda Fanette, la mine anxieuse.

— Lui-même, dit-il en renouant sa lavallière, mal à l'aise d'être en tenue négligée devant une jolie jeune femme.

— Ma tante est très souffrante. Elle ne veut pas voir de médecin, mais elle a besoin de soins.

— De quoi souffre-t-elle, au juste ?

— D'une rage de dents.

Il sourit.

— Ça tombe bien, j'ai suivi un cours en dentisterie. Votre tante habite-t-elle près d'ici ?

— À une dizaine de rues.

— Attendez-moi quelques minutes, le temps de prendre ma sacoche.

Une forte averse se mit à tomber. Une rafale de vent et d'eau s'engouffra dans le vestibule. Le médecin jeta un regard embarrassé à Fanette.

— Préférez-vous attendre à l'intérieur ?

— Merci.

Elle entra. Il referma la porte, effleurant de sa manche une épaule de la jeune femme, car l'espace était exigu. Son visage se colora.

— Pardon.

Il se précipita dans son logement, manquant de renverser une lampe qui se trouvait sur un guéridon. Fanette le regarda s'éloigner avec inquiétude, se demandant si le jeune médecin serait à la hauteur. Comme promis, il revint après quelques minutes. Il portait un chapeau rond ainsi qu'une vieille redingote de gabardine, tenait une sacoche usée dans une main et un parapluie noir dans l'autre.

— Malheureusement, le cabriolet de mon père est en réparation chez le carrossier, nous devrons nous rendre chez votre tante à pied. Mon père est à la retraite, je viens juste de reprendre sa pratique. Je n'ai pas encore les moyens de m'acheter une voiture.

Ouvrant le parapluie, le médecin laissa Fanette le précéder, puis referma la porte derrière lui. Il pleuvait des clous.

— Prenez le parapluie, mademoiselle. Je vous suivrai.

— Mais vous serez trempé.

— Aucune importance.

Fanette s'empara du parapluie et descendit l'escalier, suivie par le médecin. La pluie était si forte qu'elle ruisselait de son chapeau. Pressée de retourner chez sa tante, la jeune femme marchait à pas rapides. Le médecin avait peine à la suivre.

— Nous y sommes, dit Fanette.

Le pauvre docteur était mouillé des pieds à la tête. Berthe ouvrit la porte, tenant un bougeoir à la main. De toute évidence, elle avait guetté leur arrivée.

— Dépêchez-vous. La pauvre n'en mène pas large. Sa chambre est à l'étage.

Sans prendre le temps d'enlever son chapeau, le médecin s'engagea dans l'escalier. Berthe lui emboîta le pas, constatant avec mécontentement qu'il laissait des traces humides sur le tapis. Fanette les suivit, tenant sa lanterne devant elle. Des gémissements leur parvinrent.

— C'est George, murmura la servante. Depuis tantôt, la pauvre gémit à fendre l'âme.

Le docteur Brissette fronça les sourcils, trouvant étrange que la tante de la jeune femme porte un prénom masculin. Fanette ne put s'empêcher de sourire.

— Il s'agit d'un chien. Une femelle basset.

— Une femelle qui porte un nom masculin ?

— C'est en hommage à George Sand.

Le docteur Brissette hocha la tête, perplexe. Il n'avait jamais entendu parler de ce George Sand et n'osa demander de qui il s'agissait, de crainte de passer pour un ignorant. La voix de Madeleine se fit entendre.

— Alcidor, procédez rapidement, par pitié !

— Donc, cet Alcidor, c'est le mari, conclut le médecin.

— Ma tante est célibataire. Alcidor est son homme à tout faire, expliqua Fanette, se demandant avec anxiété ce que le serviteur faisait dans la chambre de Madeleine.

Une fois qu'ils furent parvenus au premier étage, Berthe les mena vers la chambre de sa maîtresse. Un spectacle inusité les y attendait. Madeleine était assise dans son lit, le dos soutenu par des oreillers, tenant une bouillotte sur sa joue droite. La chienne George était couchée au pied du lit et regardait sa maîtresse avec ses grands yeux éplorés tout en poussant des plaintes qui ressemblaient à des pleurs. Alcidor était debout devant sa patronne, tenant dans une main une paire de tenailles qu'il s'apprêtait à faire pénétrer dans la bouche de la pauvre femme. Le docteur Brissette se précipita vers le serviteur.

— Que faites-vous, malheureux ?

— J'vas lui arracher sa dent malade.

— Espèce de ramancheur ! Je vous interdis de toucher à un cheveu de cette femme !

Le docteur était devenu rouge comme une pivoine. Alcidor haussa les épaules.

— C'est comme ça que je soigne les chevaux, et y s'en portent pas plus mal.

— Un être humain n'est pas un animal. Sortez de cette chambre ! Et pour l'amour du ciel, débarrassez-nous de ce cabot !

Alcidor partit sans demander son reste, entraînant le basset avec lui. Madeleine jeta un regard furibond au jeune homme. La colère lui avait fait presque oublier la douleur.

— Qui êtes-vous ? Que faites-vous dans ma chambre ? Comment osez-vous donner des ordres dans ma propre maison ?

La douleur la fit grimacer. Elle replaça la bouillotte sur sa joue.

— Je suis le docteur Brissette. Je suis ici pour vous soigner.

Madeleine se tourna vers Fanette, furieuse.

— Je t'avais dit que je ne voulais pas de médecin. En plus, c'est un enfant !

Le docteur Brissette se rebiffa.

— J'ai vingt-cinq ans bien sonnés, et j'ai été reçu parmi les premiers de ma promotion, dit-il.

Madeleine l'ignora.

— Je refuse d'être soignée par ce freluquet.

Une douleur lancinante lui traversa la mâchoire. Elle se rabattit sur ses oreillers. La bouillotte glissa par terre.

— Mon Dieu, achevez-moi.

Fanette déposa sa lanterne sur une commode, s'approcha de sa tante et lui prit les mains.

— Vous ne pouvez pas continuer à souffrir ainsi. Donnez-lui au moins une chance de vous soulager.

Le jeune médecin haussa les épaules, l'air de dire : comment voulez-vous que je soigne une harpie pareille ? Contre toute attente, Madeleine abdiqua. Sa souffrance était sans doute pire que sa haine des médecins.

— Soit. Je me remets entre ses mains.

Elle tourna la tête vers le médecin.

— Si vous faites cesser cette douleur, j'aurai peut-être un peu plus de respect pour votre profession.

Levant les yeux au ciel, le docteur Brissette s'avança néanmoins vers sa patiente. Aussi malcommode fût-elle, il avait le devoir de la soigner.

— Je vous en prie, madame, cessez de parler un instant et ouvrez votre bouche.

Saisie malgré elle par le ton ferme du médecin, Madeleine obéit. Le docteur sortit un abaisse-langue de son sac, monta la mèche d'une lampe à pétrole qui se trouvait sur une table de chevet de façon à ce que le visage de sa patiente fût en pleine lumière, puis examina attentivement l'intérieur de la bouche à l'aide de son instrument.

— C'est un abcès. Une dent de sagesse, au maxillaire supérieur droit. L'abcès est bien mûr. Il faut le percer.

— Ça fera mal ? balbutia Madeleine, plus morte que vive.

— Certainement pas plus que ce que vous souffrez en ce moment.

— Et si vous ne faites rien ?

— L'abcès risque de s'étendre et de causer un empoisonnement du sang qui pourrait s'avérer mortel.

Madeleine, résignée, ferma les yeux.

— Percez, percez donc au plus vite, qu'on en finisse.

Le docteur Brissette se tourna vers Fanette et la servante. Son visage avait soudain un air d'autorité et de confiance qui atténuaient son aspect enfantin.

— Apportez-moi une bassine d'eau très chaude, du savon, des linges et de la gaze propres.

Les deux femmes sortirent. Après s'être d'abord assurée que sa fille dormait toujours, Fanette descendit à la cuisine, suivie par la servante. Elles revinrent dix minutes plus tard avec ce que le médecin avait demandé. Celui-ci se lava les mains dans la bassine et les essuya avec un linge. Puis il fouilla de nouveau dans sa sacoche et en sortit une bouteille de verre munie d'un vaporisateur. Il s'adressa à sa patiente :

— Je vais vaporiser la portion de la gencive qui sera incisée avec une solution de chlorure d'éthyle.

— Qu'est-ce que c'est ? demanda Madeleine, anxieuse.

— Un anesthésiant. Ensuite, je pratiquerai l'incision.

Il parla à Fanette à mi-voix.

— Avez-vous peur du sang ?

Prise de court par la question du médecin, Fanette secoua la tête.

— Je ne crois pas.

— À la bonne heure. J'ai besoin de vous pour m'assister. Mais il faut d'abord vous laver les mains.

Fanette acquiesça tandis que le médecin s'adressait à Madeleine :

— Gardez la bouche grande ouverte.

Madeleine fit ce qu'on lui demandait. La bouteille de chlorure d'éthyle à la main, le docteur l'approcha de la bouche de sa patiente et aspergea généreusement la portion de la gencive qu'il voulait anesthésier.

— Je vous avertis, le goût est un peu amer.

— C'est atroce, un véritable supplice ! marmotta Madeleine, faisant la grimace.

— Préférez-vous souffrir ? fit-il, flegmatique.

Elle se tut. Le médecin déposa la bouteille sur la table et leva les yeux vers Fanette.

— Prenez une paire de ciseaux dans le coffret et coupez quelques bandes de gaze.

Fanette s'exécuta. Le docteur Brissette choisit alors un bistouri. Madeleine, qui suivait des yeux chacun de ses mouvements, devint blanche comme de la cire en voyant l'instrument.

— Je vous conseille de fermer les yeux, dit le médecin.

Elle obtempéra sans se faire prier.

— Continuez d'ouvrir la bouche bien grande, poursuivit-il. Si jamais la douleur est intolérable, je compte sur vous pour me le signaler.

Le docteur Brissette introduisit le scalpel dans la bouche de sa patiente et fit une incision dans la gencive au-dessus de la molaire infectée. Madeleine crispa les poings mais resta silencieuse. Après un moment, il s'adressa à Fanette, tout en gardant sa patiente à l'œil :

— Donnez-moi une bande de gaze.

La jeune femme lui tendit en silence un morceau de tissu. Le médecin l'appliqua sur la plaie. Lorsqu'il retira la bande, elle était couverte de sang et de pus. Fanette détourna les yeux et une nausée la submergea. Le docteur Brissette se rendit compte de son malaise.

— Vous pouvez sortir, je me débrouillerai seul.

Fanette se ressaisit.

— Je veux rester.

Sans attendre que le médecin en fasse la demande, Fanette lui donna une autre bande de gaze. Il lui sourit avec reconnaissance, ce qui accentua la fossette qu'il avait au menton, et appliqua la bande sur la plaie, qui saignait moins abondamment.

— Tout se passe à merveille, dit-il à la pauvre Madeleine, qui n'en menait pas large et fermait les yeux si fort qu'un réseau de rides s'était formé autour de ses paupières. Votre abcès est presque vidé. Il ne me reste qu'à désinfecter la plaie et à la panser.

Il prit de la teinture d'iode dans sa sacoche, en badigeonna la gencive incisée, puis déchira un petit morceau de gaze propre dont il fit une mèche qu'il introduisit dans la plaie pour prévenir les écoulements. Il se redressa. De la sueur perlait sur son front.

— Voilà, c'est fait.

Il sortit un mouchoir d'une poche de sa redingote et se tamponna le front.

— Je l'avoue, c'était la première fois que je pratiquais ce genre d'intervention. Je suis ravi du résultat.

Madeleine ouvrit brusquement les yeux.

— La première fois ?

Elle tenta de se redresser, mais la fatigue et la douleur l'en empêchèrent.

— Aïe…

Le médecin tendit une petite fiole à Fanette.

— Du laudanum. Trois gouttes dans un verre d'eau, cela aidera votre tante à dormir et atténuera la douleur.

Fanette prit le flacon.

— Merci, docteur. Combien vous doit-on ?

Il fit un geste désinvolte de la main.

— Rien ne presse. Avec votre permission, je reviendrai en début de matinée demain pour voir comment votre tante se porte.

Pendant que le docteur Brissette lavait soigneusement ses instruments avant de les ranger dans sa sacoche, Fanette suivit sa recommandation et mit quelques gouttes de laudanum dans un verre d'eau, qu'elle fit boire à sa tante. Celle-ci était trop épuisée pour protester. Lorsque le médecin fut prêt à partir, son sac à la main, Fanette l'escorta jusqu'à la porte de la demeure.

— Il faudra veiller sur elle, dit-il à mi-voix. Si jamais une fièvre se déclarait durant la nuit, n'hésitez pas à venir me chercher.

S'attardant sur le seuil, il ajouta :

— Avec tout cela, je n'ai pas eu le temps de vous demander votre nom, mademoiselle.

— Fanette Grandmont.

— Vous avez démontré beaucoup de sang-froid durant cette intervention, mademoiselle Grandmont. Je vous en félicite.

— Mon mari avait commencé des études en médecine. Il m'en parlait souvent.

En entendant le mot « mari », le jeune médecin ressentit un pincement au cœur. Mais l'emploi du passé l'intrigua.

— Vous dites que votre mari avait commencé des études en médecine. Les a-t-il terminées ?

Le visage de Fanette se rembrunit.

— Il est mort avant d'avoir obtenu sa licence.

Le docteur Brissette ôta son chapeau.

— Pardonnez-moi. Toutes mes condoléances.

Il remit son chapeau et s'éloigna à pas rapides. Son cœur battait la chamade. *Mais qu'est-ce qui te prend, nom de Dieu ? Il suffit qu'une jolie femme soit veuve pour que tu t'emballes comme un gamin.* Mais c'était plus fort que lui. Dès qu'il l'avait aperçue dans son vestibule et qu'il avait involontairement frôlé son épaule, il avait éprouvé une émotion singulière. Il se mit à chantonner à mi-voix.

Vive la Canadienne, vole, mon cœur, vole,
Vive la Canadienne, et ses jolis yeux doux.
Et ses jolis yeux doux, doux, doux,
Et ses jolis yeux doux.
Et ses jolis yeux doux, doux, doux,
Et ses jolis yeux doux.

Fanette remonta à la chambre de sa tante, qui dormait. Elle la couvrit et s'installa dans un fauteuil à côté du lit. Elle-même tombait de sommeil mais ne voulait pas laisser Madeleine sans surveillance. Appuyant la tête sur le dossier du fauteuil, la jeune femme ne put résister à la tentation de fermer les yeux. L'épuisement de cette longue journée et le tic-tac régulier de l'horloge eurent raison d'elle, et elle se mit à somnoler. La voix de sa tante la tira de son demi-sommeil.

— Va dormir, ma pauvre enfant. Je t'ai assez causé d'ennuis comme ça.

La diction de Madeleine était laborieuse, à cause du pansement et du laudanum.

— Le docteur Brissette m'a recommandé de veiller sur vous.

— Je n'ai pas besoin des conseils de ce blanc-bec, marmonna Madeleine. Va. Je t'assure que je vais mieux.

À moitié rassurée sur le sort de sa tante, Fanette reprit sa lanterne.

— N'hésitez pas à m'appeler si vous avez besoin de quoi que ce soit.

Revenant à sa chambre, Fanette se dirigea vers son lit, marchant avec précaution pour ne pas réveiller sa fille. Elle faillit trébucher sur la malle qui était au pied de son lit. *Mon Dieu, le bateau.* Les derniers événements lui avaient fait complètement oublier le départ pour Québec. Il lui faudrait retarder le voyage de quelques jours. Il n'était pas question d'abandonner sa tante dans l'état où elle était. Il lui faudrait penser également à envoyer un télégramme à Emma, pour l'avertir de la situation. Elle se déshabilla rapidement, mit sa robe de nuit, posa la tête sur l'oreiller et s'endormit aussitôt tellement elle était épuisée.

LXIII

Fanette dormit comme une bûche jusqu'au petit matin. Des coups frappés à sa porte la réveillèrent. Les souvenirs des événements de la veille lui revinrent peu à peu en mémoire. *Pourvu que rien de fâcheux ne soit arrivé à ma tante durant la nuit !* Elle se leva d'un bond, mit sa robe de chambre et se hâta d'ouvrir la porte. Berthe était debout sur le seuil.

— Votre tante veut vous voir. C'est pour une affaire pressante, qu'elle dit.

Craignant le pire, Fanette suivit la servante vers la chambre de Madeleine. Le visage de cette dernière avait encore une vilaine teinte cireuse et ses yeux, profondément cernés, trahissaient une grande fatigue.

— Ah, Fanette, je suis au désespoir. Je dois livrer le premier chapitre de mon nouveau feuilleton ce matin, mais cette satanée rage de dents m'a laissée sur le carreau. Pourrais-tu aller le porter au journal à ma place ?

— Bien sûr, ma tante.

— Tu trouveras les feuillets sur mon secrétaire.

— À qui dois-je les remettre ?

— À Point final.

Fanette resta interdite un instant, puis se rappela qu'il s'agissait du surnom du rédacteur en chef de *L'Époque*.

— Quel est son vrai nom ?

— Prosper Laflèche. Il a l'air grincheux au premier abord, mais au fond, ce n'est pas un mauvais bougre. Donne-lui mon chapitre en main propre. Alcidor te conduira au journal dans ma calèche.

Madeleine ferma les yeux. Le seul fait de prononcer ces quelques phrases l'avait épuisée.

— Vous pouvez compter sur moi, ma tante.

Fanette retourna à sa chambre. Marie-Rosalie, déjà réveillée, avait ouvert une valise et en avait éparpillé tout le contenu sur le sol. Retenant un soupir, Fanette rangea les vêtements tout en expliquant à sa fille que sa grande-tante était malade et que leur départ pour Québec serait retardé de quelques jours.

— Je lui ai promis d'aller porter un document pour elle à son journal. Je serai de retour dans une petite heure.

Marie-Rosalie insista tant pour l'accompagner que Fanette finit par céder de bonne grâce. La visite d'un journal l'amuserait peut-être.

Après le déjeuner, Fanette se rendit dans le bureau de sa tante. Comme celle-ci le lui avait indiqué, des feuillets étaient déposés sur son écritoire. Sur la page de garde figurait le titre du feuilleton, *Perdition*, que Madeleine avait écrit en lettres carrées. Juste en dessous se trouvaient les mots : « Un nouveau feuilleton de Jacques Gallant ». Fanette rassembla les feuillets, intriguée. Jacques Gallant ? C'était sans doute le nom d'emprunt de sa tante.

Elle glissa les pages dans une enveloppe puis alla chercher Marie-Rosalie dans la cuisine, après quoi elle se rendit avec sa fille aux écuries et fit atteler la calèche par Alcidor, lui expliquant qu'il devait d'abord se rendre au journal *L'Époque*. Ensuite, il irait au port afin qu'elle réserve de nouvelles places sur le *Montréal*. Le cocher, qui était d'un naturel plutôt bavard, arborait une mine maussade. Il attela la calèche sans mot dire tandis que Marie-Rosalie grimpait sur le siège sans l'aide de sa mère, les joues roses d'excitation à la perspective d'une promenade en voiture.

En roulant dans la rue Saint-Denis, la voiture croisa le docteur Brissette, qui marchait à pas vifs en direction de la maison de Madeleine Portelance, un sourire rêveur aux lèvres. En apercevant le médecin, Alcidor se renfrogna.

— « Ramancheur », maugréa-t-il. Y a du monde qui vient me voir de partout pour se faire arracher une dent. J'ai jamais fait de mal à personne.

Fanette ne répondit pas. Elle avait été horrifiée en voyant Alcidor brandir ses pinces et avait été soulagée lorsque le docteur Brissette s'était interposé, mais elle ne voulait pas blesser davantage l'amour-propre du serviteur.

∽

Le docteur Brissette était si absorbé par ses pensées qu'il ne vit pas la calèche passer devant lui. Il n'avait pour ainsi dire pas dormi de la nuit tellement son esprit avait été accaparé par Fanette Grandmont. Pourtant, les jolies femmes ne manquaient pas, et certaines lui tournaient autour, surtout depuis qu'il avait obtenu sa licence de médecin et possédait maintenant son propre cabinet. Mais, jusqu'ici, aucune d'elles n'avait réussi à gagner son cœur. Le jeune homme avait fini par se dire avec philosophie qu'à force de se montrer trop exigeant il finirait vieux garçon. Puis Fanette Grandmont avait sonné chez lui, et tout avait changé. Certes, la beauté de la jeune femme l'avait séduit, mais c'était son dévouement pour sa tante et la bravoure dont elle avait fait preuve lorsqu'elle avait assisté à l'incision de l'abcès qui avaient achevé de faire sa conquête. Il avait enfin trouvé la femme de ses rêves. Le fait qu'elle avait déjà été mariée ne faisait qu'ajouter à son intérêt, car le mariage lui avait sans doute donné une maturité, une expérience de la vie que d'autres femmes de son âge ne possédaient pas.

S'arrêtant devant la maison de Madeleine Portelance, le médecin prit une grande inspiration, puis cogna à la porte. Lorsque Berthe ouvrit, il la salua comme si elle eût été la reine Victoria en personne.

— Mes hommages, madame. Je viens prendre des nouvelles de ma patiente. Comment se porte-t-elle ?

La servante lui jeta un regard perplexe. Elle n'avait pas l'habitude de tant de manières.

— Pour ça, mieux qu'hier.

— Avec votre permission, j'aimerais lui rendre visite.

Il suivit la servante à l'intérieur et lui remit son chapeau rond. Avant de s'engager dans l'escalier, il jeta un regard à la ronde, espérant apercevoir Fanette Grandmont, mais le rez-de-chaussée était désert. Présumant que la jeune femme était au chevet de sa tante, il monta rapidement les marches.

Lorsque le médecin entra dans la chambre de sa patiente, il fut déçu de constater que celle-ci était seule. Quoique toujours alitée, Madeleine Portelance semblait un peu moins souffrante que la veille. Son chien au drôle de nom dormait au pied de son lit.

— Bonjour, madame Portelance. Vous avez meilleure mine, ce matin.

Madeleine lui jeta un regard ironique.

— C'est par miracle si j'ai survécu, *jeune homme*, après le traitement que vous m'avez infligé.

Le médecin ne sembla pas se formaliser du « jeune homme » sarcastique dont elle venait de le gratifier.

— Vous m'en voyez ravi. Avec votre permission, je souhaiterais examiner votre molaire, pour m'assurer qu'il n'y a pas d'infection.

Madeleine haussa les épaules, la mine résignée. Le docteur Brissette posa sa sacoche sur le coffre au pied du lit, en sortit son abaisse-langue et procéda à l'examen de sa patiente.

— Il n'y a presque plus d'inflammation. Ressentez-vous de la douleur ?

— Pas trop.

— Excellent. Je vais enlever votre pansement et en faire un autre.

Le médecin retira la gaze à l'aide d'une paire de pinces qu'il avait prise dans sa sacoche.

— Voi... là, dit-il.

Il jeta le morceau de gaze dans un panier, désinfecta la plaie avec de la teinture d'iode, comme il l'avait fait la veille, refit le pansement, puis resta debout près de sa patiente, l'air un peu embarrassé. Madeleine crut comprendre la raison de son malaise.

— Ah, vous attendez le règlement de vos visites. Combien vous dois-je ?

— Rien du tout, chère madame. Considérez cela comme un service rendu à une charmante voisine.

Madeleine accueillit les paroles du médecin avec étonnement. Elle s'était montrée tout sauf aimable avec lui et ne s'expliquait pas cette générosité. Il y avait sûrement anguille sous roche. Le docteur Brissette ne tarda pas à éclairer sa lanterne.

— Comment se porte votre nièce ?

C'est donc cela…

— À merveille, répondit Madeleine, la mine neutre.

— Je m'attendais à la voir à votre chevet, continua-t-il avec une légère rougeur aux joues.

— Je l'ai envoyée faire une course pour moi. Elle ne sera pas de retour avant quelques heures.

Il cacha mal sa déception.

— Vous lui transmettrez mes salutations les plus cordiales.

— Je n'y manquerai pas.

Il se racla la gorge.

— Si je ne me trompe pas, votre nièce habite sous votre toit ?

— Fanette n'est qu'en visite chez moi. Elle devait repartir ce matin, mais a dû retarder son voyage à cause de mon état. Elle s'en ira pour Québec dans quelques jours, une semaine tout au plus.

— Ah.

La déconvenue du jeune homme était telle que Madeleine n'eut plus aucun doute sur les sentiments qu'il entretenait à l'égard de sa nièce. Sans qu'elle en comprenne la cause, elle en fut irritée. S'emparant de sa blague à tabac, elle prisa un bon coup. Le médecin la regarda faire, médusé. C'était la première fois qu'il voyait une femme priser.

— Dans votre état, le tabac ne me semble pas des plus appropriés.

Exaspérée par ce commentaire, Madeleine répliqua sèchement :

— Ce n'est pas à mon âge que j'accepterai de me faire dicter ma conduite par un jeune blanc-bec, médecin de surcroît.

Le docteur Brissette avait beau être patient, cette dernière remarque fut la goutte qui fit déborder le vase.

— Puis-je savoir pour quelle raison vous détestez les médecins à ce point ?

Madeleine regarda le visage offensé du jeune homme. Elle comprit qu'elle avait dépassé les bornes. Une immense lassitude creusa ses traits. Elle ferma les yeux et resta silencieuse. Inquiet, le médecin fit quelques pas vers elle. Il était sur le point de prendre son poignet afin d'en vérifier le pouls lorsqu'elle se mit à parler.

— J'ai connu une femme. Il y a longtemps de cela. Elle était amoureuse d'un avocat, dont elle était la secrétaire. Il était marié, mais il avait juré qu'il quitterait sa femme pour elle. Lorsqu'il a appris qu'elle attendait un enfant, il l'a renvoyée. Du jour au lendemain, elle s'est retrouvée seule, sans ressource, enceinte de l'homme qu'elle avait aimé, mais qui avait rompu tout lien avec elle. Lorsque le terme de sa grossesse est venu, elle s'est rendue dans une maternité tenue par des religieuses où accouchaient les filles mères. L'accouchement a duré dix-huit heures. Un jeune médecin, dont c'était le premier accouchement, était pris de panique. Il a finalement utilisé les forceps. L'enfant était mort-né. La patiente a failli mourir des suites d'une hémorragie. Le jeune médecin était incapable de faire cesser le saignement. C'est une sage-femme qui a eu la présence d'esprit de désinfecter la plaie, de la recoudre et de la panser. Sans elle, la femme dont je vous parle serait morte au bout de son sang. Elle n'a jamais pu faire confiance à un homme après cette mésaventure, qui l'a laissée profondément meurtrie et amère.

Le docteur Brissette avait écouté le récit avec gravité. Lorsque sa patiente se tut, il mit quelques secondes avant de prendre la parole. Il avait compris que la femme dont elle parlait n'était nulle autre qu'elle-même.

— Ce médecin aurait dû être banni de notre profession. Quant à cette femme dont vous parlez, j'espère qu'elle rencontrera un jour un médecin compétent qui la rendra un peu plus indulgente pour les disciples d'Esculape.

Pour la première fois, Madeleine eut un faible sourire. Le docteur Brissette reprit sa sacoche.

— Avec votre permission, je reviendrai vous voir demain, madame Portelance.

LXIV

La calèche s'immobilisa devant un édifice de pierre situé rue Saint-Jacques. Une enseigne de bois avait été placée au-dessus d'une porte de cuivre massive. On y avait peint une plume et un encrier avec, en dessous, le nom du journal, *L'Époque*. Alcidor déposa les rênes sur le siège et franchit lestement le marchepied. Le trajet en voiture semblait lui avoir ramené un peu sa bonne humeur. Il aida Fanette et Marie-Rosalie à descendre du véhicule, puis retourna à son siège, sortant une pipe de sa poche. Tenant sa fille d'une main et la précieuse enveloppe de l'autre, Fanette entra dans l'immeuble.

Dès que la jeune femme fut à l'intérieur, une odeur d'encre, de papier et de tabac l'assaillit. La salle de rédaction bourdonnait d'activité. Des garçons délurés transportaient de grosses piles de journaux pour les vendre à la criée dans la rue. Des hommes, la chemise roulée jusqu'aux coudes, une pipe à la bouche, étaient attablés derrière des pupitres et écrivaient rapidement, sans lever la tête, semblant indifférents au va-et-vient continuel autour d'eux. De grosses lampes aux abat-jour circulaires pendaient d'un plafond très haut et prodiguaient une lumière blanche. Un typographe, installé devant un grand contenant divisé en cassetins, y piochait de sa main droite des caractères de plomb et les disposait un à un dans un composteur, sorte de tige de métal qu'il tenait dans sa main gauche. Marie-Rosalie lâcha la main de sa mère et s'approcha de l'homme, fascinée par ses gestes rapides et précis. Le typographe leva les yeux et aperçut la fillette.

— Comment t'appelles-tu ? dit-il, tout en poursuivant son travail.

— Marie-Rosalie.

— Joli prénom. Le mien est moins mignon. On m'appelle « le singe ».

Il cligna de l'œil en souriant. Marie-Rosalie pouffa de rire.

— Pour vrai ? demanda-t-elle.

— Pour vrai, répéta-t-il. Et sais-tu pourquoi on m'appelle « le singe » ?

La fillette fit non de la tête.

— Parce que, quand je travaille, je bouge les bras, comme un singe qui saute d'un arbre à un autre.

Il continua à piger les lettres dans la casse, accentuant comiquement le mouvement de ses bras. La fillette rit de nouveau, amusée. Fanette vint la rejoindre.

— Marie-Rosalie, il ne faut pas déranger monsieur.

— Elle ne me dérange pas une miette. C'est votre fille ? demanda le typographe en plaçant la phrase qu'il venait de composer sur une planchette rectangulaire.

Fanette acquiesça en souriant, tout en observant les gestes du typographe avec curiosité.

— Vous voyez ? Je dépose les phrases une à une sur la galée. Chaque lettre est placée de gauche à droite, mais à l'envers.

— C'est compliqué, commenta Marie-Rosalie.

— Depuis le temps, je fais ça les yeux fermés. Je suis capable de composer jusqu'à huit cents caractères l'heure, ajouta-t-il avec fierté.

Il se leva, frotta la tête de la fillette d'une grosse main calleuse, saisit la galée et la déposa sur une table de marbre, un peu plus loin. Fanette prit sa fille par la main et l'entraîna avec elle, tâchant de trouver le bureau du rédacteur en chef.

— Vous cherchez quelqu'un ? dit une voix masculine.

Fanette leva la tête vers le nouveau venu. C'était un homme maigre, dont le cou étroit semblait étranglé par le col de sa chemise. Une calvitie précoce découvrait un front luisant. Quelque chose dans le ton, dans la façon insolente de fixer sa poitrine, déplut tout de suite à Fanette.

— Je cherche Point fin... Je veux dire, monsieur Prosper Laflèche, répondit-elle.

— Le grand patron ? Je vous avertis, il n'est pas commode. Je me présente : Arsène Gagnon.

Il tendit la main. Fanette la serra brièvement. La paume était froide et moite.

— C'est moi qui couvre tous les grands procès pour le journal, ajouta-t-il, l'air fat. Le patron ne jure que par moi. Si vous me dites ce que vous lui voulez, je pourrais peut-être vous être utile.

— Ma tante a insisté pour que je lui remette ce document en personne.

Soudain, une porte s'ouvrit avec fracas. Une voix de stentor retentit :

— Où est ma manchette ? Je veux ma une, et que ça saute !

Un silence de mort tomba soudain dans la salle de rédaction. Tous les regards s'étaient tournés vers un petit homme rondelet, tenant une pipe entre ses dents. Son ventre protubérant faisait saillir son gilet. D'immenses favoris encadraient ses joues rondes. Il aurait eu l'air débonnaire, n'eût été son regard charbonneux, perçant comme une vrille. Il s'adressa à un jeune homme boutonneux accoudé à un pupitre.

— Favreau, ton papier sur l'accident de l'omnibus qui a fait trois morts, ça avance ?

— J'ai presque terminé, patron.

— Si je n'ai pas de quoi me mettre sous la dent dans cinq minutes, tu retournes aux annonces de mariages et d'enterrements.

Arsène Gagnon émit un petit ricanement sarcastique. Prosper Laflèche se tourna vers lui.

— Et toi, Gagnon, au lieu de conter fleurette à cette jeune dame, remets-toi au travail. Il me faut ton papier sur l'affaire Benoît dans une demi-heure, point final.

Le journaliste, si fanfaron avant l'entrée fracassante du rédacteur en chef, plia humblement l'échine.

— Bien, patron.

Prosper Laflèche s'apprêtait à rentrer dans son bureau lorsque Fanette s'avança vers lui, tenant toujours sa fille par la main.

— Monsieur Laflèche !

Il tourna sur lui-même d'un geste étonnamment vif pour un homme de sa corpulence. Il fixa Fanette sans aménité. Ses sourcils broussailleux se croisaient au-dessus du nez, accentuant la sévérité de son regard.

— Vous ne voyez pas que je suis occupé ? aboya-t-il.

— Pourquoi le monsieur crie ? demanda Marie-Rosalie.

Quelques rires timides s'élevèrent. Le patron regarda dans cette direction d'un air courroucé. Les rires s'éteignirent aussitôt. Fanette prit son courage à deux mains.

— Ma tante, Madeleine Portelance, m'a demandé de vous remettre ce document en main propre.

Elle lui tendit l'enveloppe. Le rédacteur en chef la prit d'un geste brusque.

— Il n'était pas trop tôt. Elle devait me le remettre hier.

— Ma tante est souffrante.

— La belle excuse ! Si je ne l'ai pas entendue cent fois…

— Ce n'est pas une excuse ! s'écria Fanette, outrée. J'ai dû aller chercher un médecin pour la soigner.

Le silence régna de nouveau dans la salle. Les employés étaient stupéfaits. Personne n'avait jamais osé rétorquer aussi ouvertement au rédacteur en chef. Arsène Gagnon sourit dans sa barbe. *Cette petite mijaurée va goûter à la médecine du grand patron…* Prosper Laflèche continua à fixer Fanette, comme s'il était lui-même ébahi de l'audace de la jeune femme. Puis il prit une bouffée de sa pipe. Un nuage de fumée l'entoura, masquant momentanément son visage. Lorsque le nuage se fut dissipé, il poursuivit, la mine encore rogue, mais avec une étincelle de respect dans l'œil.

— Souhaitez un prompt rétablissement à madame Portelance de ma part. Et dites-lui que je veux son prochain chapitre dans trois jours, malade ou non. Point final.

Il tourna les talons. La porte de son bureau claqua.

— Quand je vous disais qu'il n'était pas commode…

Arsène Gagnon la dévisageait avec un sourire goguenard. *Et vous n'êtes qu'un goujat,* eut envie de lui répliquer Fanette. Elle se contenta de s'éloigner sans lui répondre, tirant sur la main de Marie-Rosalie, qui s'était arrêtée devant une grosse presse de métal, sur laquelle le mot « Stanhope » avait été gravé. Un imprimeur était en train d'encrer la composition que « le singe » avait faite quelques minutes auparavant, et qui avait été fixée sur le marbre. Un autre artisan inséra une feuille sur le tympan, puis rabattit une frisquette afin de tenir le papier bien en place. L'odeur âcre de l'encre et celle, un peu acidulée, du papier devinrent omniprésentes. L'imprimeur se mit à tourner une manivelle. L'odeur d'encre était plus forte que jamais. Fanette se revit, assise à une table éclairée par une lampe à l'abat-jour vert, dans la bibliothèque des Ursulines. Chaque semaine, les pensionnaires avaient le droit d'y passer quelques heures et d'y emprunter des livres. C'était le moment préféré de Fanette, celui qu'elle attendait avec le plus d'impatience. Chaque fois, elle répétait le même rituel. Dans le silence profond, à peine dérangé par quelques chuchotements et par le bruissement des pages tournées, elle ouvrait un livre, dont la reliure craquait doucement, et se penchait pour respirer avec délices le parfum d'encre et de papier qui s'en dégageait.

La platine de la presse se rabattit sur le marbre avec un claquement sec. L'ouvrier retira la feuille de papier, dont l'encre noire luisait encore. Fanette ressentit une émotion singulière devant cette feuille de journal fraîchement imprimée, comme si, dans les caractères qui s'échelonnaient en colonnes parfaitement composées, c'était son propre avenir qu'elle entrevoyait.

LXV

Après avoir livré le texte au journal, Fanette se rendit à la compagnie Richelieu, dont les bureaux se trouvaient au port. Elle n'eut pas de mal à se faire rembourser les deux passages à bord du *Montréal*, en expliquant que l'état de santé de sa tante l'avait obligée à retarder son départ, mais lorsque le commis lui demanda à quel moment elle prévoyait de repartir à Québec, Fanette hésita. Bien que sa tante fût entourée de deux serviteurs dévoués, elle était loin d'être remise de son abcès, et Fanette hésitait à la laisser dans cet état.

— Je ne sais pas encore, dit-elle.

L'employé lui expliqua qu'il lui faudrait revenir pour réserver deux autres places lorsqu'elle aurait décidé de la date de son retour à Québec, mais que le voyage devrait être effectué durant la saison de navigation. Comme on était au début du mois d'août, cela lui donnait jusqu'à la mi-octobre pour effectuer son retour.

— Nous partirons pour Québec bien avant cela, dit Fanette en souriant.

Un bureau de télégraphe se trouvait juste à côté de la compagnie Richelieu. Fanette y envoya un télégramme à sa mère.

> Chère maman, tante Madeleine est malade, un abcès. J'ai dû retarder notre retour. Nous reviendrons au plus tard dans une semaine. Je vous enverrai un autre télégramme avant départ. Affection, Fanette.

Lorsqu'elle fut de retour chez sa tante, Fanette constata que celle-ci était encore alitée, mais qu'elle avait déjà meilleure mine.

— Alors, as-tu remis mon chapitre à Point final ? s'enquit Madeleine, le regard anxieux.

— En main propre, comme vous me l'aviez demandé.

— Et puis, qu'as-tu pensé de lui ?

— Vous aviez raison. Il est bougon au premier abord, mais je crois qu'il se donne des airs pour impressionner ses employés.

Madeleine regarda sa nièce du coin de l'œil, épatée de sa perspicacité.

— Avait-il un message pour moi ?

— Il vous souhaite un prompt rétablissement.

— D'habitude, il ne fait pas montre d'autant d'égards, s'étonna Madeleine. Il ne t'a rien dit d'autre ?

— Il attend votre prochain chapitre d'ici à trois jours.

— Ah, le méchant homme ! s'exclama Madeleine. Trois jours pour écrire dix mille mots ! Pour qui me prend-il ? Une poule pondeuse ?

Fanette ne put s'empêcher de sourire devant la véhémence de sa tante, qui semblait avoir retrouvé un peu de sa verve. Madeleine fit la grimace et mit une main sur sa joue.

— Vous avez toujours mal ? demanda Fanette, inquiète.

— C'est ma faute, je parle trop.

— Je vais vous laisser vous reposer, dit la jeune femme, faisant un mouvement pour sortir.

— Non, reste. Ta compagnie me fait du bien.

Fanette s'assit dans un fauteuil près du lit.

— Le jeune freluquet est revenu ce matin, dit soudain Madeleine.

Fanette regarda sa tante sans comprendre.

— Le docteur Brissette, précisa Madeleine, un sourire malicieux sur ses lèvres minces. Il prétendait vouloir prendre des nouvelles de ma santé, mais en fait, c'est toi qu'il souhaitait voir.

— Moi ? s'étonna Fanette.

— Il m'a demandé si tu habitais chez moi, et a semblé fort déçu lorsque je lui ai appris que tu n'étais que de passage et que tu repartirais bientôt pour Québec.

— C'est sans doute simple politesse de sa part.

Madeleine observa sa nièce. Cette dernière semblait calme, comme si l'idée que le jeune médecin pût s'intéresser à elle la laissait parfaitement indifférente. Une sorte de soulagement l'envahit, mêlé à un sentiment de détresse à l'idée du départ imminent de Fanette.

— Je m'étais habituée à ta compagnie et à celle de Marie-Rosalie. La maison paraîtra bien vide lorsque vous serez parties.

Fanette jeta un regard surpris à sa tante. C'était la première fois que celle-ci exprimait des regrets quant à leur départ. Les yeux noirs de Madeleine s'embuèrent. Elle prit un mouchoir dans une manche de sa robe de chambre et en épongea son nez et ses yeux.

— Il y a de la poussière dans cette chambre. Il faudra que je demande à Berthe de passer le balai.

Cette pudeur, cette façon de se moucher pour mieux cacher son émotion étaient à ce point semblables au comportement de sa propre mère que Fanette, en regardant sa tante de plus près, trouva même une certaine ressemblance entre les deux sœurs. Elle eut le sentiment de mieux comprendre la personnalité changeante de Madeleine, dont les multiples facettes lui faisaient penser à un kaléidoscope. Tout en remettant le mouchoir dans sa manche, Madeleine reprit, en tâchant d'avoir l'air indifférent :

— Ma chère nièce, j'ai une proposition à te faire. Mais ne te sens surtout pas obligée de l'accepter.

Fanette attendit la suite avec une certaine appréhension. Sa tante était tellement imprévisible !

— Ce maudit abcès a au moins eu un avantage : il m'a permis de me rendre compte à quel point j'étais surmenée. Depuis des années, je travaille seule, sans la moindre assistance. Je suis débordée. J'aurais besoin d'une personne intelligente, fiable, cultivée, pour ma correspondance, les comptes à payer, et même pour relire mes manuscrits. Tu es fort bien éduquée et, jusqu'à présent, tu as fait preuve de beaucoup de jugement. Enfin, je crois que tu serais une secrétaire idéale. Je te paierais un salaire convenable et vous fournirais, à toi et à ta fille, le toit et le couvert. Je serais même disposée à payer un précepteur privé pour pourvoir à l'éducation de Marie-Rosalie.

La surprise cloua Fanette dans son fauteuil. Elle s'était attendue à tout, sauf à cette offre d'emploi, dont sa tante semblait avoir soigneusement planifié les détails, comme si elle y avait réfléchi depuis un moment déjà.

— Tu n'es pas obligée de me donner ta réponse tout de suite. Prends tout le temps qu'il te faut. Si, par malheur, tu refuses mon offre, eh bien ! je me débrouillerai, comme je l'ai fait toute ma vie.

Rejetant sa couverture d'un geste un peu théâtral, Madeleine se leva.

— Où allez-vous ? s'exclama Fanette.

— Écrire, pardi !

— Ma tante, vous n'êtes pas en état de travailler, protesta Fanette.

— Point final attend la livraison de mon prochain chapitre, comme un ogre attend avec impatience l'enfant qui lui servira de repas. Je n'ai donc pas le choix.

Enveloppant ses épaules d'un châle, elle fit quelques pas vacillants, mais dut se soutenir au dossier d'une chaise, prise d'un étourdissement. Fanette la retint fermement par le bras.

— Vous devez vous reposer. Tant pis si vous avez du retard. Votre santé est plus importante que vos échéances.

Contre toute attente, Madeleine se laissa docilement conduire jusqu'à son lit et se recoucha. Elle entendit à peine la porte se refermer. Une sorte de bien-être l'envahit. Du plus loin qu'elle se souvienne, jamais on n'avait ainsi pris soin d'elle.

LXVI

Marguerite marchait de long en large dans sa chambre, se sentant comme un lion en cage. Il y avait quatre jours qu'elle était sans nouvelles d'Auguste Lenoir. Plus elle y songeait, plus elle avait le sentiment de s'être fait berner. Après tout, elle n'avait fait la connaissance de cet homme que par une simple annonce dans le journal. Rien ne lui disait qu'il n'était pas un aventurier sans scrupule. Avec le recul, des détails qui n'avaient rien pour la rassurer revenaient à sa mémoire. Le simple fait que Lenoir l'ait assaillie, un pistolet braqué sur elle, dès qu'elle avait mis le pied dans ce trou à rats qui lui servait de bureau en disait long sur ses méthodes et, surtout, sur ses fréquentations. Ses explications sur un prétendu « malandrin » dont il aurait révélé les pratiques malhonnêtes lui paraissaient maintenant cousues de fil blanc. Elle se mordait les doigts de lui avoir avancé autant d'argent sans avoir une quelconque assurance qu'il mènerait son enquête à bien.

Quelle sotte elle avait été ! Avec quelle imprudence elle avait confié le sort de sa fille à ce pur inconnu ! Elle se jeta dans un fauteuil, les mains crispées sur les accoudoirs, saisie d'une colère impuissante, tout en sachant que les regrets ne servaient à rien. L'idée de se rendre à un poste de police lui passa par la tête, mais elle la rejeta. Étaler devant les autorités le déshonneur de sa fille lui répugnait. Non, le mal était fait, par sa faute. C'était à elle de payer les pots cassés. À elle seule.

On frappa à la porte. Espérant de toute son âme qu'il s'agissait de l'agent de renseignement, Marguerite se leva d'un bond et courut répondre. Ce n'était qu'une femme de chambre lui apportant sur un plateau un thé qu'elle avait commandé un peu plus tôt. Celle-ci déposa son plateau sur un guéridon et repartit, un peu effrayée par la mine sombre de cette étrange femme qui passait ses journées enfermée dans sa chambre.

L'arrivée de la femme de chambre eut pour effet de briser le cycle infernal de ses pensées. Une gorgée de thé brûlant acheva de la calmer. Une chose lui apparut clairement. Elle ne pouvait continuer à attendre dans cette chambre qu'Auguste Lenoir daigne lui donner des nouvelles. S'il n'allait pas à elle, elle irait à lui. Ragaillardie par cette résolution, elle choisit un chapeau muni d'une voilette qui lui permettrait de se déplacer avec une certaine discrétion, prit sa bourse et sortit.

~

La voiture de Marguerite s'arrêta devant l'immeuble décrépit. Il avait plu durant la nuit. Le pavé luisait dans la lumière éthérée d'un réverbère qu'on avait oublié d'éteindre. Tout le long du trajet, Marguerite avait répété dans sa tête ce qu'elle dirait à Auguste Lenoir : « Monsieur, j'exige des explications. Vous avez pris l'engagement d'obtenir des résultats. Avez-vous retrouvé ma fille, oui ou non ? » Après avoir ordonné à monsieur Joseph de l'attendre, elle entra dans le bâtiment et s'engagea dans l'escalier obscur, le cœur battant d'appréhension. Sa fermeté s'effritait au fur et à mesure qu'elle montait les marches. Elle se demandait quel accueil lui réserverait l'agent de renseignement, cette fois. Elle s'immobilisa devant la porte. Pas un bruit. Que celui des gouttes d'eau qui s'étaient infiltrées par une fissure dans le plafond, tombant une à une sur le plancher de bois abîmé. Elle prit la précaution de cogner à la porte et attendit sur le seuil, retenant son souffle. Un « Entrez » sonore retentit. Rassurée, elle pénétra dans le bureau et aperçut Auguste Lenoir tranquillement installé derrière son pupitre, en train d'écrire, éclairé par une simple chandelle fichée dans une soucoupe. Son nez busqué accentuait sa ressemblance avec un oiseau de proie.

— Monsieur, commença-t-elle, tâchant de mettre de l'autorité dans sa voix.

L'agent de renseignement continua d'écrire sans lever la tête, comme s'il n'avait pas entendu. Marguerite renchérit, en élevant le ton :

— Monsieur, voilà quatre jours que je suis sans nouvelles de votre part. J'exige des explications.

Lenoir poursuivit sa tâche, la mine concentrée, sans jeter même un regard pour sa cliente. Marguerite éclata :

— Enfin, monsieur Lenoir, qu'attendez-vous pour me répondre ?

L'agent rédigeait toujours, impassible. Complètement désarçonnée par ce comportement, Marguerite sentit sa résolution fondre comme neige au soleil et resta pétrifiée, ne sachant que faire. Après une bonne minute, Auguste Lenoir finit par déposer sa plume et leva la tête.

— Voilà, madame.

— Voilà quoi ? s'écria-t-elle, excédée.

— Votre rapport, dit-il en brandissant quelques pages remplies d'une écriture serrée. Je vous l'avais dit. Résultats indéniables, preuves irréfutables : telle est ma devise.

Marguerite se précipita vers le pupitre, saisit le rapport d'une main frémissante.

— Avez-vous retrouvé ma fille ?

— Lisez mon rapport, tout y est consigné.

Elle tenta de lire, mais les lignes dansaient devant ses yeux. Prenant place sur une chaise bancale, elle murmura :

— Parlez plutôt. Je lirai après.

Un fin sourire se dessina sur les lèvres de l'agent. Le fruit était mûr à point.

— Votre fille habite au cinquième étage d'une maison de chambres située au 401, rue Notre-Dame Est.

— Vous en êtes certain ?

— Aussi certain que je m'appelle Auguste Lenoir.

Devinant sans peine sa prochaine question, il ajouta avec brusquerie :

— Elle vit en concubinage avec Lucien Latourelle.

Il observa sa cliente et vit avec satisfaction la pâleur qui s'était répandue sur son visage. Elle réussit à articuler, d'une voix si faible que l'agent dut se pencher pour l'entendre :

— Je veux les voir de mes yeux.

— Rien ne presse, madame. Maintenant que vous savez où se trouve votre fille…

Marguerite redressa la tête. Il y avait une telle douleur dans son regard que même Lenoir, qui avait le cœur aussi froid que le marbre, en fut troublé.

— Je veux les voir maintenant. Mon Dieu, qu'on en finisse.

— Je vous accompagne, proposa l'agent.

— Non, répliqua Marguerite avec une fermeté étonnante. Je dois y aller seule.

LXVII

Rosalie ouvrit la croisée et respira l'air matinal par petits coups, le cœur levé par la nausée. Il était huit heures. De nombreuses voitures roulaient sur Notre-Dame. Le malaise disparut peu à peu. La jeune femme essuya son front en sueur avec un pan de son tablier. La voix de Lucien lui parvint, comme à distance.

— Rosalie, ferme donc cette fenêtre. Le bruit des voitures est infernal.

— Tout de suite, Lucien.

Rosalie tira vivement les volets puis se tourna vers son amant, qui était assis devant la caisse de bois qui lui servait d'écritoire, le visage maussade. Il roula une feuille de papier en boule et la jeta par terre.

— Je n'arrive pas à écrire. Mes vers ne valent rien. Comment ai-je pu croire que j'avais une once de talent ?

Rosalie retourna vers lui et profita du fait qu'il avait le dos tourné pour ramasser la boulette de papier, qu'elle enfouit discrètement dans une poche de son tablier.

— Tu as un grand talent, Lucien. Il est normal qu'un écrivain de ta qualité connaisse des hauts et des bas.

— Surtout des bas, en ce qui me concerne, lança-t-il avec humeur. Je n'ai pas une seule idée originale en tête. En plus, on n'a plus rien à manger. Je meurs de faim.

— Je m'apprêtais justement à aller chercher du pain, dit Rosalie, seulement…

Elle hésita. Depuis sa visite chez le médecin, la veille, elle cherchait un moyen de lui apprendre la nouvelle, mais n'en avait pas eu le courage jusqu'à présent. *Il faudra pourtant que je lui dise...*

— Lucien, il y a une chose importante que tu dois savoir.

Des coups frappés à la porte l'empêchèrent de poursuivre. Lucien et elle échangèrent un regard inquiet.

— Qui cela peut-il bien être ? murmura Rosalie.

— La logeuse, sans doute, répondit Lucien à mi-voix. As-tu payé le loyer, au moins ?

Les coups redoublèrent. Une voix féminine s'éleva derrière la porte :

— Mademoiselle Bernier, j'ai un colis pour vous.

C'était effectivement la voix de la logeuse. Lucien passa une main dans ses cheveux blonds, la mine anxieuse.

— Un colis... Pourtant, personne ne sait que nous vivons ici.

La voix de la logeuse retentit de nouveau, plus pressante :

— Ouvrez ! J'ai d'autres chats à fouetter, moi.

— Qu'attends-tu pour aller répondre ? s'exclama Lucien avec une note d'impatience.

Le ton du poète blessa Rosalie, mais elle le lui pardonna. Ce n'était pas contre elle qu'il en avait, mais contre son propre sort. Il avait connu d'amères déceptions depuis leur arrivée à Montréal, elle comprenait sa frustration. Elle fit quelques pas vers la porte et l'ouvrit, s'attendant à voir le visage peu amène de la logeuse. Sa stupéfaction fut entière lorsqu'elle aperçut sa mère sur le seuil. La première chose qu'elle remarqua fut sa maigreur. Ses joues semblaient creuses dans la lumière crue de la mansarde et ses yeux brillaient un peu trop, comme si elle avait la fièvre. Mère et fille restèrent debout l'une devant l'autre, en proie à des émotions contradictoires.

Marguerite effleura une joue de sa fille de sa main gantée, puis la retira, comme si elle s'était brûlée.

— Où est-il ? Où est Lucien ?

Rosalie recula d'un pas, comme si ces simples mots avaient été du vitriol. Toute trace d'affection pour sa mère avait disparu. Une révolte sourde monta à sa gorge.

— Vous n'avez rien à faire ici. Partez.

Elle fit un mouvement pour refermer la porte, mais Marguerite repoussa sa fille sans ménagement et s'élança dans la pièce. Lucien était debout devant la fenêtre, ses boucles blondes formant une sorte d'auréole autour de sa tête.

— Lucien !

Courant vers lui, Marguerite le prit dans ses bras et le serra contre elle en pleurant. Lucien, pétrifié, se laissa faire. Puis il tenta de se défaire de l'étreinte de son ancienne maîtresse, mais celle-ci continuait à s'accrocher à lui.

— Lucien, ne m'abandonne pas. Tu es tout ce qu'il me reste.

Jetant un regard désespéré à Rosalie, le jeune homme murmura faiblement :

— Laissez-moi, madame.

— Ma voiture nous attend dans la rue. Reviens avec moi, je t'en supplie. Je ne suis rien sans toi, Lucien.

Rosalie les regardait, incrédule. Puis elle comprit. Lucien et sa mère avaient été amants. Elle repensa aux mises en garde que Fanette lui avait faites au sujet de Lucien et n'eut plus de doute quant à leur cause. *Fanette savait, et elle a voulu m'épargner la vérité.* Le chagrin lui coupa les jambes. Elle s'assit sur le petit lit, serra ses genoux contre elle. Sa peine fit place à la colère. Il n'y avait plus qu'un être qui comptait aux yeux de sa mère, et c'était Lucien. Tout le reste, l'amour maternel, la dignité, le respect, même l'amour-propre avait été détruit, telle une forêt incendiée dont il ne reste plus que des troncs calcinés.

— Lucien ne partira pas avec vous. J'attends son enfant.

D'abord, Marguerite ne sembla pas avoir entendu. Elle continua d'agripper Lucien, ses mains enserrant son col. Puis elle finit par lâcher prise. Ce n'étaient pas tant les mots prononcés par Rosalie qui avaient provoqué son geste que l'expression du poète, dont les traits s'étaient figés en un masque de surprise.

— Que dis-tu, Rosalie ? lança-t-elle d'une voix étranglée.

La jeune femme leva les yeux vers sa mère.

— J'attends l'enfant de Lucien.

— Je ne te crois pas.

Rosalie soutint son regard sans broncher. Marguerite comprit alors que sa fille disait la vérité. Elle ressentit un grand vide en elle. La folie et la vanité de son entreprise lui apparurent avec une clarté cruelle. Sans un regard pour les deux jeunes gens, elle marcha vers la porte, telle une somnambule. Lorsque la porte claqua, une joie sauvage parcourut Rosalie. Pour une fois dans sa vie, elle avait eu le dessus. Elle s'était battue bec et ongles pour garder l'homme qu'elle aimait, et elle avait gagné. Même la détresse de sa mère, même les mensonges de Lucien n'enlevaient rien à sa victoire, qui avait presque un goût de sang.

Après un long silence, Lucien prit la parole :

— Tu es certaine d'attendre un enfant ?

— Je suis allée voir un médecin, hier. Je lui ai donné l'argent qu'il me restait pour la consultation. C'est pour cela que je n'ai pas pu acheter de provisions.

Lucien, visiblement dépassé par les événements, resta debout devant la fenêtre, gardant le silence. Rosalie s'arma de courage.

— Vous étiez donc amants ?

Le jeune homme se tourna vers elle.

— Ta mère m'a pris sous son aile et m'a généreusement accordé sa protection. Ses sentiments pour moi allaient sans doute plus loin que l'affection, mais je n'ai jamais été amoureux d'elle. Me crois-tu ?

Rosalie observa son amant, dont le visage, animé par l'indignation, était encore plus beau que d'habitude.

— Bien sûr que je te crois.

Le sentiment de triomphe qu'elle avait ressenti après sa confrontation avec sa mère avait fait place à une angoisse sourde. Elle avait l'impression de marcher au bord d'un gouffre. Au moindre faux pas, elle risquait d'y tomber. Peut-être avait-elle eu tort de dire la vérité au sujet de sa grossesse, mais c'était la seule façon de dessiller les yeux de sa mère, de l'obliger à regarder la réalité en face. Comme elle aurait souhaité que cette nouvelle, qui aurait dû être heureuse, soit révélée dans des circonstances plus propices !

Lucien regardait devant lui, ses yeux bleus perdus dans une contemplation amère. Rosalie admira son profil, la pureté de ses traits, ses boucles enluminées par la lueur de la lampe. Puis il fit quelques pas vers elle, s'arrêta à sa hauteur.

— J'espère que tu sauras me pardonner un jour.

— Te pardonner ?

— Je n'en peux plus de cette vie étriquée, sans issue. Tout cela a été une erreur.

Tout cela a été une erreur. Les mots pénétrèrent un à un dans le cœur de Rosalie, comme autant de dards.

— Mais notre enfant... dit-elle d'une voix tremblante.

Lucien se détourna sans répondre.

~

Marguerite descendait l'escalier, surprise de n'éprouver aucun sentiment. Son cœur semblait même avoir cessé de battre. Tout lui apparaissait étrange, un peu décalé, comme lorsque l'on visite un pays pour la première fois et que l'on ne reconnaît rien de familier. L'odeur de chou et de graillon, les murs craquelés et la tapisserie sale s'enregistraient dans son esprit de façon machinale, sans qu'elle les vît vraiment. Lorsqu'elle parvint au rez-de-chaussée, elle aperçut vaguement la tête de la logeuse apparaître dans l'interstice de sa porte, surveillant le hall, la mine anxieuse. Marguerite passa à côté d'elle, les yeux fixes comme ceux d'une aveugle, puis elle sortit.

Il pleuvait à boire debout. L'eau coulait dans la chaussée en un petit torrent. Monsieur Joseph, installé sur son siège, son chapeau enfoncé sur la tête pour se protéger de la pluie, cognait des clous. Marguerite s'arrêta près de la portière, perdue dans ses sombres pensées, indifférente à la pluie qui ruisselait sur son chapeau et ses épaules. *En finir. Ne plus souffrir.* Elle se mit soudain à courir sur le trottoir de bois. Une silhouette noire lui emboîta le pas. C'était Auguste Lenoir. Lorsque sa cliente avait résolu de se rendre chez sa fille sans lui, il avait décidé de la suivre à son insu. Pas question que la belle Marguerite Grandmont lui échappe si facilement…

Marguerite entendait le claquement de ses talons sur le trottoir désert, mais elle avait l'impression que c'était quelqu'un d'autre qui courait. Elle ne pensait plus à rien. Un léger brouillard s'était formé, nimbant les façades des maisons et les lampadaires d'un voile pâle. Deux lumières orangées apparurent soudain à travers la brume. Un bruit de roues s'approchait. Une voiture tirée par deux chevaux apparut soudain, jaillissant du brouillard. Sans réfléchir, Marguerite se jeta devant la voiture. Elle n'eut que le temps d'entendre des cris, des hennissements, des grincements affreux, de voir l'œil apeuré d'un cheval, puis les ténèbres l'entourèrent, tel un linceul.

LXVIII

Monsieur Joseph fut réveillé par les cloches d'une église annonçant l'office des vêpres. La pluie s'était transformée en une bruine froide. Les membres engourdis par l'humidité et la fatigue, le cocher consulta sa montre de gousset. Il était déjà sept heures du soir, et madame Grandmont n'était pas encore revenue à la voiture. Descendant de son siège en maugréant, il entra dans l'immeuble crasseux devant lequel sa patronne lui avait demandé de l'attendre. Il s'adressa à la logeuse, qui balayait le plancher. Celle-ci, l'air revêche, affirma que la dame dont il parlait était partie depuis au moins une heure.

— Elle était pâle comme un fantôme.

Inquiet, le cocher retourna à la voiture, se perdant en conjectures. Madame Grandmont avait peut-être décidé de prendre un fiacre, ou de revenir à l'hôtel à pied, mais aucune de ses explications n'avait de sens. Pourquoi prendre un fiacre alors que lui l'attendait avec la voiture ? Pourquoi marcher jusqu'à l'hôtel, avec ce crachin qui vous glaçait jusqu'aux os ? Il alluma avec difficulté les lanternes installées de chaque côté de son siège, à cause de l'humidité et de ses doigts gourds, s'empara ensuite des rênes et les secoua avec force. La voiture s'ébranla brusquement.

~

Lorsque Marguerite ouvrit les yeux, elle ne vit d'abord rien d'autre que du noir, et une peur atroce la saisit. Elle voulut se redresser, mais une immense fatigue l'en empêcha. Elle n'avait pas la moindre idée de l'endroit où elle se trouvait, ni de la raison pour laquelle elle y était. Des images confuses lui apparaissaient : un trottoir mouillé, la pluie qui ruisselait sur ses épaules, deux lumières orange dans la nuit, et puis… plus rien, un trou noir. Restant immobile, elle garda les yeux ouverts, tâchant de se repérer. Elle s'habitua peu à peu à l'obscurité et put distinguer la forme d'une chaise, le contour d'une armoire. Le matelas sur lequel elle était étendue était dur, inconfortable. Seule une couverture mince la couvrait. Un frisson la parcourut. Elle avait froid. Si froid.

Un léger craquement la fit tressaillir.

— Qui est là ?

Sa voix résonna étrangement dans la pièce. Un autre craquement se fit entendre, plus près d'elle. Saisie d'effroi, elle voulut crier, mais aucun son ne sortit de sa bouche. Tout à coup, un halo de lumière l'aveugla. Elle couvrit ses yeux d'une main pour se protéger de la clarté.

— Ne craignez rien, madame.

Cette voix… où l'avait-elle entendue ? Écartant lentement sa main, elle entrevit dans un coin un profil d'aigle qui lui était familier.

— Vous êtes passée à un cheveu d'être écrasée par cette voiture. Si je n'avais pas été là, vous ne seriez plus de ce monde.

— Où suis-je ? demanda Marguerite, un tremblement dans la voix.

— Vous avez perdu connaissance. Je vous ai ramenée dans ma modeste demeure.

Auguste Lenoir, une lanterne à la main, prit place sur une chaise à quelques pieds du lit où Marguerite Grandmont était étendue et déposa la lanterne sur une table de chevet. Ainsi, il pouvait voir la femme à son aise tout en restant lui-même dans l'ombre. Les formes de celle-ci se dessinaient sous la couverture. Marguerite, qui avait eu froid, eut soudain trop chaud et rejeta la couverture. Elle se rendit compte qu'elle ne portait qu'un jupon. D'un mouvement instinctif, elle ramena la couverture sur sa poitrine.

— J'ai dû vous enlever votre robe, qui était trempée par la pluie. Il aurait été malheureux que vous attrapiez froid.

— Je veux ma robe, dit Marguerite, la gorge serrée dans un étau.

— Je l'ai mise à sécher près du poêle.

— Je la veux. Tout de suite.

Auguste Lenoir se pencha vers elle. Son visage mince se découpa dans la clarté de la lanterne.

— Je vous ai sauvé la vie, madame. J'aurais espéré un peu plus de reconnaissance de votre part.

Les yeux sombres de l'agent étaient posés sur elle et la détaillaient sans vergogne. Marguerite comprit qu'elle n'aurait aucune pitié à attendre de cet homme.

— Vous auriez dû me laisser mourir.

— Quelle perte cela aurait été.

Il s'approcha davantage, allongea une main, ôta un peigne qui retenait encore la chevelure de Marguerite, enroula autour de son index une mèche encore humide.

— Vous êtes très belle.

Elle fit un mouvement pour quitter le lit, mais il saisit ses poignets d'un geste rapide et la rejeta sur le grabat. Elle tenta de se débattre, mais il la maintenait avec une poigne de fer. Elle sentit le menton rugueux de l'homme effleurer sa joue.

— Je vous dénoncerai à la police.

Il rit doucement.

— Que leur direz-vous ? Que vous avez engagé un agent de renseignement pour retrouver votre fille et son amant, dont vous étiez vous-même la maîtresse, et que cet agent a abusé de votre *vertu* ?

Elle cessa soudain de se débattre. Une sorte de résignation désespérée l'envahit. Sentant le corps de sa victime s'abandonner, Lenoir souleva le jupon d'une main impatiente. Marguerite ferma les yeux. Le poids de l'homme pesait sur sa poitrine. Elle pensa à Lucien, à ses baisers tendres, à la douceur de ses lèvres sur sa peau, à son étreinte passionnée, à ses mots fous balbutiés à son oreille. Cela l'aida à supporter ce corps étranger qui écrasait le sien, cette bouche gourmande qui semblait vouloir la dévorer tout entière.

LXIX

Monsieur Joseph avait parcouru tout le quartier en vain. Pas une seule trace de madame Grandmont. Son inquiétude s'était transformée en quasi-panique. Il craignait que le pire soit arrivé. Comme il ne savait ni lire ni écrire, ce n'était pas par les gazettes qu'il entendait parler des dangers qui guettaient les honnêtes citoyens, mais en jasant avec d'autres cochers, lorsqu'il attendait sa maîtresse. Ceux-ci avaient toujours quelque histoire d'horreur à raconter, tel l'enlèvement d'une jeune fille de bonne famille envoyée ensuite à l'autre bout du monde comme esclave, ou le meurtre d'un honnête voyageur commis par des aubergistes crapuleux qui en voulaient à sa bourse.

Passant devant un poste de police éclairé par deux lampes torchères, monsieur Joseph fut tenté de s'y arrêter et de signaler la disparition de sa maîtresse, mais quelque chose lui dit de n'en rien faire. Le plus simple était sans doute de retourner à l'hôtel, en espérant que madame Grandmont y serait. Si, par malheur, elle ne s'y trouvait pas, il serait bien temps d'aller quérir la police.

Illuminé par des lustres de cristal, le hall de l'hôtel bruissait d'animation lorsque monsieur Joseph y entra, son chapeau et sa redingote lourds de pluie. Intimidé par les dames et les messieurs en tenue de soirée et par la mine hautaine des chasseurs vêtus de l'uniforme vert et doré de l'établissement, le cocher, son chapeau dans une main, s'approcha du comptoir. Ses bottes chuintaient sur le parquet de marbre. Un commis remettait la clé d'une chambre à un couple fort bien vêtu. Le parfum capiteux de la dame étourdit un peu monsieur Joseph, déjà embarrassé par sa tenue et la petite flaque d'eau qui s'était formée sous ses pieds. Lorsque le couple se fut éloigné, il s'adressa au commis, lui expliquant en bredouillant qu'il était à la recherche de madame Grandmont et s'inquiétait grandement de son sort.

— Qui êtes-vous ? lui demanda le réceptionniste en le regardant de haut.

Monsieur Joseph tâcha d'avoir l'air digne.

— Son cocher.

L'employé de l'hôtel lui jeta un regard perplexe.

— Madame Grandmont est rentrée. Je lui ai remis la clé de sa chambre il y a une heure à peine. Désirez-vous que je lui fasse porter un message ?

— Non, balbutia le cocher. Non, je vous remercie.

Il s'éloigna, les jambes flageolantes. *Dieu merci !* Il répétait ces deux mots dans sa tête. Son soulagement était tel qu'il ne lui vint pas même à l'esprit de se demander comment sa patronne était revenue à l'hôtel. Tout ce qui lui importait, c'était qu'elle soit dans sa chambre, saine et sauve. Ce soir, il dormirait plus tranquille.

L'employé suivit le cocher des yeux avec curiosité, se demandant ce qui avait pu se produire pour que le serviteur laisse madame Grandmont revenir à l'hôtel dans un tel état. Car lorsque celle-ci avait fait son entrée dans le hall, tous les regards s'étaient tournés vers elle. Son mantelet laissait entrevoir sa robe froissée et déchirée par endroits, et son chapeau, abîmé par la pluie, retenait à peine ses cheveux emmêlés. Elle était si mal en point que le commis lui avait demandé si elle avait besoin de l'assistance d'une femme de chambre ou même d'un médecin. Elle avait refusé, avait pris sa clé sans dire un mot et s'était dirigée vers l'escalier aux boiseries encaustiquées, tâchant d'ignorer les regards curieux ou hautains des clients et du personnel fixés sur elle.

Marguerite, assise à un secrétaire, écrivait rapidement, les yeux rouges mais secs. Ses cheveux emmêlés et encore humides pendaient autour de son visage. Son chapeau et son mantelet traînaient sur une chaise. Elle n'avait pas pris la peine de se laver ni de changer de vêtements. Pas encore. Cela viendrait plus tard, lorsqu'elle aurait terminé sa lettre. Alors elle aurait le droit de laver la honte, d'effacer la souillure. Elle continua d'écrire, tâchant de ne pas penser à Auguste Lenoir, à la brûlure de sa bouche trop chaude, à ses gestes à la fois brusques et précis, comme un nouveau propriétaire prenant possession d'une maison convoitée depuis longtemps, visitant chaque pièce, soulevant chaque tapis, pour s'assurer qu'il en a pour son argent. Le plus humiliant, c'est qu'elle avait fait corps avec cet homme affamé, comme pour en finir au plus vite, et elle en avait éprouvé un étrange plaisir. Cela l'avait davantage perturbée que le viol lui-même.

Après, Lenoir avait proposé de la ramener à l'hôtel en fiacre, affirmant le plus sérieusement du monde qu'il n'avait pas pour habitude de laisser une femme, encore moins sa cliente, affronter seule les rues de Montréal, qui pouvaient être dangereuses une fois la nuit tombée. Marguerite avait refusé, avec tout ce qui lui restait de dignité. Le danger ne s'était-il pas matérialisé ici même, dans cette chambre miteuse, dans ce lit dont les draps sentaient le rance ? Remettant tant bien que mal de l'ordre dans sa toilette, elle avait quitté le logement sordide de son agresseur et était retournée dans la rue Notre-Dame, devant l'immeuble où habitait sa fille, dans l'espoir d'y voir monsieur Joseph et sa voiture, mais ceux-ci avaient disparu. Elle dut donc se résigner à marcher jusqu'à son hôtel. Son entrée dans le hall du Rasco, l'éclat des lustres, les épaules moirées des femmes, les habits noirs des hommes, la voix du réceptionniste, tout cela s'était mêlé dans sa tête en un magma confus.

Ayant terminé sa lettre, Marguerite souffla dessus pour en sécher l'encre et la relut. Puis elle la plia en trois et la glissa dans une enveloppe fournie par l'hôtel, qu'elle cacheta après l'avoir adressée à Lucien Latourelle. Elle sonna la femme de chambre et, indifférente au regard embarrassé que celle-ci posait sur sa tenue, lui demanda de lui faire apporter de l'eau chaude, beaucoup d'eau chaude, afin qu'elle puisse prendre un bain. Mais d'abord, il était de première importance qu'elle remette cette lettre à son cocher, monsieur Joseph, qui devait aller la porter immédiatement à la personne dont le nom et l'adresse figuraient sur l'enveloppe. C'est seulement une fois la porte refermée que le courage déserta Marguerite. Elle appuya sa tête contre le mur froid de sa chambre et se laissa lentement retomber sur le sol. *Lucien, mon Lucien. Mon amour. Ma douleur.*

~

Lucien faisait sa valise, évitant de regarder Rosalie, qui était restée prostrée sur le lit, silencieuse. Lorsqu'il lui avait annoncé son intention de la quitter, il s'était attendu à des larmes, à des cris de désespoir, mais la jeune femme n'avait rien dit. Elle s'était contentée de le regarder de ses grands yeux noisette remplis d'un chagrin tel qu'il avait détourné les siens. Ce qui le dérangeait le plus, ce n'était pas tant la douleur qu'il causait à Rosalie que la honte d'en être la cause. Il aimait se mirer dans l'image de bonté qu'il avait de lui-même et ne détestait rien autant que de voir cette image contredite par la réalité.

À la honte succéda une sorte de ressentiment à l'endroit de Rosalie. Il aurait préféré des larmes, des reproches, plutôt que ce silence d'agneau qui se rend à l'abattoir. Et puis, n'était-ce pas la faute de Rosalie s'il s'était laissé entraîner dans cette aventure qui lui apparaissait maintenant aussi ridicule que pathétique ? N'était-ce pas elle qui avait tout mis en œuvre pour s'attirer sa compassion ? Car force lui était d'admettre que c'était de la pitié qu'il avait ressentie pour elle, qu'il avait bêtement confondue avec de l'amour. Il s'en voulait de cette erreur, qu'il mit sur le compte de son manque d'expérience. Plus jamais on ne l'y reprendrait. À partir d'aujourd'hui, il se forgerait un cœur d'acier et n'y laisserait entrer que ce qu'il fallait de sentiments pour conquérir le monde des lettres. Rien ni personne ne viendrait lui mettre des bâtons dans les roues ou affaiblir sa résolution. Ce n'était pas par égoïsme qu'il agissait ainsi, mais parce que tel était le prix à payer pour accomplir sa destinée. Rosalie était devenue un obstacle à ses ambitions. Un jour, elle lui pardonnerait son geste, comprenant qu'elle avait été sacrifiée sur l'autel de l'art.

Lucien ferma la valise, ayant réussi à transformer sa lâcheté en acte de courage. Le moment de la séparation était arrivé. *Il faut faire vite. Pas d'épanchements, pas de regrets, pas de faiblesse.* Il s'approcha de la jeune femme.

— Adieu, Rosalie.

Elle ne fit pas un geste, ses yeux toujours posés sur lui, insondables. C'est alors qu'on frappa à la porte. Cette fois, ce fut Lucien qui alla répondre, convaincu qu'il s'agissait de Marguerite. Il était bien décidé à ne pas s'en faire imposer cette fois, se considérant comme une victime dans toute cette histoire. En ouvrant, il fut surpris de reconnaître le cocher de son ancienne maîtresse. Ce dernier remit une missive au jeune homme.

— Pour vous, se contenta-t-il de dire.

Lucien examina la lettre et reconnut sans peine l'écriture de Marguerite. Dans son for intérieur, il fut soulagé qu'elle ait choisi de lui écrire plutôt que de le relancer en personne. Il avait eu son lot d'esclandres et aimait mieux des mots sur papier qu'un affrontement de vive voix. Par réflexe, il respira la missive, mais il ne reconnut pas le parfum de rose dont Marguerite aspergeait ordinairement les lettres d'amour qu'elle lui adressait. Debout sur le palier, il en commença la lecture, s'attendant à des reproches, à des mots d'amour, enfin, aux récriminations habituelles d'une amante délaissée.

> Monsieur,
> Par vos actions répréhensibles, vous avez déshonoré ma fille et sa famille. Je vous en tiens totalement responsable. Puisque vous avez séduit Rosalie et l'avez entraînée dans cette pitoyable fugue, avec les résultats que l'on sait, il est de

votre devoir de réparer vos torts, bien qu'aucune réparation de votre part ne puisse jamais effacer entièrement le mal que vous nous avez causé.

Le rouge monta aux joues de Lucien devant la dureté du ton de Marguerite. Il avait fait complètement fausse route en s'imaginant que son ancienne maîtresse lui écrirait une lettre d'amour éplorée. Seul le mot « nous » qu'elle avait utilisé pour décrire le mal qu'il avait prétendument causé trahissait les sentiments qu'elle avait encore pour lui. Il poursuivit la lecture avec appréhension.

Je vous connais suffisamment pour savoir que vous trouverez en vous-même la force et le courage nécessaires pour accomplir ce devoir, comme tout homme d'honneur le ferait à votre place.

Une émotion contradictoire submergea alors Lucien. Il était flatté que Marguerite ait utilisé les mots « force » et « courage » pour le dépeindre, mais craignait le mot « devoir », qui lui semblait lourd de conséquences.

J'ai donc pris des dispositions afin que vous épousiez ma fille. Mais soyez sans inquiétude. Je vous constituerai une rente fort respectable de quinze mille dollars par année, aussi longtemps que durera le mariage. Toutefois, s'il vous prenait la mauvaise idée de quitter Rosalie, vous perdriez tout.

Je vous prie de détruire cette lettre aussitôt que vous l'aurez lue. Ne la montrez sous aucun prétexte à Rosalie. Cela lui briserait le cœur, et Dieu sait qu'il a déjà été mis à rude épreuve, tout comme…

Le reste de la phrase avait été raturé. La lettre se terminait ainsi :

Je ferai les démarches nécessaires afin que les bans du mariage soient publiés le plus rapidement possible.
Marguerite Grandmont

Lucien resta immobile, la lettre à la main, comme si ses pieds avaient été emprisonnés dans un socle de glace. Et c'est exactement comme cela qu'il se sentait : pris au piège. Il fit un effort pour sortir de sa léthargie, glissa la lettre dans sa redingote, puis revint dans le logement en refermant la porte.

— Qui était-ce ? demanda Rosalie, intriguée.

— La logeuse, mentit Lucien. Elle réclamait son loyer.

Il se dirigea vers le petit poêle de fonte, s'apprêtant à y jeter la missive afin d'obéir aux instructions de Marguerite, puis, sans en comprendre la raison, il se ravisa. Pendant tout ce temps, Rosalie ne l'avait pas quitté des yeux. Elle avait remarqué la rougeur de Lucien, puis la pâleur qui avait suivi et son mouvement vers le poêle. Elle eut l'intuition que ce n'était pas la visite de la logeuse qui était la cause de son trouble.

— Que se passe-t-il, Lucien ?

Il prit une inspiration, puis se jeta à l'eau.

— J'ai réfléchi, Rosalie. Je te demande pardon pour ma conduite. L'annonce brutale de ma paternité m'a plongé dans un tel désarroi que j'en ai perdu tout sens du devoir. J'ai donc pris la seule décision possible dans les circonstances.

Il s'interrompit. Rosalie était suspendue à ses lèvres, le cœur serré.

— Je te demande de m'épouser.

Au lieu de la joie qu'elle aurait dû ressentir, Rosalie éprouva un sentiment de tristesse.

— Ainsi, ce n'est que par devoir que tu souhaites m'épouser.

Il eut un peu honte devant la sincérité de Rosalie, qui le faisait paraître faux et emprunté.

— Je ferai mon possible pour être un bon mari.

C'était la seule phrase vraiment honnête qu'il avait prononcée depuis qu'il fréquentait Rosalie. La jeune femme le comprit et en fut touchée. Elle connaissait Lucien mieux qu'il se connaissait lui-même et savait qu'il avait été aussi loin dans l'expression de ses sentiments que son égoïsme le lui permettait.

LXX

Marguerite fit des démarches afin d'obtenir une licence spéciale qui permettrait à Rosalie et à Lucien de se marier sans attendre la publication des bans trois semaines d'affilée dans le prône d'une paroisse, comme c'était la règle. Elle avait rencontré plusieurs prêtres qui avaient refusé d'octroyer l'exemption, mais avait finalement trouvé un curé qui avait un besoin urgent de fonds pour rénover son église. Moyennant un don important, elle obtint la licence souhaitée. Le mariage aurait lieu une semaine plus tard, à l'église Notre-Dame-de-Bonsecours. Elle convoqua sa fille et Lucien Latourelle dans sa chambre d'hôtel afin de leur annoncer la nouvelle. Puis elle demanda à son ancien amant de les laisser seules. Lucien partit, soulagé de ne pas avoir essuyé de reproches de la part de son ancienne bienfaitrice. Les deux femmes gardèrent un silence circonspect. Elles ne s'étaient pas revues depuis leur pénible confrontation, et leur malaise était palpable.

— Je retourne à Québec aujourd'hui, finit par dire Marguerite. Tu ne seras pas étonnée d'apprendre que je ne souhaite pas assister à votre mariage.

Rosalie resta silencieuse. Sa mère poursuivit, étrangement calme.

— Ton père possédait un logement à Montréal. Il t'appartient désormais. L'acte de propriété se trouve chez le notaire Descôteaux, qui a son bureau rue Sherbrooke. Sois sans inquiétude, tu ne manqueras de rien. Je t'ai pourvue d'une dot raisonnable, qui vous permettra de vivre confortablement, toi et... et ton enfant à naître.

Elle n'avait pas eu le courage de prononcer le nom de Lucien. Rosalie voulut parler, mais sa mère fit un geste de la main.

— Je t'en prie, laisse-moi finir. J'ai très mal agi envers toi. J'ai oublié tous mes devoirs de mère pour suivre mon cœur. Mais sache que je n'ai aucun regret d'avoir aimé Lucien.

Le visage de Rosalie se crispa. Marguerite lui saisit la main.

— Mon seul regret, c'est de t'avoir causé du chagrin, Rosalie. Tu te consoleras peut-être en sachant que j'en ai payé chèrement le prix. Plus chèrement que tu ne le sauras jamais.

Il y avait une telle douleur sur le visage de sa mère que Rosalie en fut touchée malgré elle.

— Votre peine n'est pas une consolation pour moi.

Une sorte de connivence s'établit entre la mère et la fille pour la première fois.

— Tu me pardonnes ? dit Marguerite.

— Je n'ai rien à vous pardonner.

Rosalie songea combien il était plus facile de pardonner lorsqu'on était heureux.

∽

Aussitôt après sa rencontre avec sa mère, Rosalie se rendit chez la tante de Fanette afin de faire part à son amie de son mariage avec Lucien. Fanette accueillit la nouvelle avec soulagement. C'était certainement la meilleure chose qui pouvait arriver dans les circonstances. Mais elle ne ressentait pas de joie. Rosalie, avec sa sensibilité à fleur de peau, s'en rendit compte.

— Je sais que tu ne portes pas Lucien dans ton cœur.

— Mes sentiments n'ont pas d'importance. Tu l'aimes, c'est tout ce qui compte à mes yeux.

Les deux amies, heureuses de s'être enfin réconciliées, s'étreignirent longuement. Puis Rosalie lui demanda :

— Accepterais-tu d'être notre témoin ?

— Bien sûr.

Rosalie devint soudain pâle et fut prise d'une nausée. Fanette voulut chercher de l'eau fraîche, mais la jeune femme refusa.

— Ce n'est pas nécessaire. Je vais déjà mieux.

Fanette pressentit la cause du malaise.

— Tu es enceinte.

Rosalie acquiesça. Lisant l'inquiétude sur les traits de son amie, elle tenta de la rassurer :

— Tout est pour le mieux. Je suis heureuse et je vais épouser l'homme que j'aime.

~

Le mariage de Rosalie et de Lucien fut célébré comme prévu à l'église Notre-Dame-de-Bonsecours. Rosalie était rayonnante dans sa robe blanche toute simple, ceinturée à la taille par un nœud de satin destiné à masquer une imperceptible rondeur. Son bonheur était si manifeste que Fanette sentit fondre ses réserves sur cette union. Lucien avait beau être narcissique, rongé par l'ambition, attiré par le succès comme un papillon cherche la lumière, il rendait Rosalie heureuse, et cela comptait davantage que ses propres craintes.

« Qu'importe ce que l'avenir nous réserve ? C'est le moment présent qui compte », lui avait dit Rosalie juste avant la cérémonie.

Carpe diem. Peut-être est-ce l'expression de la sagesse, songea Fanette.

~

À son retour chez sa tante, Fanette fut accueillie par la servante, qui lui dit que quelqu'un était ici pour la voir et l'attendait au salon. Intriguée, elle voulut lui demander de qui il s'agissait, mais Berthe était déjà repartie en direction de la cuisine.

Le docteur Brissette était assis dans un fauteuil, son chapeau sur ses genoux. Il portait une redingote qui semblait neuve et balançait nerveusement une jambe. Fanette remarqua qu'il n'avait pas sa sacoche avec lui. En entendant un bruit de pas, il se leva soudain. Son chapeau glissa par terre. Il le ramassa, rouge d'embarras.

— Bonjour, madame Grandmont. J'espère que je ne vous dérange pas.

Il parlait rapidement, en avalant ses mots.

— Pas du tout.

— À la bonne heure, à la bonne heure.

Il resta debout, les bras ballants. Fanette était plutôt déconcertée par son attitude.

— Puis-je vous offrir du thé ? offrit-elle.

— Avec joie ! s'exclama-t-il un peu trop vivement.

Il sentit sa rougeur s'accentuer. Contenant un sourire amusé, Fanette fit un mouvement pour sortir, mais il la retint.

— Oh, et puis, ne vous donnez pas cette peine. Je me contenterai volontiers d'un verre d'eau. Oh, et puis, rien du tout. Votre présence me suffira amplement.

Se rendant soudain compte de la portée de ses mots, il devint cramoisi.

— Je ne veux surtout pas vous importuner.

Le docteur Brissette se mit à contempler un tableau, comme si c'était devenu soudain la chose la plus importante du monde. Ne sachant que faire, Fanette décida de s'asseoir. Il l'imita aussitôt. Le silence retomba. Il fit craquer ses doigts, puis fixa le bout de ses chaussures, puis sourit à Fanette, puis fit de nouveau craquer ses doigts. Fanette commençait à en avoir assez du manège du jeune médecin. *Que veut-il à la fin ?*

— Chère mademoiselle Grandmont…

Il se corrigea aussitôt.

— Chère madame, je… j'ai appris par votre chère tante que vous songiez à prolonger votre séjour à Montréal. Ce serait avec joie que je vous rendrais visite de temps en temps, si toutefois ma compagnie ne vous est pas trop désagréable.

Il n'eut pas sitôt fini de parler qu'il se leva, mit son chapeau, s'inclina devant Fanette et quitta le salon presque au pas de course. Lorsqu'il parvint au hall, il faillit emboutir Madeleine. Celle-ci, portant son habit d'homme, sa cravache à la main, le regarda, interloquée. Il balbutia des salutations et sortit en coup de vent. Ne comprenant rien à ce comportement étrange, Madeleine rejoignit Fanette au salon.

— Que voulait-il ? Je ne suis plus malade.

Fanette sourit.

— Si j'ai bien compris, vous lui avez dit que je songeais à prolonger mon séjour à Montréal, et il souhaite me rendre visite de temps en temps.

Madeleine pinça les lèvres.

— Il est bien rapide en affaires.

Elle scruta sa nièce.

— Que penses-tu de ce jeune homme ?

Fanette haussa les épaules.

— Je ne le connais pas suffisamment pour avoir une opinion à son sujet.

— Sage réponse, ma chère Fanette. Je n'en attendais pas moins de ta part.

Elle s'attarda.

— As-tu réfléchi à la proposition que je t'ai faite ?

Fanette ne répondit pas tout de suite. Le mariage de Rosalie l'avait accaparée tout en lui permettant de repousser le moment de sa décision. Dans son for intérieur, cette offre la tentait. L'idée d'être rémunérée pour un travail lui semblait attirante, sans compter qu'elle commençait à s'habituer à sa nouvelle existence à Montréal. Bien sûr, sa tante avait un caractère difficile, mais elle avait appris à la connaître et lui trouvait de plus en plus de qualités. L'attachement que Madeleine éprouvait pour Marie-Rosalie semblait sincère. Il y avait toutefois un obstacle à la possibilité qu'elle accepte la proposition de sa tante : Emma.

La simple idée de séparer sa mère de la petite-fille qu'elle adorait était en soi déchirante. Elle-même éprouvait un vif attachement pour Emma et hésitait à la quitter. Le pire était que sa mère protesterait et tâcherait de convaincre Fanette de rester à Montréal, si tel était son souhait, mais elle garderait son chagrin pour elle.

— Tu hésites à cause d'Emma ? dit soudain sa tante.

Fanette fut saisie par la sagacité de sa tante. Celle-ci leva les yeux vers sa nièce. Il y avait une sorte de gravité dans son regard.

— Je connais ton attachement pour ma sœur. Elle a fait beaucoup pour toi. Mais ta mère serait la première à souhaiter que tu deviennes une jeune femme émancipée. J'ai le bras long au journal. Qui sait si, un jour, je ne pourrais pas t'y dénicher un emploi. Bien sûr, il faudrait que tu commences au bas de l'échelle, et tu ne pourrais pas signer tes articles, mais ce serait un début.

Le souvenir de sa visite au journal revint à Fanette. L'activité bourdonnante. L'odeur de l'encre et du papier. La magie de la page imprimée. Sa tante observa Fanette en silence, puis sourit.

— Rien ne t'oblige à prendre une décision tout de suite, ma chère nièce. Donne-toi le temps d'y réfléchir. Après tout, il s'agit de ton avenir.

Madeleine sortit. Restée seule, Fanette pensa à ce que sa tante venait de lui dire. *Ta mère serait la première à souhaiter que tu deviennes une jeune femme émancipée. Après tout, il s'agit de ton avenir.* La cloche sonna pour le dîner. Et elle eut soudain la certitude que cet avenir se trouvait à Montréal.

Épilogue

New York
Décembre 1861

Le défilé battait son plein. Des chars allégoriques, tirés par des chevaux ornés de panaches de rênes, avançaient dans la rue Broadway sous les applaudissements des badauds attroupés des deux côtés pour admirer la parade. Une neige fine tombait doucement dans le ciel illuminé par les lampadaires.

Recroquevillé dans l'encoignure d'une porte, les bras croisés autour des épaules pour tenter de se garder un peu au chaud, Sean regardait sans les voir les chars qui s'approchaient. Il n'y avait que quelques sous dans le chapeau cabossé qu'il avait déposé devant lui. Jusqu'à présent, les passants ne s'étaient pas montrés très généreux. Sean rêvait d'un repas chaud et d'un lit. Depuis des semaines, il dormait dans des abris de fortune et faisait la queue devant des refuges pour manger une soupe claire et sans goût. Une chorale se mit à chanter non loin de lui :

It came upon the midnight clear,
That glorious song of old,
From angels bending near the earth,
To touch their harps of gold :
« Peace on the earth, goodwill to men
From heavens all gracious King ! »
The world in solemn stillness lay
To hear the angels sing.

Des gens s'étaient arrêtés pour écouter les voix mélodieuses. Un homme de grande taille, bien vêtu, était parmi eux. Des flocons de neige se déposaient sur son haut-de-forme et sur ses épaules. Après un moment, l'homme poursuivit son chemin. Voyant un pauvre hère quêtant devant la porte d'un commerce, il fouilla dans une poche de son manteau et en sortit quelques pièces, qu'il jeta dans le chapeau.

— *Merry Christmas, lad.*

Sean leva la tête. La voix du passant, un peu rauque, lui semblait familière. Où l'avait-il entendue ?

— *Merry Christmas*, répondit-il, les lèvres bleuies à cause du froid.

L'homme bien vêtu s'attarda et observa le vagabond à qui il venait de faire l'aumône. Son visage était éclairé par un lampadaire. Il remarqua les cheveux noirs, les yeux d'un bleu profond, les traits fins, la légère déformation de la pommette droite. Il se pencha, effleura le bras du vagabond de sa main gantée.

— Sean ?

Le mendiant regarda l'homme penché au-dessus de lui. Il reconnut les yeux verts et les cheveux flamboyants qui tombaient sur ses épaules.

— Capitaine, murmura-t-il.

Andrew Beggs sourit.

— J'ai quitté l'armée américaine. Appelle-moi simplement Andrew. Que fais-tu à New York ?

Sean voulut parler, mais le froid et l'émotion l'en empêchèrent. Andrew Beggs comprit que le pauvre jeune homme était transi et mourait probablement de faim.

— Tu me raconteras tout ça devant un bon repas.

Il lui tendit la main et l'aida à se relever.

~

Les deux hommes étaient attablés dans une taverne enfumée. Sean mangeait rapidement, sans lever la tête. Après quelques minutes, il s'essuya la bouche du revers de la main, un peu honteux.

— Je n'avais rien mangé depuis plusieurs jours, avoua-t-il.

— Raconte-moi ce qui t'est arrivé, dit Andrew Beggs, qui n'avait presque pas touché à son assiette.

Il avait déjà mangé avant de rencontrer Sean dans la rue mais avait commandé un plat pour mettre le jeune homme à son aise.

— J'ai été blessé durant une deuxième bataille, à Manassas. Un coup de baïonnette dans la cuisse. On m'a envoyé dans un hôpital, à Richmond. Après, j'ai été démobilisé. On disait qu'il y avait du travail à New York. J'ai débarqué ici à la fin du mois d'août. Je me suis rendu au port, dans l'espoir d'y trouver un emploi comme débardeur, mais on n'a pas voulu de moi.

Un pli amer creusa ses traits.

— Je boitais un peu, à cause de ma blessure. On ne voulait pas d'un *cripple*. C'est comme ça qu'on m'a appelé. Voilà comment on récompense les imbéciles qui ont cru à la cause de l'Union.

Beggs poussa son assiette vers le jeune homme, lui faisant signe de la tête qu'il pouvait se servir. Sean accepta et se remit à manger, s'étouffant tellement il avalait vite. Après avoir terminé, il leva les yeux vers son ancien capitaine.

— Et vous, pourquoi avez-vous quitté l'armée ?

— J'avais une cause plus importante à défendre.

— Laquelle ?

Andrew Beggs regarda le jeune homme, que la misère et l'amertume avaient prématurément vieilli.

— As-tu entendu parler de la confrérie des Fenians ?

Sean secoua la tête.

— C'est un regroupement d'Irlandais qui a été fondé par John O'Mahony et Michael Dohany dans le but de libérer l'Irlande de l'oppresseur britannique.

Sean le regarda sans comprendre.

— Libérer l'Irlande, c'est une chose, mais pourquoi à partir de New York ?

Beggs sourit.

— Il y a une réunion de la confrérie ce soir. Accompagne-moi, tu comprendras mieux.

— Je veux bien, mais avant, j'aurais une question à vous poser.

Beggs attendit.

— La dernière fois qu'on s'est vus, vous m'avez dit que vous connaissiez ma sœur Amanda, mais que vous n'aviez jamais rencontré Fionnualá. Dites-moi la vérité. Avez-vous connu ma sœur ? Est-elle encore vivante ?

L'ancien capitaine soutint le regard du jeune homme. Il savait que, s'il lui disait la vérité, Sean n'aurait qu'une idée en tête : retrouver Fanette. Et il avait des visées importantes pour lui, plus importantes que des retrouvailles familiales.

— Je t'ai dit la vérité, Sean. Je ne connais pas celle que tu appelles Fionnualá.

❧

Andrew et Sean entrèrent dans une grande salle, déjà remplie à craquer. Plus de trois cents Irlandais y étaient entassés, assis sur des chaises inconfortables. La majorité des hommes était en civil, mais bon nombre d'entre eux avaient revêtu leur uniforme du club militaire irlandais dont ils faisaient partie, ou encore leur uniforme de soldat de l'Union. Certains portaient un drapeau vert sur leurs épaules. La fumée des pipes s'élevait en spirales jusqu'aux voûtes du plafond.

L'assemblée n'avait pas commencé, mais l'atmosphère, chargée du bourdonnement des voix, était fébrile, comme un ciel avant l'orage. Tous les regards étaient tournés vers une estrade vide derrière laquelle un drapeau vert avait été installé. Andrew et Sean restèrent debout au fond de la salle. Andrew désigna le drapeau vert et s'adressa à Sean, parlant fort pour couvrir le brouhaha :

— C'est le drapeau des Fenians. Le mot « Fenian » signifie *Fianna* en gaélique. Selon la légende, les *Fianna* étaient des chevaliers errants qui prenaient parfois les armes pour défendre l'Irlande, au IIIe siècle.

Une voix s'éleva soudain :

— *It's him. He's coming !*

Une clameur s'ensuivit. Un homme d'environ quarante-cinq ans fit son entrée dans la salle et s'avança vers l'estrade. Il portait un uniforme dont les boutons dorés luisaient dans la lumière blanche des lustres. Une moustache surmontait ses lèvres minces. La foule scanda :

— *John O'Mahony ! John O'Mahony !*

L'homme en uniforme monta d'un bond leste sur l'estrade. Les cris se décuplèrent. Les gens se mirent à taper du pied.

— *John O'Mahony ! John O'Mahony !*

Il fit un mouvement des mains pour apaiser l'assistance. Les acclamations s'estompèrent. Puis, parcourant la salle de ses yeux sombres et vifs, O'Mahony se mit à parler. Il avait la voix posée, puissante, de quelqu'un qui a l'habitude de faire des discours.

— *A chomhthírigh.* Chers compatriotes. *A bhráithre.* Chers frères. *Bráithreachas na bhFíníní abú !* Longue vie à la confrérie des Fenians !

Des acclamations retentirent. O'Mahony se contenta d'acquiescer, comme pour montrer à la foule qu'il partageait ses sentiments. Il attendit que les cris cessent avant de poursuivre.

— Mes frères, aucun d'entre nous n'a oublié la terrible famine qui a décimé des dizaines de milliers de nos compatriotes et a forcé les autres à quitter notre beau pays. Nous n'avons pas oublié ces bateaux transformés en cercueils où les nôtres sont morts par milliers. Nous n'avons pas oublié les îles de la honte, où des dizaines de milliers d'Irlandais ont succombé au typhus ou au choléra et dont les corps sans sépulture ont nourri une terre étrangère.

À chacune de ses phrases, la foule murmurait : « *We shall never forget.* »

— Qui a provoqué cette famine ? continua O'Mahony, d'une voix enflammée. Qui a exporté vers l'Angleterre les récoltes qui auraient pu sauver notre peuple ? Qui a ignoré les appels de détresse des prêtres, des journalistes dénonçant les conditions ignobles dans lesquelles des familles entières vivaient ?

John O'Mahony s'interrompit, fixant chacun des participants de ses yeux sombres, comme pour les prendre à témoin de ces horreurs.

— Qui a mis notre peuple à genoux, l'a assujetti pendant des siècles, lui a arraché ses terres, l'a forcé à l'exil ?

— Les Anglais ! répondit l'auditoire en chœur.

— Les Anglais, répéta O'Mahony. Ce sont les Anglais qui nous ont réduits à la misère, ont nié nos droits, ont fait de nous un peuple de locataires, dépendant du bon vouloir de *landlords* cupides. Et c'est pour les combattre, pour retrouver nos terres, pour faire régner la justice, que nous sommes réunis ici ce soir !

Des exclamations enthousiastes accueillirent sa dernière tirade. Il attendit quelques secondes, ne pouvant s'empêcher de sourire devant l'explosion de ferveur qu'il venait de susciter.

— La plupart d'entre vous ont combattu bravement dans l'armée américaine contre les États esclavagistes. Maintenant, il est temps de mettre votre bravoure au service de notre peuple !

Cette fois, la clameur fut telle que John O'Mahony ne chercha pas à la calmer. Sean buvait les paroles du chef irlandais, sentant une exaltation qu'il n'avait jamais éprouvée auparavant lui parcourir les veines. Andrew Beggs ne quittait pas le jeune homme des yeux, comme s'il cherchait à mesurer sa ferveur.

— Nous prendrons les armes partout où nous le pourrons afin de mettre fin au joug des Anglais et de libérer notre peuple. Nous irons d'abord au Canada, afin de libérer les Irlandais qui vivent sous la botte britannique. Chacune de nos victoires nous rapprochera de la libération de notre peuple. *Na Fíníní abú !* Vive les Fenians ! *Éire go brách !* Vive l'Irlande ! *Éire neamhspeách go deo !* Vive l'Irlande indépendante !

Cette fois, ce fut le délire. Tous les hommes se levèrent d'un seul mouvement, comme poussés par une force commune, et crièrent en même temps. Sean criait comme les autres, les yeux fiévreux, l'air exalté. Tout à coup, son existence avait un sens. Il comprenait pourquoi il était venu au monde.

Lorsque le discours fut terminé, les hommes commencèrent à se disperser. Sean était resté debout au même endroit, comme en transe. Puis il se tourna vers Andrew Beggs.

— Je veux m'engager dans la confrérie, capitaine. Je suis prêt à donner ma vie pour la libération de l'Irlande.

Mot de l'auteure et remerciements

Bien que *Fanette* soit une œuvre de fiction, il m'a fallu effectuer beaucoup de recherches, notamment sur la léproserie de Tracadie, qui a accueilli des lépreux à partir du 25 juillet 1849 jusqu'au milieu du XXe siècle. Cette terrible maladie aurait été apportée par deux voyageurs scandinaves qui se seraient enfuis d'un lazaret en Norvège et auraient fait le voyage jusqu'au Canada.

Par ailleurs, une partie de l'action du roman se déroule aux États-Unis lors de la guerre de Sécession (1861-1865), qui a opposé les États de l'Union aux États confédérés esclavagistes. Je me suis inspirée de la première bataille, celle de Manassas, en Virginie, qui a eu lieu le 21 juillet 1861, mais j'ai bien sûr adapté les faits historiques aux nécessités de mon roman.

Comme mon héroïne Fanette se retrouve à Montréal, j'en ai étudié l'architecture, la toponymie, les transports, les mœurs ainsi que la vie quotidienne dans les années 1860. Pour ce faire, j'ai fréquenté assidûment le site du musée McCord, qui a un catalogue extraordinaire de photos de cette époque. J'ai également examiné le fonctionnement des journaux au XIXe siècle. Ma visite à l'imprimerie Lovell, la plus ancienne imprimerie de Montréal, qui existe toujours, m'a été très utile. Je tiens à remercier Michel Desjardins, président du Petit Musée de l'impression, dont les conseils m'ont été très précieux.

Le poème que j'ai attribué à Lucien Latourelle a été écrit par C. Michaux, un juge d'instruction qui a vécu au XIXe siècle. La chanson fredonnée par Alistair Gilmour a été écrite par

Chauncey Olcott et George Graff, Jr. pour une production musicale intitulée *The Isle O' Dreams*. J'ai commis volontairement un anachronisme, puisque cette chanson date du début du XXe siècle.

Le livre *Histoire des détectives privés en France 1832-1942*, de Dominique Kalifa, publié aux éditions Nouveau Monde, ainsi que les *Mémoires de Vidocq*, le célèbre bagnard devenu chef de la sûreté de Paris, m'ont inspirée pour le personnage d'Auguste Lenoir.

Enfin, je souhaite remercier mon éditrice, Monique H. Messier, pour sa confiance et son soutien inestimables dans la poursuite de cette saga, ainsi que Martina Branagan, ma traductrice en gaélique. Toute ma reconnaissance va à Évelyne Saint-Pierre, mon agente littéraire, et à Françoise Mhun, ma lectrice et amie.

La suite de la saga historique Fanette

Fanette, tome 5

Montréal, 1861. Grâce au soutien de sa tante Madeleine, Fanette fait ses premiers pas dans le journal *L'Époque*. Arsène Gagnon, un collègue misogyne et ambitieux, voit d'un mauvais œil l'engagement d'une femme comme journaliste et s'ingénie à lui mettre des bâtons dans les roues. De son côté, Amanda connaît enfin une vie heureuse avec Noël Picard dans le village de la Jeune Lorette, mais son fils, Ian, tourmenté par ses origines, veut à tout prix savoir qui est son vrai père. Amanda se résout à lui dire la vérité, avec des conséquences dramatiques.

Sean s'est engagé dans la confrérie des Fenians, un groupe cherchant à libérer l'Irlande du joug britannique, mais il n'a pas abandonné l'espoir de retrouver un jour ses sœurs, Amanda et Fionnualá. Sa quête sera semée d'embûches.

Retrouvez Fanette sur le blogue :
www.fanette.ca

Suivez les Éditions Libre Expression sur le Web :
www.edlibreexpression.com

Cet ouvrage a été composé en Cochin 12,25/14,7
et achevé d'imprimer en août 2011 sur les presses de
Marquis imprimeur, Québec, Canada.

certifié

procédé sans chlore

100 % post-consommation

archives permanentes

énergie biogaz

Imprimé sur du papier 100 % postconsommation,
traité sans chlore, accrédité Éco-Logo et fait à partir de biogaz.